AI WEIWEI

千年の歓喜と悲哀　アイ・ウェイウェイ自伝

艾未未（アイ・ウェイウェイ）　佐々木紀子 訳

1000 YEARS OF JOYS AND SORROWS

KADOKAWA

千年の歓喜と悲哀

アイ・ウェイウェイ自伝

1000 Years of Joys and Sorrows : A Memoir
By Ai Weiwei

This translation published by arrangement with Crown, an imprint of Random House,
a division of Penguin Random House LLC
through Japan UNI Agency, Inc., Tokyo

交河（ジアオホー）故城にて

まるで隊商が街を通り抜けていったかのよう
人の喧騒（けんそう）に混じるラクダの鈴の音
変わらぬ市場のにぎわい
尽きない人と荷馬車の流れ

いや、違う——豪奢（ごうしゃ）な宮殿は
荒れはてて廃墟（はいきょ）となった
千年の歓喜と悲哀、出逢いと別れは
一片の痕跡（こんせき）すらない

今生きている者は、全力で生きねばならぬ
大地が記憶してくれると、望んではならぬ

艾青、一九八〇年
（原題：『交河故城遺址』）

両親と息子に捧ぐ

目次

千年の歓喜と悲哀

アイ・ウェイウェイ自伝

第一章　透明な夜

……田んぼの土手から、陽気な笑いがどっと沸く……
酔っ払いどもがガヤガヤと
眠れる村へと歩いていく……

夜、この透明な
夜！

――『透明な夜』からの抜粋。
一九三二年、父が上海刑務所内で書いたもの。

私は一九五七年に生まれた。「新生中国」となって八年、父が四十七歳のときだった。私が子供のころ、父はほとんど過去を語らなかった。すべてが政治の濃い霧に包まれて曇り、事実を探れば、恐ろしい仕返しを受けかねなかった。新体制に合わせているうちに中国人の内面は衰え、ものごとをありのままに語る能力を失っていった。
　私がこのことを深く考えるようになったのは、半世紀もたってからだ。二〇一一年四月三日、北京首都国際空港から飛ぶところだった私は、突然、私服警官に取り囲まれた。それからの八十一日間、私はブラックホールに吸い込まれていた。当局に監禁されているあいだ、私は過去を振り返った。父を想い、八十年前、国民党政権下で投獄された父の日々を想像してみた。私は今まで、父の苦しい体験についてろくに知らず、積極的に知ろうともしなかった。私が育った時代、イデオロギーの洗脳は強烈な光となって人々に照りつけ、過去の記憶はまるで影のように姿を消した。思い出は重荷であり、なかったことにしたほうが楽だった。やがて、人々は思い出す意志も力も失った。昨日も今日も明日も区別がつかないほどぼやけて混濁していれば、記憶はほとんど意味を持たず、ただ危険なだけだった。

　幼いころの記憶は断片的だ。世界は二つのスクリーンに分かれていた。一方にはタキシードにシルクハット姿の帝国主義者・アメリカ合衆国がステッキを手に気取って歩いている。後ろからぞろぞろついて行くのがイギリス、フランス、ドイツ、イタリア、日本、そして台湾をむしばむ反動主義者・台湾国民党だ。もう一方にいるのが太陽のような毛沢東（マオ・ゾードン）、そして彼を仰ぎ見るひまわり、植民地支配からの独立・解放を求めるアジアやアフリカ、ラテンアメリカの人民だ。光と未来を象徴するのはこちら側だった。プロパガンダ・ポスターでは、ベトナムの「ホーおじさん」、つまりホー・チ・ミンが、竹のクーリーハットをかぶって上空のアメリカ軍機に銃を向けた勇敢な若者たちに囲まれていた。毎日、味方がヤンキーを懲らしめた話をたっぷり聞かされたものだ。向こうとこちらの世界のあいだには、埋められない深い溝があった。

　情報は極端に乏しく、個人の選択など雲をつかむような話だった。好奇心や愛着の育つ土壌はなく、思い出は干上がり、砕けて消えた。「プロレタリアートは、まずすべての人類を解放しなければならぬ、その後自らを解放するのだ」というのが決まり文句だった。幾多の動乱を経て、人の純粋な感情や記憶は、闘争と革命話にあっさり置き換えられてしまった。

幸い、父は詩人だった。真心のきれいな流れが政治の洪水にかき消されたとしても、心の奥底の気持ちを詩に書きとめていた。今となっては、私にできることは、嵐が過ぎ去ったあとに散乱した破片を拾い上げ、不完全かもしれないが、つなぎ合わせて一枚の絵にすることだけだ。

私が生まれた年に、毛沢東が反右派闘争を発動した。政府を批判する知識人を粛清するためだ。父を飲み込んだ粛清の渦は、私の人生をも転覆させた。傷痕(きずあと)はいまだに消えていない。父は中国の作家の中でも主要な「右派」として追放され、「労働改造」させられた。一九四九年の新体制樹立後の比較的快適な暮らしは、突然終わりを告げる。最初の追放先は、東北部の果ての凍てついた荒野だった。次に送られたのは、新疆(シンジアン)の天山(ティエンシャン)山脈のふもとの町、石河子(シーホーズ)だった。私たちは台風から避難する小舟のように、そこで政治の風向きが再び変わるのをじっと待った。

一九六七年、毛沢東の「文化大革命」が新たな段階に入った。父はブルジョア文学を喧伝(けんでん)しているとされ、トロツキー主義者や脱党者、反党分子らと共に、再びブラックリストに上がった。私は十歳になろうとしていた。記憶は今もついて回る。

その年の五月、石河子市の革命急進派リーダーが家にやってきた。これまでの暮らしは安楽すぎるため、人里離れた準軍事的な生産兵団で「思想改造」してもらうという。

父は一切反応しなかった。

「送別会をしてもらえるとでも?」。男は冷笑した。

まもなく、第一汽車製の「解放」トラックが玄関前に停まった。私たちはわずかな家具と石炭を積み込み、その上に丸めた寝具を載せた。ほかに持っていくものはなかった。父が前の座席に座ると、小雨が降りだした。異父兄弟の高剣(ガオ・ジエン)と私は荷台に上って幌(ほろ)の下にうずくまった。行き先は中国新疆ウイグル自治区の北部、グルバンテュンギュト砂漠の端、地元の人が「小シベリア」と呼ぶ地域だ。

母は弟の艾丹(アイ・ダン)を連れて北京に戻ると決めた。十年間を追放先で過ごしてきた母はもう若くなかったし、さらなる未開の地で暮らすことには耐えられなかったのだ。石河子が限界だった。家族が離ればなれにならずに済むすべはなかった。私は一緒に来てと頼むことも、弟を連れて行かないでと懇願することもなかった。さよならも言わず、いつか一緒に暮らせるかと尋ねることもせず、ただ黙っていた。トラックが動きだし、二人の姿がいつ視界から消えたのかも覚えていない。とどまることも去ることも変わりはなかった。どちらにせよ、私たちの決めることではなかった。

穴と溝だらけの悪路は、永遠に続くように思われた。トラックは激しく揺れ、放り出されないよう、私は必死で荷台の枠につかまった。積んでいた敷物が強風に吹き飛ばされ、あっという間に舞い上がる砂ぼこりの中に消えていった。

骨がバラバラになるかというころ、ようやくトラックが砂漠の端で停まった。目的地に着いたのだ。新疆生産建設兵団農八師第二十三連隊、第三大隊、第二中隊。五〇年代、辺境に作られた施設の一つだ。平時には土地を開墾し、農産物を作って国家の経済発展に貢献する。ひとたび隣国と戦争になったり、少数民族間の動乱が起きたりすれば、兵士となって国を守る。部隊は、故郷を追放された犯罪者を収容する機能も備えていた。

夕暮れだった。屋根の低い小屋が連なっている。どこからか笛の音が流れ、若い労働者たちが私たちをもの珍しそうに見ていた。割り当てられた部屋にはダブルベッドが一つあるだけだった。父と私

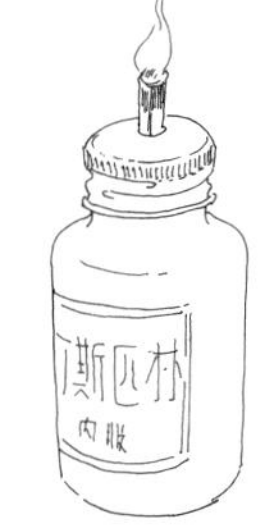

は、石河子から持ってきた小さなテーブルと椅子を四脚運び入れた。床はむき出しの土間で、泥レンガの壁はあちこちから藁（わら）が飛び出している。私は薬の空き瓶に灯油を入れ、蓋（ふた）に穴を開けて古い靴ひもを通し、簡単なランプをこしらえた。

　父は読書と執筆の時間さえとれれば、何も求めない人だった。家事はいつも母がしてくれていたが、今はもう父と高剣と私しかいない。男所帯は労働者たちの好奇心をそそった。「軍事農場の戦士」は、「あれはおまえの爺（じい）ちゃんか？」とか「お母ちゃんが恋しいか？」と、ぶしつけに聞いてきた。やがて、私は自分で身の回りのことができるようになった。

　部屋を暖め、湯を沸かすために、ストーブを作ってみた。ところが、火をつけると煙があちこちから漏れて眼がひりひりし、息苦しくなった。室内の換気が必要だったのだ。日々の雑用もあった。井戸から水を汲（く）んで運び、食堂に食事を取りに行き、ストーブに薪（まき）をくべ、燃えかすをショベルでかき出す。誰かがやらなければならないことは、たいてい私がやることになった。

　過去からは切り離された。太陽が昇ってまた沈むことを除けば、現在と過去には何の共通点もなかった。私たちの暮らしは、荒野での終わりのないサバイバル訓練のようだった。運よく生き延びる（サバイバル）ことができれば、だが。中隊のある場所は、北側をスイスほどの大きさの砂漠と接している。初めて砂漠を見た私はすっかり興奮し、息が切れるまで砂の上を駆け回った。寝そべって、果てしなく続く青い空を見上げた。しかし、そんな興奮もすぐに冷めた。強烈な太陽が照りつける砂漠には日陰もなく、塩を含む砂は真っ白に輝いて、まるで雪が積もったようだった。強い熱風が吹きつけるたびに、とげのあるラクダ草の茂みがざわざわと揺れ、顔に打ちつけられた砂粒が針のように肌を刺した。

労働者たちの経歴はさまざまで謎に包まれていたが、この国境地帯にいる限り、背景や明かせない過去については考えずに済んでいた。かつて属していたコミュニティからは忘れられ、今ここでしか生きられなかった。多くは汚名を着せられた、いわゆる「黒五類」で、地主、富農、反革命分子、破壊分子、右派とされた人たちだ。さらに私のような「黒五類」の子供たちもいる。元兵士や、故郷で受け入れられなかった若者、貧困から逃れてきた人もいた。少なくともここでは、開墾して食べる分の作物を育てれば、飢えずに済んだ。

父はまず、森林管理に配属された。周りに悪影響を与えないよう、一人だけ集団から離され、刈り込みばさみと小さなのこぎりを持たされた。農場の楡の木も砂棗も、植えてから一度も剪定されておらず、からまった灌木になっていた。幹は羊に噛み荒らされ、側枝は好き勝手に生えている。父はすぐに新しい仕事に慣れた。樹木が好きだったし、大勢の人たちから距離を置けるのも気楽だった。

私のほうは毎朝、教師一人、教室一つの学校に通った。六、七人いた二年生と三年生が一緒だったが、五歳年上の高剣は、ほかの生産兵団部隊の中学校で寄宿生活をしていた。

学校が終わると、水筒を抱え、長い長い道のりを歩いて父のところへ行った。枝をはらいながら木の周囲を回り、数歩退いては左右のバランスを確認している父の姿が遠くから見えた。私が近づいてくるのに気づくと、父はほっと肩の力を抜いた。あるとき、私が持って行った水を勢いよく飲んで額の汗をぬぐってから、一本の楡の枝をくれた。こぶやきずを削り取って、まるで古代の笏のようになめらかで艶やかに仕上げてあった。

中隊本部の建物群の真ん中には講堂がある。ファサードを飾る五芒星は、濃い赤色が

あせて錆色になっていた。生産兵団では、講堂が昔の祠堂のような役割を果たしていた。こうした講堂は、今や中国全土の工場やコミュニティ、政府機関や学校、軍の部隊など、いたるところで見られるようになった。舞台の上には毛沢東のポートレートが掲げられ、左にマルクスとエンゲルス、右にレーニンとスターリンを従えている。全員の顔が講堂の中央を向き、遠くを見据えていた。

　昼間の労働でどんなに疲れていようとも、夕食後には集会が開かれた。冷え冷えとした水銀灯の明かりの下、二百四十人の労働者とその家族が床に仕事道具を置いて、政治指導者の国家情勢を分析したイデオロギー報告を聴いた。「政治」は生活のすべてに入り込んでいた。毎日夜明けには、毛沢東主席の指示を仰いでから仕事や勉強にかからねばならず、一日の終わりには、その日の成果を毛主席に報告するという儀式がおこなわれた。政治指導者には党路線、党政策、上層部の決定と指示を遂行し、マルクス・レーニン主義と毛沢東思想を学ぶよう人々を導く役目があった。その後、隊長が仕事を査定し、翌日の割り当てを決めた。

「黒五類」はいつも舞台の前面に呼び出され、下の聴衆に向かって悔恨のしるしに頭を下げねばならなかった。父がそこにいるのは明らかなのに、議長は大声で「大右派の艾青はいるか?」と叫ぶ。右派に「大」を付けるのはいつものことだ。父の作家としての評判と影響力のためだ。「ブルジョア小説家」と呼ばれたこともあった。父は詩作で有名なのだから、この呼び名はおかしい。しかし聴衆は父が何者だろうと、何をしでかしていようと、何の興味もなかった。集会はいつものとおりで、理にかなったものとされていた。革命には敵が必要だった。敵がいなければ、人々は動揺するだろう。

　呼び出されると父は椅子から立ち上がり、人々のあいだを縫って前へ出て、舞台に上がった。罪を認め低く礼をすると、前髪が額に落ちた。一瞬、聴衆は静かになるが、すぐに静けさは破れ、子供たちは走り回り、男たちは下品なジョークをかわし、女たちは赤ん坊に乳をやり、編み物をし、ひまわりの種を歯でくだきながら噂話に花を咲かせた。

　責任者が「大右派の艾青は下がらせよう」と言えば、父はさっさとホールから出ていった。退出するかどうかは事前にはわからない。毛主席からの「最新指示」があるかどうかにかかっていた。最新指示があるなら、父のような人間は、その場にいることが許されなかった。

　文化大革命の初期は、ほとんど毎日毎晩、毛主席からの指示が伝達された。電話で伝えられる言葉は一言一句たがわず書きとめられ、夜の集会で公表された。ドナルド・トランプが大統領だったころの夜のツイートのようなもので、熱心なフォロワーに直接語りかけることで、指導者をより神聖化しようとするものだ。中国の場合、言葉の持つ意味はもっと強く、遵守することが求められた。言葉が伝えられると、銅鑼（どら）と太鼓の耳障りな音が鳴り響き、毛主席の英知が開示されたことを祝う。聴衆には新たなエネルギーが注入されるのだ。こんな光景が連日全国で演じられ、何年も続いた。

　文化大革命とは「社会主義革命の発展における、より深く幅広い、新たな段階」であり、「人々の魂に触れる革命」だとされた。目標は「資本主義の道を歩む実権派を引きずり下ろし、ブルジョア反動的な学問の〈権威〉を批判し、ブルジョアジーとすべての搾取階級のイデオロギーを批判すること。教育、文化、そして社会主義経済基盤に沿わない上部構造のすべてを改革し、社会主義体制を強固なものにして、発展させること」である。

　毎日がこんな大仰な言葉で満ちていた。意味はわからずとも、催眠効果があり、麻薬のような作用があった。誰もが取りつかれていた。

　講堂は大食堂の役割も果たしていた。毎日食事どきに、父は入り口に立って古いほうろうの洗面器をたたきながら「私は右派です。犯罪者です」と大声で言わなければならなかった。その姿はすぐに見慣れたものとなり、労働者たちは気にもかけずに通り過ぎて厨房（ちゅうぼう）のハッチ前に長い列を作った。皿と食券を渡すときには毛主席の言葉を唱える決まりだ。料理人も同じく、料理をよそう前に毛主席の言葉を唱え、革命への忠誠を表明した。生活全部が舞台であり、全員が与えられた役を自動的に演じていた。もし父がいつもの場所に姿を見せなければ、大きな不幸の前触れかと心配された。

　わびしい日々が繰り返され、物が不足している時代、たとえ毎日代わり映えしなかったとしても、想像力を刺激するのは食事だった。毎朝、料理人がトウモロコシ粉に湯を混ぜてパン生地を作り、一メートル四方もある蒸し器に入れる。それを五段重ねにして鉄鍋（てつなべ）の上に置き、三十分蒸す。蓋を取ると、厨房じゅうが湯気で満たされた。料理人は蒸したパンを縦横に切っていき、二百グラムの四角いパンにした。公平さを示すため、並ぶ人の目の前でパンを量ってみせた。一年中同じパンだった。例外は五月一日の労働節（メーデー）と十月一日の国慶節で、このパンに砂糖とナツメの赤く甘い衣がかけられた。幸運にも誰かのパンにナツメの実があったら、その周囲も沸いた。中隊には広大なトウモロコシの畑があったが、働く人の口に取れたてのトウモロコシ粉が入ることはなかった。提供されるのは「戦時救援用穀物」だけで、どれだけ長期間保存されていたかわかったものではなかった。のどに引っかかるように粗く、カビやガソリンの臭いがした。

　父と高剣と私は、それぞれ月に十五元を支給された。当時の価値で五米ドルあまり、三人分を合わせても月に四十五元にしかならない。ほかの労働者の給料は三十八元九十二分（百分が一元）だった。父は一箱五分の安物のたばこを吸っていた。毛糸が焦げたような鼻につく臭いがして、数回ふかしただけで消えてしまうこともしょっちゅうだった。そのせいで、父の軍用綿入り上着にはよけいな穴が開いていた。マッチは「戦闘即応物資」で、各家族への割り当ては月に一箱だった。マッチを切らしてしまうと、ストーブに火を入れるために、隣の家に火を借りに行った。

　節約のため、父はたばこの葉を中隊で栽培する葉に切り替えた。古い受領書を使って筒を作り、砕いた葉を詰める。毎晩私は父を手伝い、二十本ほどのたばこを巻いて、青と白の瀬戸物の壺（つぼ）にきっちり収めた。わが家が紅衛兵に襲撃されたとき、破壊されずに残った壺だった。持ち手と蓋は純銀で、本体には小川にかかる小さな橋と琴を持った童（わらべ）、岩としだれ柳、木窓が半分開いた茅葺（かやぶ）きの小さな家が描かれていた。艶のある白磁の肌にコバルトブルーが映えるこの壺があれば、どんな暗がりでも周囲が明るくなった。

　夜になると、麦畑に漆黒の闇が降る。虫の羽音だけが絶え間ない。父と私が向き合ってテーブルにつくと、ランプが背後の壁に大小の影を落とした。私の頭はこの部屋と同じように空っぽで、想像も記憶もなかった。そんなとき、父と私はまるで見知らぬ他人同士のようで、何も話すことがなかった。私はただランプの踊る炎を見つめていた。

　私がうとうとしかけるころ、父が記憶を掘り起こし、過去を語りはじめることがあった。私は父のいる場所に運ばれ、父の記憶の中の人々に会った。父の恋愛や何度かの結婚のことも少し知った。父は、まるで私がそこにいないかのように話した。記憶が涸（か）れていないか、ただ確認するためだけに話しているようだった。

　小シベリアで孤立し、私たちの距離は確実に縮まった。物質的な貧しさは、別の豊かさをもたらした。

　こうして、私の人生の輪郭は形づくられていった。

第二章　心は燃えている

　父は難産の末に生まれた。祖母は父がお腹にいるときに不思議な夢を見た。荒れる海の中、小さな島に赤ん坊がひとり取り残されていたという。縁起が悪いということで、当時二十歳で仏教徒だった祖母（のちにカトリックに改宗）は、毎日線香をあげて幸運を祈っていたが、不安は消えなかった。お産は丸二昼夜かかり、祖母の体力も限界に達していた。しかしついに、朱塗りの天蓋付き寝台にかかる絹のカーテンの向こうから、赤子の鋭い産声が響いた。

　祖父はすでに名前を考えていた。先祖からつながる血脈の中で、この男児の占める位置を示し、一族の道徳的地位や社会的名声を守るような名前である。漆器に施された螺鈿のように、その名は代々の系譜にきっちりと組み入れられ、目に見えない形で持ち主の未来を形づくるようになる。蔣正涵、号は海澄（澄んだ海）と付けられた。

　生まれたのは宣統二年、旧暦の二月十七日（一九一〇年三月二十七日）である。中国の旧暦ではこの日は春分、昼と夜の長さが同じとなり、自然界の再生を慶ぶ日だ。

　田舎の人は、清朝の終焉に生まれた子供を「龍の尾に乗った」、つまり波乱が約束されていると考えた。確かにそれから一年半もしないうちに、約五百キロ離れた武昌で軍部の進歩的な一団がクーデターを起こし、辛亥革命が始まった。やがて、南部の各省は次々と清朝から離脱していった。一九一二年、清王朝は終焉（しゅうえん）を迎え、二千年にわたる封建的専制政治が終わりを告げた。
迷信深い人々にとって、難産は不吉な知らせだった。十二日後、祖母の体力が回復して客を迎えられるようになると、祖父は慣習に従って占い師を呼んだ。占い師はまず子供の生まれた正確な時間を尋ね、その後両親の生年月日と時間も聞いた。持参した大きな羅針盤のようなものを、じっくり読み込みはじめた。

長々と綿密に調べあげてから、占い師は衝撃的な予言を伝えた。生まれた子は両親にとって「克星」、つまり親を打ち倒す相であり、この子をこのまま家で育てれば、親に「死をもたらす」であろうというのだ。つまり、赤ん坊は別の家で育てられるべきだということだった。第一子を迎えた喜びは、その子が一家に不幸をもたらすかもしれないという恐怖に変わった。もしこの子が無事成人したとしても、実の両親を「お父さん」「お母さん」と呼ばせないほうがいい、「おじさん」「おばさん」と呼ばせなさい、と占い師は言うのである。

占い師が告げたことを、祖父母は深刻に受けとった。その解釈は確かで揺るがず、周囲の家財道具と同じくらいはっきりした現実に思えた。この暗い予言は、私の父の運命に母斑（あざ）のようにくっきりと刻まれたのだ。

もちろん、父は占い師が来たことは知らない。悲しい運命のことも知らず、「萬喜」の文字が刺繍（ししゅう）されたおくるみに包（くる）まれ、部屋の隅に置かれた竹製のゆりかごにおさまっていた。頭にできたしこりだけが、長く苦しかったお産を物語っている。

父の生家は、東シナ海に面する浙江（ジョージアン）省金華（ジンホワ）県の北東にある畈田蔣（ファンティエンジアン）という村の地主である。祖父母は私が生まれるずっと前に死んでしまったが、残された二枚の肖像写真を見ると、互いによく似ている。祖父からひげを取ってしまったら、夫婦はまるで見分けがつかないほどだ。二人とも丸顔で額が高く、髪を後ろになでつけて、目はくっきりと大きく、目尻（めじり）が少しだけ下がっている。きちんとした服装をして、優しい表情で写っている。

百戸あまりの村で、祖父の蔣景鋆（ジアン・ジンジュン）は教養人として知られていた。自分の書斎を「望益斎（ワンイージャイ）」（未来をのぞむ部屋という意味）と名づけ、見事な自筆の書を飾って自己修養に務める証（あか）しとしていた。客間には「家族の絆（きずな）に幸福が宿る」という意味の文字が刻まれた木製の横額がかかり、祖父の物の見方を表していた。

祖父は醤油（しょうゆ）屋と輸入品も売る雑貨店を所有し、経営のかたわら、時事問題を追ったり、新刊書を読んだりすることにかなりの時間を費やしていた。ロンドン出身の英国人が上海で創刊した中国語新聞「申報（シェンバオ）」も購読していた。村人が世界で起きていること、たとえば日本との戦況などを知りたければ、祖父の表情を見るだけでだいたいのことが読めた。また、世界地図をじっくり眺め、天気予報の最新情報を熱心に追い、トーマス・ハクスリーの『天演論』も読んでいた。

村の改革派として知られ、清朝時代に漢民族が満州人に服従したことを表す辮髪（べんぱつ）を、真っ先に切り落とした一人でもある。祖父は家族の女性たちを纏足（てんそく）から解放し、二人の娘をキリスト教系の学校に行かせた。当時すでに中国で二十五万人の信者を得ていた米国バプテスト海外伝道協会所属のアメリカ人宣教師、ステラ・レリーヤが設立した学校である。祖父はまた、上海のフランス系金融機関「万国儲蓄（ちょちく）会」を利用していた。当時、銀行にお金を預けることは非常に思いきった行為だと思われていた。

祖母の楼仙籌（ロウ・シエンチョウ）は隣の義烏（イーウー）県（現在は県級市）の名家から嫁いできた。父の後にも七人の子を産んだが、そのうち三人は早くに死んでしまい、父には二人の弟と二人の妹が残った。祖母は情に厚く物惜しみしない人で、使用人などにはスイカの種やピーナッツをあげてねぎらっていた。近くに住む高級中学生（高校生にあたる）たちは新聞や雑誌を読みに立ち寄り、祖母とおしゃべりをした。読み書きこそできなかったが、唐詩や古い民謡をそらで覚えており、独特のユーモアのセンスを持っていたようだ。

一九一〇年、父が生まれたとき、祖父は二十一歳になったばかりだった。清王朝は二百六十六年という統治の末期に来ており、ロシアでは、ツァーリが廃位させられてソビエト体制が始まるまであと七年というときだった。トルストイとマーク・トウェインが死去し、はるか彼方（かなた）のニュージャージー州では、エジソンがトーキー映画を発明している。湖南（フーナン）省の湘潭（シアンタン）では、十七歳の毛沢東（マオ・ツォードン）がまだ高等小学校に通っていた。親の決めた最初の妻を、父が生まれる一カ月前に亡くしている。しかし畈田蒋は、中国に無数にあった田舎の村と同じように、平々凡々と、名もなく眠っていた。

占い師の予言があってからほどなくして、畈田蒋の農民の家に女児が生まれた。伝え聞くところによると、すぐに母親の手で溺死（できし）させられたという。将来の見込みもない娘を育てるよりも、蒋家に生まれた男児の乳母として仕えたほうが得だと判断したのだ。血も涙もないように思えるが、当時は珍しいことではなかったし、今日でもまったくないとは言えない。

その女児の母は、近くの大葉荷（ダーイエホー）（大きな葉のハスという意味）村の曹（ツァオ）という家の出だった。子供のときに貧しい家庭から畈田蒋の祖父の遠縁に、将来の嫁として連れて来られたのだ。誰も彼女の本名を知らず、出身地の名から「大葉荷」と呼んでいた。三十二歳の大葉荷は父を母乳で育て、その収入で酒飲みの夫の代わりに五人の子供を養った。地元の人は、こんな絶好の機会をとらえた彼女は運がいいと思っていた。

大葉荷の家は蒋家から歩いてすぐのところにあった。天井の低い二間しかない家で、壁は台所から

出る煙で黒く汚れ、片隅に木製の寝台、少し離れたところに脚のぐらついた四角いテーブルがあるだけだった。屋根瓦の隙間からは細く切り取られた空が見え、玄関の外に置かれた石板のベンチが、大葉荷が子供に乳をやるときの席になっていた。

父はこの小さな小屋で昼も夜も過ごした。例外は新年などの大きな行事の日で、そのときは祖父母が数日だけ父を家に迎えた。

蔣家の屋敷には五室ある母屋のほかに二棟の離れがあり、すべて木造二階建て、梁も軒も立派で、窓飾りに縁起ものや歴史的場面などが彫られていた。中庭はどんな天気の日でも気持ちよく静かで、濃い色の敷石が敷かれ、雨水甕の横には石の鉢にランやシノブボウキが植えられていた。祖父の住まいと離れは、同じ様式で同じ建材を使って建てられていた。完全に同じではないが、すべてが密接につながり、まるで縦糸と横糸に儒教の教えを織り込んだ錦のようだった。家の設計には創造性と緻密な技が発揮されて、何世紀にもわたり世代から世代に受け継がれてきた伝統的秩序を表現していた。

大葉荷の家に戻ると、父は甘い餅や豚肉の燻製、大好物のカラシナ入り生煎包を食べた。それから暖炉の前で大葉荷の膝に座って、さまざまなおとぎ話を聞かせてもらう。彼女は献身的に父の世話をして、父が呼べば何をしていても手を止めて父を抱き上げ、日に焼けた顔を蒼白い子供の頬に優しく寄せたという。大葉荷は父の幼年時代を温かな愛情で満たしてくれたのだ。

このあたりで最も大きな町の金華は、周囲を丘に囲まれた盆地だった。町中を流れる二本の川は、やがて合流して北へ向かう。畈田蒋は金華の北東四十キロ、義烏市との境にあった。村の北には双尖山(シュアンジエンシャン)がそびえ、陽を受けてやわらかな色合いに輝いていた。イバラの茂みに覆われた巨礫(きょれき)の下からは泉が湧き出し、さらに下流になると酸化鉄を含んだ赤い粘土質の土壌が、タケやクス、モミ、クルミなど、さまざまな植物を育てた。

村に入る手前の小高い丘に、二本の古いクスノキが立っている。その太い幹は、数人がかりで腕を伸ばしてやっと囲めるほどで、何世紀にもわたり長い枝を渡し、葉むらが広い天蓋を作っていた。そのうちの一本に子供が入って遊べるくらいの樹洞があり、中に仏像が安置されていた。村人たちはその木を「老太婆」(お婆さん)と呼んで、子供たちの幸せを願いに参っていた。

父は言葉が遅く、三歳になるまでほとんど話せなかった。頭が悪いのかと思った村人もいたようだ。四歳になって学校へ行く時期になると、父は大葉荷の家から連れ戻され、両親と共に住むことになった。五歳になった一九一五年、村に私立の小学校が開校し、絵画や手工芸に優れた教師による美術の授業がおこなわれた。これがきっかけとなって、父は手で物を作ることに興味を持つようになった。木製のミニチュアの家づくりに熱中し、開閉できる窓やドアを作り、万華鏡のようにきらめくランタンまで添えた。ある冬の日、祖母に手を温めるための携帯用の炉をもらった父は、それを左右に振り、中の炭をシュウシュウ、パチパチと言わせて弟や妹を驚かせ、喜ばせた。物づくりに執心する父を見て、祖父はからかって言ったそうだ。「貧乏人が行く作業所に送ってやろうか?」。当時、手工芸はまるで尊重されていなかったのだ。

祖父はほかにもこの長男には不満があった。あるとき祖父の頭にスズメの糞(ふん)が落ちてきた。これを悪運と考えた祖父は父に木の鉢を渡し、近所から「厄払い」のための特別な薬草茶をもらって来るよう命じた。ところが父は、そんなことは自分の仕事ではないと動こうとしなかった。反抗的な態度に腹を立てた祖父は、その鉢をつかむと父の頭の上にごつんと下ろした。衝撃で鉢の縁が欠け、父の頭からは血が流れた。

父の伯母（祖父の兄嫁）が驚いて父を引き寄せ、機嫌直しにと卵焼きを二つほど作ってくれた。「もしまたぶたれたら、また卵を焼いてあげるからね」と伯母が言うと、父はこくりとうなずいた。父はそのことを書きとめておいた。「父さんに殴られた——野蛮人め！」。祖父は引き出しの中にその書きつけを見つけ、もう二度と息子をたたかなかったそうだ。

父の子供時代はあまり幸せとは言えず、時がたつにつれて両親との仲はぎくしゃくしていった。あるとき父は妹にこんなことを言った。「父さんと母さんが死んだら、おまえを杭州に連れて行ってやる」。杭州市は浙江省の省都で、百五十キロほど離れている。これをたまたま聞いてしまった祖母は、父を廊下に呼び出し、紐に通した銅貨の束を二本、父の首にかけると「出て行きたいのなら今すぐ行けばいい。私たちが死ぬのを待たなくてもいい」と言った。父は黙って叱責を聞いていた。そのときすでに、胸の中にはある思いを抱えていた。「いつか遠くへ行こう、ずっと遠く、村の人が足を踏み入れたことのない、夢にも思ったことのない場所へ行くのだ」。

第一次世界大戦が終結した直後の一九一九年春、連合国代表がパリとその近郊のヴェルサイユ宮殿で講和条件を決める会議を開き、中国も戦勝国として参加した。ところがこのパリ講和会議では、領土を返してもらいたいという中国代表の要求は完全に無視され、青島市と山東省の租借権がドイツから日本に移ることとなった。この知らせが中国に届くと、全国規模の抗議行動が起こった。

五月四日、紫禁城の南の入り口である壮大な天安門の前で、北京じゅうの大学から三千人もの学生が集まって抗議集会を開き、中国の主権を守ること、日本に協力している疑いのある中国当局者を追放することを求めた。この民族主義的な感情の高まりは「五・四運動」として知られるようになり、たちまち全国に広がっていった。同時に知識人たちは、この国が後進性から脱却し、これ以上の屈辱を避けるためには大胆な改革が必要だと考え、「民主主義」と「科学」をうたった運動を開始、儒教の教えや伝統的な道徳は帝政支配を支えるものとして批判した。民主主義と科学は擬人化されてそれぞれ徳莫克拉西（デモクラシー）を表す「徳先生」と、賽因斯（サイエンス）を表す「賽先生」と呼ばれた。「打倒孔家店」（孔家店は儒教的イデオロギーを批判した呼び名）を叫び、知識人は若者たちに中国の危機的状況に気づくよう呼びかけ、自由と進歩、科学をたたえた。このような考えは地元の金華の教育にも影響を与え、父の小学校の教科書にも民主主義と科学の初歩が載るようになった。

　ロシア革命に触発された中国の知識人は、陳独秀や李大釗を筆頭に、マルクス・レーニン主義を喧伝しはじめる。一九二一年六月、レーニンはコミンテルンからマーリンと名乗る代表者を上海に派遣し、中国共産党の第一回党大会の開催に協力した。この集会の準備は恐怖と緊張に満ちた雰囲気の中でひそかに進められ、国民党政府の目を逃れるため、開催場所は百キロほど離れた嘉興市の南湖に浮かぶ船上に変更となった。

　党の綱領には、「労働者階級」「階級闘争」「プロレタリア独裁」「資本家の私有制度の廃止」「第三インターナショナルとの連合」など、中国史上初めて現れた概念が載った。おそらくまだ訳語がなかったのだろう、文書はロシア語で印刷されていた。マーリン（じつは偽名で、本名はヘンドリクス・スネーフリートというオランダ人共産主義者）のほか、もう一人、外国人が出席していた。ソ連のニコリスキーだ。その正体は半世紀近くも謎に包まれていたが、とうとうゴルバチョフ書記長の時代に文書が公開され、本名はウラジーミル・アブラモヴィッチ・ネイマン＝ニコリスキーと判明した。彼は一九三八年、スパイの罪に問われ、スターリンの命令で銃殺されている。こうして中国共産党の長く波乱に富んだ歴史が始まった。

一九二五年、十五歳の父は金華にある浙江省立第七中学校に寄宿生として入学する。校舎は太平天国の乱を起こした将の屋敷だった立派な建物で、中央に大きな講堂があった。男子校で、生徒のほとんどは近隣の村の裕福な地主階級の子息だった。国じゅうに広がっている進歩的な動向の影響を受けた父は、西洋の民主主義と共和主義の価値観に共感し、口語を基にした文学形式、いわゆる新文学に傾倒した。あるとき文語体で小論文を書く試験があったが、父は反抗して口語体で書いた。タイトルは「時代ごとに、ふさわしい文学がある」。教師は評価しなかった。「半人前の思いつきだな！」と嘲笑したという。その時代に即した文学を、という父の素朴な主張は、今日でもなお、中国ではほとんど前進していない。

父が学校にいるあいだに、大葉荷は四十六歳で亡くなってしまった。五人の息子たちは号泣し、いつも口汚くののしり殴っていた夫も涙をこぼした。彼女は貧しいまま一生を過ごし、この世を去るときに得たのは粗末な棺だけだった。しかし早くに亡くなったことで、将来の心配をする必要がなくなった。夫が死んだときの不安や、長男がぐれてしまった嘆き、次男が戦争で死んだ悲しみ、三男・四男・五男がどうやって糊口をしのいでいくのかという心配から逃れることができたのだ。父は数年後、彼女の苦しい一生に思いをはせた詩を書いた。その中で父は、幼いころに彼女が果たしてくれた大きな役割にしみじみと感謝し、自分の結婚式で姑として美しい花嫁に挨拶される姿を描いている。

学校では、父はますます絵画に夢中になっていった。数学の授業は、トイレを口実に教室から出て、屋外で風景のスケッチをし、授業が終わるころにこっそり席に戻った。夏休みで帰省したときも、祖父に田んぼの監視を命じられていたが、弟妹を引き連れて、近くにある仏教寺院へ写生に行ってしまった。寺は中世初期に建てられたもので、中庭には古代ヒノキが空に向かって高く伸びていた。本堂には腹の大きな弥勒菩薩（みろくぼさつ）像があり、その上に菩薩の言葉が二つ掛けられていた。「大肚能容、容天下難容之事」（大きな腹は、受け入れ難いことも受け入れることができる）、「開口便笑、笑世間可笑之人」（口を開ければ笑い、世の中のおかしな人を笑う）。日ごろの反抗心に素直に従った父は、宗教への軽蔑（けいべつ）を示すため、仏像の横で平然と小便をした。

一九二五年五月、父が中学受験に備えていたころ、上海では何千人もの学生が、日本企業による中国人労働者の不当な扱いに抗議するデモをおこなった。参加者を逮捕するために武装した警察が出動し、五月三十日の午後、学生や市民が逮捕者の解放を要求してデモ行進をしていたところに英国人巡査が発砲、二十人以上の死傷者が出た。この事件後、国じゅうにストライキや不買運動が広がり、外国による植民地的支配を打破せよという政府への圧力が高まる。十九世紀半ばから、西側諸国は中国各地の条約港に特別地域を作って統治し、中国の主権を侵害していた。たとえば、上海共同租界や上海フランス租界のような居留地では外国の政権がすべてを牛耳っていた。民事から徴税、司法、警察権力、教育、運輸、郵便・電気通信サービス、公共・公益事業および衛生などを管理し、その上軍隊まで駐屯させていた。要するに国家の中に別の国家があるようなものだった。

金華の父の中学校でも上海のデモに連帯感を示そうという動きが始まった。生徒たちは街中の通りを行進して旗を振り、反日スローガンを叫び、労働者にはストライキを、商人には店を閉めることを呼びかけた。看板やショーウインドーを壊し、倉庫を襲って輸入品を探し出すと、川の土手に英国や日本の商品を積み上げて火を放った。革命の熱気に刺激された父は、広州（グアンジョウ）市へ行って黄埔（ホアンプー）軍官学校に入学しようと思い立った。長男が学業を放り出そうとしていると知った祖父は激怒し、息子と口をきかなくなった。祖父の強硬な反対を目の当たりにした父は、この計画を断念する。

一九二七年になると、もともと不安定だった国家主義者と共産主義者の同盟が突然終わりを告げた。その年の四月十二日、国民革命軍が上海に達し、総司令である蒋介石（ジアン・ジエシー）が共産主義者を逮捕し処刑することを命じた。共産党が労働者を掌握していることが、自分の権威への脅威だと考えたのだ。やがてこの弾圧は、金華のような田舎の町でも肌で感じられるようになる。ある朝、校長が全生徒に運動場に集まるように言った。表向きは訓話があるということだったが、実際には、そのあいだに学校側の管理者が生徒の寮に入り、禁止されている物がないか捜索するためだった。父はこっそり抜け出して寮の裏窓から侵入すると、読んでいた冊子（プレハーノフの『唯物論の歴史について』）を回収し、なんとか見つかる前に排水溝に捨てることができた。このガリ版刷りの小冊子に感化されて、父はマルクス主義を学ぶようになり、その世界観は彼の人生に大きな影響を与えることになった。

一九二八年秋、中学を卒業した父は、杭州市に新たに開校した国立西湖芸術院絵画科に入学した。創立時の同級生は八十人ほどで、教師陣のほとんどが外国で美術を学んだ人たちだった。政治的混乱のさなかで、父は美術学校に避難場所を見いだしたのだ。

杭州の近くには風光明媚（めいび）な西湖（シーフー）があり、父は機会があればナップザックに道具一式を詰めて絵を描きに出かけていた。湖畔の林や周囲の丘や野原で、好きな抑えた灰色のトーンを使い、目がとらえた風景を丹念に写していった。田舎の少年らしく、自然を愛する勤勉な学生だったのだ。人との交際には引っ込み思案で控えめだったが、貧しい人や苦しんでいる人に深く同情するたちだった。行商人や小舟の船頭、荷車引き、それに藁葺（わらぶ）き屋根の小屋に住む貧しい人々、汚れた顔の子供たちは、父の絵の中によく登場した。

西湖のほとりは朝に霧がかかり、雰囲気は常に変化した。父は漠然とした孤独と憂いを感じ、杭州には心からなじむことはなかったようだ。父の人生が新たな方向へ転換したのは、作品が林風眠（リン・フォンミエン）の目にとまったことがきっかけだった。林は一九二〇年代初頭に数年間フランスで学び、当時は二十八歳で院長を務めていた。林は「君はここでは何も学べないよ。留学すべきだ」と父に言ったのだ。

外国で学ぼうという気運が高まってきたのは「洋務運動」（一八六一～九五年）からだ。内外からの脅威に悩んだ清政府は、西洋式の産業や通信、金融サービスの開発をめざした。西洋の科学とテクノロジーを獲得するには、学生を西洋に送ることが必須（ひっす）だと考えたのである。第一次世界大戦の影響で、緊急に労働力を必要としていたフランスは、働きながら学ぶプログラムで中国人を受け入れはじめた。留学生の中には周恩来（ジョウ・エンライ）や鄧小平（ドン・シアオピン）など、のちに中国共産党の傑出した指導者となった者もいた。共産主義を信じて勇気を得た中国の若者は、マルクス主義を生んだヨーロッパに、中国の病を治すための新たな思想や理論を求めた。

林風眠のアドバイスは父の心に深く刻まれた。しかし外国で学ぶにはまず祖父を説得する必要がある。冬休みで帰省した父は、教師の一人を味方に連れてきた。「留学すれば、帰ってきたときに大金が稼げるようになります」と教師が説いてくれた。

祖父は容易に信じなかったが、最後に折れた。そして床板を一枚はがすと、銀貨の詰まった大きな壺（つぼ）を取り出した。銀貨一枚は当時の中国では高い価値があった。米なら七キロ、豚肉なら三キロ、布地なら六尺、場所によってはちょっとした土地まで買えたのである。真剣な顔つきの祖父は、震える手で銀貨を八百枚数えた。船賃とフランスでの最初の数カ月の生活費としては十分な額だった。祖父は同時に、留学が終わったら必ず帰国するようにと父に命じた。「あまり浮かれて、故郷を忘れないようにな」。

出発の日、朝日が敷石道にさすころ、祖父は父を村の端まで送って行った。父のほうでは、祖父が抱いた息子の将来への期待など、すぐにさっぱり忘れ、頭の中はこの先に待っている長旅のことでい

アンドレ・ルボン号

っぱいだった。そしてこのくたびれた畑と殺風景な小村から遠く離れることと、一人きりの自由な放浪を始めることが待ちきれなかった。

上海港湾地区の十六鋪埠頭では、黒い鉄の係船柱にフランス籍の蒸気船「アンドレ・ルボン号」が太いロープでつながれていた。オリーブグリーンの船首が水面から高くそびえている。二本のレンガ色の煙突からは水蒸気がもくもくと上がり、おかげで河岸も、川沿いに並ぶ西洋の会社群も、かすんでよく見えない。船首から船尾までは百六十メートルあり、ちょっとした村よりも大きく、端から端まで見通せないほどだ。物売りや人力車の車夫、はだしの港湾作業員、重いトランクを肩にかついだ荷運び人、手荷物を抱えたさまざまな旅人から、絶え間ない喧騒が伝わってくる。

一九二〇年代後半の上海は人口三百万を数え、ロンドンやニューヨーク、東京、ベルリンにも引けをとらない大都会だった。十六鋪埠頭は上海が条約港として開かれた初期の一八六〇年代に建造されたが、今や市内で最もにぎやかで活気に満ちた場所となっていた。第一次世界大戦中に欧州に送られた中国人労働者も、戦後に欧州で学ぼうとした若者たちも、皆、ここから旅立ったのだ。

父も何百人もの乗客の一人として、タラップを踏んでアンドレ・ルボン号に乗り込んだ。三等寝台を見つけて荷物と画材を下ろしたが、細かく区切られた船倉にいると、なんだか米の中にもぐり込んだ穀象虫にでもなった気分だった。船室は狭く、混雑していて、寝台がぎっしりと並んでいた。やがて蒸気エンジンの音がとどろきはじめ、機関室からの熱に貨物の匂いが混ざって、豊かな香りが通廊を満たした。汽笛が響きわたるなか、父は徐々に遠ざかる波止場を見つめていた。

出航は一九二九年三月九日の午後だった。二日と三晩かけて香港に着き、南シナ海を渡ると、サイゴンに四日間停泊してさらに貨物を積み入れた。オーギュスト・ル・フラエク船長が航海日誌の一部としてつけていた船荷記録を調べてみると、米が二万二百二十袋、小麦粉二千九百五十八袋、ゴム三千九百四十一箱、コーヒー豆五百六十二袋、茶千九百五十一箱、スズ鉱石四百七十七袋、絹織物八百九十九梱、生糸四百八梱、コショウ四百七十袋、没食子（染料やインクの原料）三百袋、その他のいろいろな荷も加えると、全重量が三千百二十一トンだったという。港でデリック・クレーンが植民地の富を吊り上げては船倉に収めている様子を眺めていると、父は胸の内に動揺を感じ、それは留学中も完全に鎮まることはなかった。

三月二十七日にはインド南端のマリク環礁にまで達した。フランス語文法の勉強に没頭していた父は、この日が自分の誕生日だということをすっかり忘れていた。その四日後にはアデンの港に到着、そこからはアフリカの角にあるジブチをめざす。ゆっくりと紅海を北上し、スエズ運河を通りぬけると、父は生まれて初めて地中海を目にした。旅程の最後は嵐に見舞われたが、シチリア島を経由して、一九二九年四月十二日金曜日、船はついにマルセイユ港に到着した。そこからリヨン行きの列車に乗り、リヨンからパリへと向かった。

一九二〇年代にパリを訪れた人は、行き交う自動車や路面電車、張りめぐらされた地下鉄網に感嘆した。父のような若い中国人学生は、パリ女性の自由さにも目を見張ったことだろう。彼女たちは誰にも文句を言わせず人前でたばこを吸い、髪を短くカットして大胆な装いをし、スポーツに興じていたのだから。アーネスト・ヘミングウェイが一九二〇年代のパリを回想して「移動祝祭日」と呼んだのは有名だが、ジョージ・オーウェルが書いたスラム街の姿はそう華やかではない。「通りはひどく狭い。倒れる寸前に凍りついてしまったような奇妙な姿勢で互いに寄りかかる、背の高い汚らしい家々の谷間だった。こうした建物はすべて安ホテルで、下宿人をいっぱい詰め込んでいる。ほとんどがポーランド人、アラブ人、イタリア人だ。一階には小さなビストロがあって、一シリング程度のはした金で酔っぱらうことができた。土曜の夜、この界隈の男たちの三分の一は酔っ払いだった」。父はヘミングウェイの書いたパリもオーウェルの書いたパリも覚えがあるだろうが、彼自身の記憶は二人のものとは違っていた。

まずはじめは、家賃を抑えるために、父と数人の友達はパリの中心を避けることにした。見つけたのはフォントネー＝オー＝ローズで、パリ市街から南西に九キロほど離れていたが、直通電車でつながっていた。父はグリムというフランス人の家に間借りをした。この人は大ざっぱな性格で酒飲みだったが、父に自転車用品店での最初の仕事を紹介してくれた。その後、父はパリ六区、ヴォージラール通りのオテル・ド・リスボンという下宿屋に移った。部屋は狭く、騒々しいパイプが部屋の中を通っているありさまだったが、家賃が安かった。家主は気のいいポルトガル人女性で、家賃が遅れてもうるさく言わなかった。

父は熱心に美術館やギャラリーを見てまわり、毎日午後にはモンパルナスの「アトリエ・リーブル（自由アトリエ）」でモデルをデッサンした。ここは参加料が安く、同じような画家の卵が集まっていた。父は単純な線で動きを表現するのが得意だった。マルク・シャガールの人物や風景の色彩と叙情性を好み、印象派の画家たちの革新的技法にも陶酔した。

艾青の作品、1929年

フランス美術を吸収した成果は、父の絵の一枚が、芸術の先端を行く名高い春のアンデパンダン展に出品されたことだった。それは失業者を描いた小さな油絵で、政治的な勉強の結果というより、パリのアウトサイダーとしての自分の感情に動かされてできた作品だった。しかし、それが受け入れられたことは、父の自尊心を高めることになった。

父のパリ時代の記録として、一枚のモノクロ写真が残っている。四人の青年が、イーゼルの横に並んで立っている。その中の一人が私の父で、髪をオールバックにし、筆とパレットを手にしている。その姿は、アジアの若い芸術家そのものだ。頭が大きい分、その下の体がやけに華奢(きゃしゃ)に見える。まっすぐカメラに向けられたまなざしは強く、自信にあふれていた。

父は数カ月もすると手持ちの金を使い果たしてしまった。祖父はそれから二度送金してくれたが、これ以上の仕送りは断ると言った。アルバイトでやりくりしなければならなくなり、ダグラスというアメリカ人が経営する工房で、たばこ入れにお客の名入れをする仕事を始めた。毎日、午前中に二十個のたばこ入れを仕上げ、二十フランを稼いだ。こうして月に六百フランを得て、家賃に五十フラン、食費に毎日十フランほど使い、残りは本や画材を買ったり生活費に充てていた。ところが、一九二九年の株価大暴落が起こり、二、三カ月もすると工房は閉鎖を余儀なくされた。

第一次世界大戦中、フランスはおよそ三万人の中国人「苦力（クーリー）」を募って戦場で働かせた。あるフランス人大将が回想するように、彼らは「良い兵士」であり、最悪の爆撃にも冷静に耐えたという。戦争が終わってもフランスにとどまる者もいて、パリには中華街ができた。金華からほど近い海辺の町、温州（ウェンジョウ）の出身者が経営するレストランが多くあった。外国に住む中国人は、出身地や滞在年数に関係なく、皆、中国料理が恋しくて、こうした店へ定期的に通っていた。

ある日、父が中国料理店で食事をしていると、向かい側の隅に、痩（や）せてやつれた顔に乱れた髪の若いアジア人がいるのに気がついた。食事が終わってもぐずぐず居残り、しきりに時計を見ては外の通りに目をやっている。金が足りないのだと気づいた父は、彼の分も支払い、連れ立って店を出た。これが生涯の友情の始まりとなった。

この若者は李又然（リー・ヨウラン）といった。同じく浙江省の出身で父より四歳年上、大学で哲学を勉強し、政治にかなり深く関わっていた。中国共産党欧州支部のメンバーであり、周恩来が創刊した進歩的な雑誌『赤光』に記事を寄稿していた。

父と共にオテル・ド・リスボンに行った李は、狭い部屋にアルバムが数冊と詩集、画材道具がちらばっているだけなのを見た。つつましい暮らしをしながらも自分の食事代を払ってくれたこと、芸術に専心していることに感銘を受けた。その日から二人は収入を分け合うことにして、必要な場合は誰かから借りて助け合うようになった。父は李又然を芸術に誘い、李は父にもっと哲学や文学を読めと勧めた。父は大学教育を受ける気はなかったが、李又然に連れられて一般向けの講義を聴きに行った。そこでは頭の禿（は）げあがった講師をスケッチして楽しむこともあった。

それから五十年近くたって文化大革命が終わり、私たち家族はついに追放先から北京に戻ることを許された。そのとき初めて、私はこの父の旧友に会うことができた。李又然氏は七十歳になろうとするところで、少し足元がおぼつかなく、細い体に青い厚手の上着を着こんでいた。

それまでの数十年、二人は次々と政治動向の犠牲となり、生きていることが奇跡だった。再び会えた父と李又然は、うれしさに感極まった。二人は冗談を交わしながら過去を振り返り、知り合いの近況を楽しそうに話した。お互いを自分の分身のように思っているのがわかり、まるで割れた石がぴったり元どおりに合わさったようだった。満面の笑みを浮かべた二人は、しっかり手を握ったり抱擁したりしながら強い南部なまりで話すのだった。記憶をロープのようにたぐって進み、あるいはそれを使って過ぎ去った日々に一気に逆戻りしているかのようだった。

その日、私は李さんをバス停まで送って行った。西単（シーダン）ショッピングモールを出ると強風が吹いていて、向かい風に逆らって進まなければならなかった。李さんは風の音に対抗するように大声で、彼と私の父が腹をすかせてパリの並木道や辻公園をうろついたこと、口笛を吹いたり小石を蹴飛（けと）ばしたりしながら歩いたことを語った。話を聞きながら、そんな小石が通りを転がっていく音がはっきり聞こえたような気がした。

パリの外国人として孤独を味わい、父の知識欲は深まっていった。セーヌ川沿いに並ぶ露天の古本屋を何時間もひやかし、持ち合わせがあったら一冊買って、その本を熟読した。密度の濃い読書によって、世界についていっそう深く考えるようになり、絵を描くことより思索を優先することもしばしばだった。近代的な都市の機械や通りの喧騒（けんそう）が、孤独感をやわらげてくれたこともあった。パリによって父の美学は再構築され、新たな文化を学んで吸収するよう促され、カンバスには以前より明るい色を塗るようになった。

父は、ワルシャワ大学を卒業後に心理学でより高い学位を取ろうとしている若いポーランド人女性にフランス語を習っていた。週に三度、夜七時になると彼女は父の下宿にやってきて、会話の練習相手をしてくれた。父の机の上に詩集が何冊もあるのを見て彼女は喜び、二人は長いことロシアの詩人エセーニンやマヤコフスキーについて語り合った。それは父にとって異性と魂の付き合いをした初めての経験だった。

ある夕暮れのこと、父は彼女が勉強している大学の図書館に沿った木陰の小道を行ったり来たりしていた。図書館が閉まる時刻に入り口で会う約束をしていたが、早く着いてしまったのだ。何かが起こるのを待っている気持ちによくなったが、今がそのときだった。室内の明かりが一つ、また一つと消えていき、あのポーランド人女性が外に出てきた。明るく挨拶する彼女と並んでゆっくり歩きはじめた。父は女性をともなっている自分を急に強く意識してしまい、あえて一定の距離を置いて歩いた。

その後しばらくして、彼女の母親が、娘をポーランドに連れ帰るためにやってきた。お別れのため最後に家を訪ねると、彼女は今までにない質問をしてきた。ご家族は何人なの？　妹さんたちとは仲がいいの？　中国に行くにはどのくらい時間がかかるの？

「三十五日だよ」と父は答えた。

「まあ、そんなに遠いの！」。彼女は気落ちしたように視線をそらし、目に涙をためていた。

帰りがけに父はプレゼントとして彼女に本を渡した。見返しに「この本を手に取るときに、東洋から来た青年のことを思い出してください」と書いて。

パリで過ごしているあいだ、父はめったに休みたいと思わなかった。ほとんど眠らなかった夜もあるほどだ。異国から来た十九歳にとって今の暮らしは、過去の記憶から完全に切り離されたものだった。興奮や心配、野心、不安にかられた頭の中では思考や感情が爆発するように湧き、思いつけばどんな早朝でも深夜でもスケッチブックに書きとめた。少し頭を休ませるためには、階段を上ったり下りたりするか、人混みを縫って広い並木道をほっつき歩いた。癒しを求めてますます文学、とくに詩にのめり込むようになった。ゴーゴリの『外套』、ツルゲーネフの『煙』、ドストエフスキーの『貧しき人びと』など、ロシアの小説を好んだが、惹かれたのはブロークやマヤコフスキー、エセーニン、プーシキンの詩作品だった。

父のなかで詩は最高の、ほとんど神聖な地位を占めるようになった。父はアポリネール（「私にはちっちゃな横笛があって、フランス元帥杖とだって取り替えたくなかった」という一節を好んで引用）とマヤコフスキー（詩を書くのに必要な物を「ペン、鉛筆、タイプライター、電話、木賃宿に泊まれる服、自転車……」と書いた）が語ったような創造的な表現生活に非常に共感した。一九三〇年、このロシアの詩人が自殺したという知らせを受けたとき、父は最愛の友を亡くしたかのようにがっくり肩を落とした。

父は社会活動に熱心なベルギーの詩人エミール・ヴェルハーレンがとくに好きで、のちには彼の詩を数編、丁寧に中国語に訳して『原野与城市（原野と街）』として出版したほどだ。ヴェルハーレンは近代的で明晰な合理性と、それ以前の作家たちには見られない強く複雑な感情を兼ね備えていた。ヴェルハーレンについて父は言ったものだ。「彼は読者に、資本主義世界で都市が際限なく発展し、その裏で数多くの村が絶滅することを警告したのだよ」。

父は自分の言葉で社会の現実と深い感情を表す方法を探し求めた。「自分が陳腐な表現を使うたびに、気分が悪くなる」と書いている。「詩人が使い古された表現を使っているのを見ると嫌悪感でいっぱいになるのだ」。フランスのシュルレアリストに触発されて、父はアンドレ・ブルトンの言う「精神的な自動記述」の手法を用い、スケッチブックを流れ去る感覚でいっぱいに埋めた。

李又然の導きもあって、父はパリの労働者地区にある「レーニン・ホール」という会場で上映される革命的なソ連映画にも親しみはじめた。そしてある晩、父と李又然はカルチエ・ラタンのサン・ジャック通り六十一番に出かけ、東アジアの進歩的若者の集会に出席した。帰ると、最初の詩『会合』を書いた。

ここにひと群れ、そこにひと群れ、煙草の煙のなかに座っている
テーブルのまわりに渦巻く
高い声、低い声、ざわめき
穏やかな、激しい、爆発する言葉……
熱した顔はランプの下に揺れ
フランス語、日本語、安南語、中国語の断片が
部屋の四隅で沸き上がる……
髪の長い者、眼鏡をかけた者、煙草に火をつける者
手紙を読む者、新聞を読む者
熟考する者、苦悩する者、興奮する者……
沈黙する者……
……赤い唇が次々に飛びかい
言葉が火花のように弾ける。

……
……
それぞれのやつれた、苦闘する顔
　それぞれのまっすぐな、あるいは曲がった体の後ろに
悲しく暗い影を描く。
　彼らは叫び、吠え、憤る
彼らの心は燃え
　血はたぎっている……
彼らは——東から来た
日本、安南、中国から
彼らは——
　自由を愛し、戦争を憎み
そのことに憤り
そのことに悩み
　汗水たらして働き
目に涙をたたえ……
両手の拳を握りしめ
テーブルを打ち
　声をからし
　どなっている

窓は固く閉まり
外は夜の闇に囲繞（いじょう）され
雨滴が窓ガラスを苦しげに伝う
室内には温かさが満ち
その温かみがすべての顔に触れ
銘々の心に達し
誰もが同じ空気を呼吸し
それぞれの心が同じ火に燃え
　　　　燃えている
　　　　燃えている
この死んだ都――パリで
この死んだ夜中に
サン・ジャック通り六十一番は活気にあふれ
我らの心は燃えている。

この詩を書いた十日後、父は帰国の途についた。

第三章　中国の大地の上に雪は降り

一粒の麦は、もし地に落ちて死ななければ、一粒のままで終わる。だが死ねば、多くの実を結ぶ。

――艾青『ひとりのナザレ人の死』（一九三三年）より、『ヨハネによる福音書』十二章二十四節を引用。

小シベリアにいたころ、とくに長くて寒い冬のあいだ、食料庫にはジャガイモとタマネギしかなかったが、父はときおり、パリで過ごした日々を話してくれた。それは、私にはとても信じられない別世界だった。

夏になると、栽培棚からサヤインゲンやキュウリがぶら下がり、ニンジンも赤いトマトも、大きなウリもなった。「黒五類（ヘイウーレイ）」たちの作る野菜や果物は、見た目も味も極上だった。新鮮な作物は無味乾燥な暮らしに明るい色を添え、子供たちは競って収穫を手伝った。

砂質の土壌と砂漠の気候は、スイカが大きく育つのにも適していた。大人が熟したスイカを、ナイフを使わずに平手で強くたたいて割り、子どもたちに分けてくれる。私も遊び仲間も真っ赤な果肉に手を突っ込んですくい上げ、口いっぱいにほおばった。その様子を見て大人たちは、種を飲み込まないようにと注意した。種を吐き出せば、それが来年またおいしい実を結ぶのだと言って。

中隊ではおよそ四百頭の羊を飼育していたが、ラム肉にお目にかかったことなどなかった。春に毛を刈るとき以外は羊に触らないようにしなければならず、肉はすべて国に納められた。ところがあるとき、アルカリ性の土壌を改善するための輪作作物のアルファルファ畑に、羊がぞろぞろと迷い込んできた。誰もこの羊たちを追い出すことができない。一頭を引っぱり出すと別の羊が舞い戻り、またやわらかい葉をほおばりはじめるのだ。羊飼いは唖者(あしゃ)で、なすすべもなく困り果ててその場で跳びはねていた。羊たちはアルファルファを食べ続け、ついには地面にひっくり返って立てなくなった。腹がふくれて動けないのだ。日が沈むころに、灰色の目を見開いたまま、ゆっくり一頭ずつ死んでいった。当時の疑心暗鬼な状況下では、この災難はたまたまの不運なできごとではなく、重大な政治的事件とみなされた。

しかし、私たちにとっては思いがけない幸運だった。わずか二毛（一毛は十分の一元）で羊の心臓と肝臓、肺、腸、胃、頭を入手できたのだ。バケツにまとめて投げ込まれた内臓は湯気を立て、臭いがひどかった。私はそれぞれの部位を洗った。まず腸を裏返して中身を捨てる（とんでもない量が詰まっていた）。そしてきれいになるまですすぐ。塩水に漬けてごしごし洗うと臭いもなくなり、最後は熱湯に放り込んだ。肺は、気道から水を注いで肺腔(はいこう)を洗いながら、手で肺葉をたたく。パンパンにふくれあがった肺からは、泥のような水分がしみ出てくるので、きれいになるまでその作業を繰り返した。はっきり覚えているのは、ゆでた内臓を大きな羊の頭とともにテーブルに並べたときの、めずらしくうれしそうな父の顔だ。

日々がどんなに悲惨でも、食事で父の気分が明るくなることはあったのだ。父には子供のころのおやつの幸せな記憶があったが、監獄や流刑地では、食物を得ようとすることには屈辱の苦みが混じった。

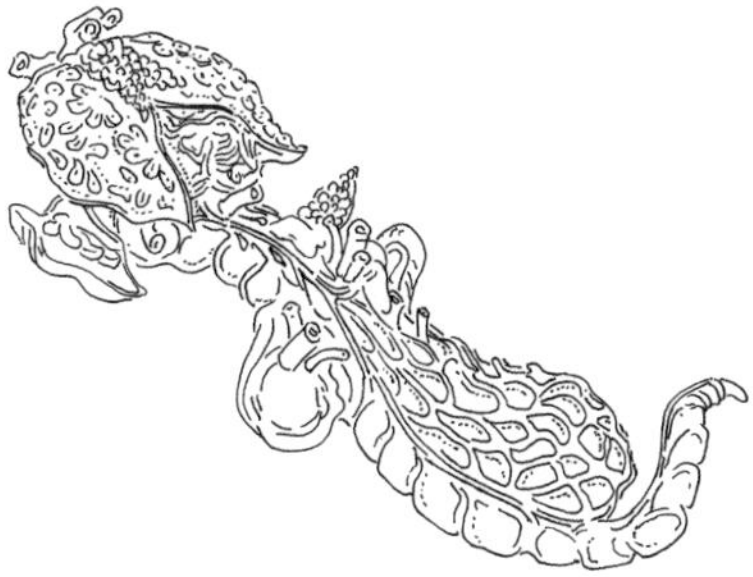

パリの下宿に近いカフェで、「シノワ」（フランス語で中国人、中国のという意味）という名のカスタード入りブリオッシュが売られていた。母国で食べたこともないペストリーがなぜ「中国」なのか気になったし、客が朝食に「シノワも少しくれ」などと注文しているのも不愉快だった。あるとき友人と話していると、「おいシノワ、その言葉はここじゃ使えないぜ。フランスではフランス語を話せ」とどなられた。郊外で写生をしていると、ほろ酔いのフランス人がふらふらとやってきて、ちらりとカンバスに目をやり、「よう、シノワ！　おまえの国はぐちゃぐちゃだな、こんなところで絵なんか描いている場合か！」と大声で嘲（あざけ）った。フランス人の何気ない侮蔑（ぶべつ）だったが、この異国の地で受けてきた屈辱がくっきりと形になって見えたようで、突然、なんとしても故郷に帰りたいという衝動にかられた。

父が海外にいるあいだに、中国の政治情勢は変化していた。中国共産党は国民党政府に対してたびたび反政府活動を展開し、中国南部ではいくつもの地域を一時的に掌握していた。一九二九年の株価暴落に始まった世界大恐慌で、日本の失業者は二百五十万人に上り、日本の軍国主義政府は、資源の豊富な中国東北部を経済の生命線と見なしていた。

一九三一年九月十八日までに、日本軍は旧満州国の首都である瀋陽（シェンヤン）を占領し、その後数カ月のうちに中国の東北三省を支配下に置いた。中国と日本の関係が悪化するなか、フランス政府は中国とインドシナでの利権を守ろうと、日本の武力侵略に対しては消極的な姿勢を示していた。一九三二年一月二十八日、日本の海軍陸戦隊が上海の中国軍駐屯地を攻撃したとき、父はマルセイユで中国に戻る蒸気船に乗り込んだところだった。

父はパリでの三年間を人生最高の日々として振り返る。これほどの自由とたっぷりの時間を楽しむことはもう二度となかった。もはや西湖（シーフー）のほとりで風景を描いていた片田舎の少年ではなく、独立精神と自己表現への自信を持った青年に成長していた。フランスで得た知的な滋養と理想主義は、これからの激動の時代を生き抜くのに役立つことだろう。

一九三二年、卒業証書も何かをなしとげたという証拠も持たずに畈田蔣（ファンティエンジアン）に戻った父に、祖父はさぞ落胆したことだろう。親戚たちは父にどう接すればいいのかわからず、ものめずらしそうに遠巻きに見ていた。ほとんどの時間を家で、書棚を埋めた本をぼんやりと拾い読みして過ごした。ときには弟や妹にフランスでの面白い話を語って聞かせたり、ボール紙で碁石を作って、碁の遊び方を教えたりしていた。村はよどんだ池のようで、外の世界でどんなことが起ころうとも、さざ波ひとつ立たない。故郷が以前にも増して見知らぬ場所に思われた。

五月になると、父は再び上海へ旅立った。二十世紀初頭の数十年でイギリスやフランスをはじめとする列強国が租界を設け、西洋の銀行や新聞社、キリスト教系の大学などがやってきた。同時に近代文明の象徴も入ってきた。競馬場や映画館、自動車に街灯、デパート、消防署、水洗便所、もちろんバーやダンスホール、ナイトクラブも開かれ、美人コンテストさえあった。当時、上海は東アジアで最も急速に成長していた都市で、大学や書店、出版社などが数多くあり、父のような教育を受けた若者たちを惹（ひ）きつけていた。

上海で父は新しい友人を作った。江豊（ジアン・フォン）といい、同い年で労働者階級出身、背は低いが体はがっしりしていて、粘り強い性格の男だった。芸術家肌の内省的なタイプで、さまざまな組合活動に参加し、ストライキ中の労働者を描いた木版画を制作していた。

父は若い芸術家仲間と一緒に、豊裕里（フォンユーリー）通り四番に住んだ。西門路（シーメンルー）の二階建てビルの騒々しい共同スペースだ。江豊を通じて中国左翼美術家連盟に紹介され、すぐに連盟の活動ベースとして「春地画会」を立ち上げた。父はそのマニフェストの草稿を書いた。そこには「他の文化と同様、芸術も時代の潮流に乗って成長し進化する。当然、現代の芸術は新たな道をたどり、新たな社会に仕えることになる。芸術は常に前進しなければいけない。それにより大衆を教育し組織するという役目を果たすのだ」とあった。父は理論やイデオロギーを目に見える形で表現するための手段として文化を尊重する、革命的な計画に同調しはじめていた。

　七月十二日、「春地画会」が、当時進歩的な人々のあいだで人気のあった人工言語、エスペラント語の講座を開いていると、フランス租界警察の刑事が突然乗り込んできた。彼らが入ってきたとき、父はぼろぼろの古いソファに座っていた。警察官は父に向かって、硬いフランス語で「おまえは共産主義者か」と聞いてきた。

「共産主義者ってなんですか？」。父は無邪気に答えた。まだ共産党員ではなかったが、友人たちの多くは、父の知らないうちに党員になっていた。

「そいつは時間の無駄だ！」。別の捜査官がどなった。そして木製のトランクを開けるとポスターを引っぱり出した。それには中国のリーダーである蔣介石（ジアン・ジエシー）が地に伏して、日本帝国主義のシンボルである軍靴をなめている姿が描かれている。

「これは何だ」と捜査官が聞く。

「帝国主義への抗議です！」。父はフランス語で答えた。「フランスもきっと支持してくれるでしょう。アンリ・バルビュスやロマン・ロランだって帝国主義に反対しているじゃないですか」。

　別のポスターには、労働者の一群が抗議のために工場を出て、赤い旗を振って行進する様子が描か

『裁判』　法廷での艾青。江豊による木版画、1936年

れていた。「じゃあこれは何だ？」捜査官は勝ち誇って言うと、父の顔を平手打ちした。父と江豊のほかに十人が逮捕され、父の部屋からはレーニン全集やフランスの共産主義新聞「ユマニテ」、そのほかフランスで買った本が押収された。

父は「共産党の活動により公序を乱し中国の法律に違反した」として、江蘇(ジアンスー)省高等裁判所に書類送検され、その日のうちに起訴された。証拠は父の部屋と中国左翼美術家連盟の記録から見つかった。組織の規約や会員名簿、会合の議事録、それにポスターなどの宣伝用資料だった。法廷では、「春地画会」が中国左翼美術家連盟の組織であり、目的は社会に損害を与えることだとされた。意味の曖昧(あいまい)な罪は、ちょうど私が次の世紀で告訴されたときの「国家権力の転覆を煽(あお)った」という政治犯罪にそっくりだ。

法廷では年配の裁判長が真ん中に座り、両脇に一人ずつ裁判官がいた。「あなたは共産党のリーダーか」と問われ、父は否定した。職業を聞かれると「写生画家」と答えた。裁判長はその意味がよくわからず、両脇をちらりと見たが、二人ともやはり当惑していた。

父が逮捕された三日後、叔母(おば)の蔣希華(ジアン・シーホワ)が上海から金華(ジンホワ)県へ駆けつけ、祖父から弁護士を雇うための資金を調達した。しかし彼女が戻ったときには、裁判はすでに最終段階にあり、裁判官が判決を言

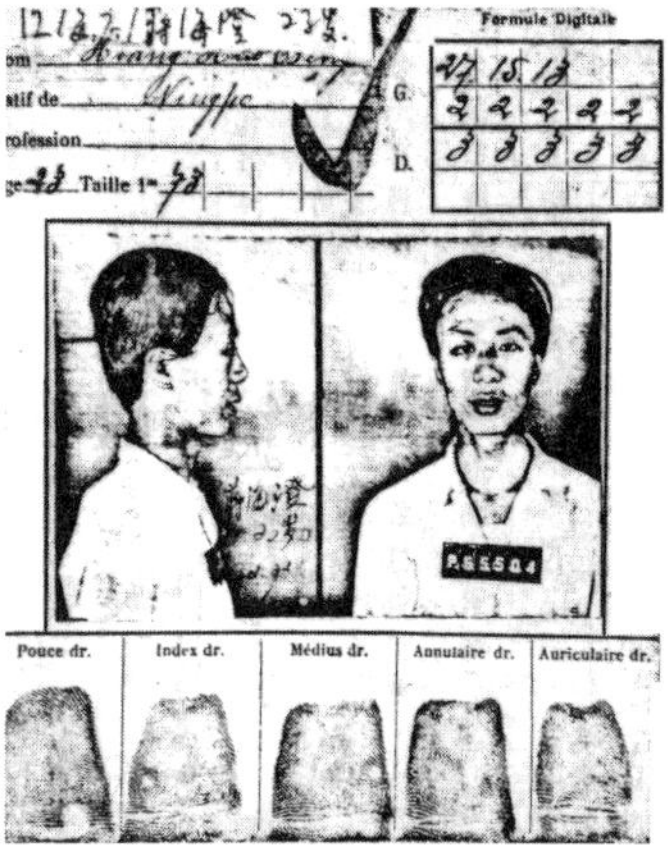

い渡すところだった。懲役六年という判決を聞いた父は、思わず笑ってしまった。今から何年かを刑務所で過ごすことになろうとは、夢にも思っていなかったのだ。一緒に逮捕された仲間のなかでは、父の刑がいちばん重かった。おそらく反抗的な態度がわざわいしたのだろう。

　刑務所はフランス租界の上海第二特区法院看守所監獄で、マスネ通り二八五番にあり、マスネ刑務所と呼ばれていた。三千人ほどの受刑者を収容しており、その多くが政治活動家だった。父は二十人の囚人と同房だった。共同ベッドで寝られるのは半数で、あとはコンクリートの床で寝る。バケツの排泄物は一日に一度しか捨てられず、糞尿の臭いが充満していた。そのうちに父は消耗性の発熱に見舞われるようになり、結核と診断された。隔離「病室」に移されたが、薬は不足しており、病状は悪化していった。ありがたいことに、フランスから帰国していた友人の李又然が、薬を刑務所にこっそり持ち込み、医師に賄賂を渡して、まともな治療が受けられるようにしてくれた。

艾青の服役記録

　一九三三年一月十四日、大雪の夜、父は鉄格子のある窓の下に座り、故郷の村を思っていた。そして、ぬくもりと愛情をたっぷり注いでくれた大葉荷のことを思い出していた。眠れないまま、愛情を込めた長い詩を口語体で書いた。あの乳母だけでなく、同じように辛い人生を送っていた田舎の貧乏な女性たちを思い、自分が苦境にある今、彼女たちと気持ちがつながっていると感じたのだ。乳母の名前は耳から聞いただけで、大葉荷という漢字を見たことがなかった父は、『大堰河』というタイトルをつけた。大葉荷にすべきだったと気づいたのは、その後ずいぶんたってからだ。この詩の最初の読者となったのは、足かせをはめられて刑の執行を待っている死刑囚だった。やわらかく軽快な蘇州なまりで詩を一行一行読んでいるうちに、目に涙を浮かべた。

大堰河よ、今日雪を見ていると、あなたを思い出す。
雪をかぶり草に覆われたあなたの墓、
閉めきったあなたの家の軒先の枯草、
差し押さえられたあなたの三坪の畑、
戸口の前の苔むした、あなたの石の腰かけ、
大堰河よ、今日雪を見ていると、あなたを思い出す。

大堰河、今日、あなたの乳飲み子は刑務所にいて、
あなたへの賛歌を書いている、
黄色い地面の下の、あなたの紫色の魂に、
私を抱いてくれたあなたの広げた腕に、
口づけしてくれたあなたの唇に、
あなたの優しい、日焼けした顔に、
私を養ってくれたあなたの乳房に、
あなたの息子たち、私の兄弟に、
この大地のすべての、

大堰河のような乳母とその息子たちに、
私をわが子のように可愛がってくれた大堰河に捧げる。

（『大堰河——私の乳母』、一九三三年、抜粋）

本名を隠して艾青（アイ・チン）というペンネームを使った。父は革命の理念を裏切った蔣介石を日ごろから嫌っていたが、苗字（みょうじ）が同じなのだ。そこでその漢字をばらばらにして、「艾」という新しい姓を作った。艾とはヨモギのことで、中国の詩歌の伝統では「断つこと」と「美」という意味がある。この思いつきで付けた名前とは、その後の生涯を共にすることになる。

眠れない夜がよくあり、そんなときに詩の言葉が頭に浮かんでくると、窓外の街灯のかすかな明かりを頼りに、粗末なざら紙のノートに急いで書きとめた。朝になって見てみると、書いた文字の上に重ね書きしていることがよくあった。

父は李又然から、自分の詩『会合』が左翼美術家連盟の雑誌「北斗」に出たことを教えてもらった。作品が初めて活字になったのだ。李又然はまた、あのポーランド人の女友達が、投獄の話を知って手紙をくれたことも知らせてくれた。彼女は「なぜ中国では絵を描くことが懲役刑になるのですか？何か彼を救う手はないのですか？」と疑問を投げかけていた。それを最後に彼女からの音信は途絶えた。ドイツ占領下のポーランドで多くのユダヤ人がたどった運命を考えると、その後なんとか連絡を取ろうした父の努力が実を結ばなかったのも、無理からぬことだった。

父は刑期の三分の一を終えると、蘇州市にある左翼過激派の更生施設、江蘇反省院に移された。そして一九三五年に仮釈放された。獄中で三年と二カ月を過ごしたことになる。周囲の人間たちが死の脅威に直面し、自身も重い病になった刑務所での孤独な時間は、意志を鍛え、文学への野心を磨いた。

獄中で書いた二十編あまりの詩は、その才能を示す明らかな証拠だ。
父が収監されていたあいだ、祖父は絶望の淵に追いやられ、幾夜も夜通し涙にくれたという。しかし父のほうは、刑務所で苦難を経験したくらいでは信念は崩れず、考えを曲げる気はまったくなかった。

祖父母は、刑務所にいる息子のために結婚相手を見つけていた。父は、前科がついたというのに結婚など考えられない、と乗り気ではなかったが、家族は引き下がらなかった。しぶる父に親戚の男性が「とにかく友達になることくらいはできるじゃないか」と言った。

花嫁は義烏市（イーウー）の上渓（シャンシー）の町からやって来た遠縁の女性で、張竹茹（ジャン・ジュールー）といった。彼女の母親がある日、祖母にこう言ったのがきっかけだそうだ。「お宅のお兄さんはまだ決まった相手がいないの？　うちに娘が二人いるから、どちらか選んでくれないかしら、二人とももう年ごろなのよ」。祖母は妹の竹茹のほうが合うだろうと考え、二人の婚約を調えたそうだ。

張竹茹はまだ十六歳にもなっていなかった。器量がよく、物腰もやわらかく、父が刑務所に行くようなことはしていないと信じていた。竹茹は後年、父の最初の印象を思い起こしている。「まだ刑務所にいるとき、蔣海澄（ジアン・ハイチョン）（艾青の号）さんが自分の詩をいくつか書き写して、絵も送ってくれました。小さな紙切れに描かれた白黒のスケッチで、細かいところまで魅力的な絵でした」。

伝統的な結婚は「天の先祖を敬愛し、子孫を作る」ためのものであり、儒学者の孟子が言ったところの「父母が用意し仲人が交渉する」由緒正しい段取りを踏んで調えられるものだ。習慣どおり、騒々しい音楽と陽気な人の声のなか、花嫁は花婿の家に椅子かごで運ばれる。天と地に向かいそろって礼をして、父と若い花嫁は厳粛に夫婦の契りを結んだ。

結婚には譲歩しながらも、父の家族への態度は、祖父を落胆させるようなものだった。祖父の恩師で長年古典を教えてきた人物が、あるとき道端で祖父に近づき、「お宅の息子さんは詩で名をなしたそうだな」と皮肉っぽく言った。村人たちも「読書了」（ドゥシューラ、本を読んで勉強した）は「都輪了」（ドウシューラ、すべてを失った）と紙一重だな、と冗談の種にした。祖父は、息子の詩の評価が高まりつつあると言われても半信半疑で、「おまえの書いているそれは、詩と言えるのか」と聞いたこともある。

田舎の人には、古典的な五言や七言の絶句や律詩だけが「詩」だと思えたのだ。父は祖父の問いには答えなかった。古くからこびりついている先入観はそう簡単に覆るものではない。父の考えでは、詩人は形式的な制約から解放され、長年支配されてきた作為的で陳腐な文学的な流れから逃れ、生き生きとした口語を使うべきなのだ。

実家をまるで旅先の宿のように扱う父のやり方に、祖父はだんだん嫌気がさしてきた。さらに、祖先が苦労して築いたものを大事に思わないことを嘆いた。また、弟や妹に悪影響をおよぼしていることも感じていた。

祖父は父に、中国にブルジョアジーは存在しないとはっきり言い、自分は下の者に対して一度も虐げるようなことをしていない。もしいつか革命が起こったとしても、自分がその標的になるはずがないと主張した。そして祖父は慈悲深く微笑んで、帳簿を開いたそうだ。そこに記録されていたのは貸し付けていた金銭の額で、きっちりと利子も取っていた。そしてそろばんをはじきながら小声で、弟や妹のことも考えてやらねばならないだろう、とつぶやくのだ。後年、『わが父』という詩の中で祖父をこう描いている。

彼は最も凡庸な人だった

臆病で自分の殻に閉じこもり
最も激しく揺れる時代に
最も平穏な人生を送った
無数の中国の地主と同じように
平凡で、保守的、けちで、慢心。

（原題：『我的父親』、一九四一年、抜粋）

祖父は父に経済や法律を勉強して、実業家か役人になってほしかったのだ。父が見たとおり、祖父は本当の変化は望まず、傍観者の立場でいることを好んだ。「〈進歩〉への熱意は弱く」、「〈革命〉の可能性には無関心で」、竹製の寝椅子に心地よく座り、酒と水煙管を手元に置き、『聊斎志異』を読んで過ごしたのだ。

父は畈田蔣を離れる決心をした。苦労の末に、上海と南京の中間にある常州市で、女子教員養成学校の国語教師の職を得た。出発の日、二月の寒さをしのぐのに薄手のコートしか持っていなかったが、これから月に四十五元の定期収入があることを思うと、体に力がみなぎった。

祖父には、学校の教師という息子の職が気に入らなかった。家業の店では店員がお客から代金をもらうと、大声で礼を言いながら硬貨を無造作に金入れに放り込む。勢い余って小銭が床に転がることもあった。「この落ちた小銭を集めたら、おまえがこれから稼ぐ金よりもっと多くなるだろうよ」と言ったそうだ。

教師としての父は、決まったカリキュラムに従うのでなく、自ら教材を選んだ。生徒たちに自己表現するよううながし、学校の雑誌に投稿させた。その創刊号の序文に「生徒たちにはそれぞれ自分の声がある……地下の泉のように、ある日突然湧き出し、途切れることのない流れとなって、大海へ向かうだろう」と書いている。しかし一学期が終わると、教室で過激な宣伝活動をしたという理由で、学校は父を解雇した。生徒たちは別れを嘆き、才能ある貧乏な若い教師のために、お金を集めて腕時計を買ってくれた。

そのころ、李又然は蘇州市で教師と図書館司書をしながら、ロマン・ロランを翻訳していた。彼は父に、詩作に専念するために上海へ行くよう説得し、必要なら生活費の面倒を見るとさえ言った。誰よりも父の詩作への情熱と言葉へのこだわりを理解していたのだ。

父は身重の妻と共に上海郊外、労働者階級の住む閘北(ジャーベイ)区の屋根裏部屋に移り住んだ。ここで、最初の詩集『大堰河』を自費出版した。九編の詩が収められた薄い小冊子で、自らデザインした表紙は薄緑色で、拳(こぶし)を握り、ハンマーを持った青年が描かれていた。

父は精力的に書き続けていた。頭脳が活発に豊かに働いた。未来が自分を呼んでいるように感じて駆り立てられ、書くことで目標がよりくっきりしてきた。もし書く力を疑うようなことがあったら、もはや生きる意味がない、と自分に言い聞かせた。

『大堰河』はすぐに文芸評論家の胡風(フー・フォン)に注目された。左翼作家連盟の指導者であり、著名な作家、魯迅(ルー・シュン)の友人である。胡風はこう書いている。「一人の詩人を紹介したい。艾青という名で書いている。彼の作品はすべて、豊かな情緒から湧き出ている。その言葉は淡々としてうるさすぎず、紙の花や紙の葉のようなぺらぺらした装飾とは無縁だ。彼の詩は親しみやすく活気に満ちて、実際の経験によってかき立てられた感情を表現し、生活者の目で、生きた場面を切りとる」。

一九三七年の春先から夏にかけて、日本による中国侵略前夜に、父の詩(『太陽』『石炭との対話』

『春』『笑い』『夜明け』など）は、胡風と茅盾（マオ・ドゥン）が編集する『労働と勉学についての作品集』（原題：『工作与学習文集』）に掲載され、左翼の評論家たちから高く評価された。

父はより成熟し、政治の動きにも敏感になっていたため、戦争が近づいてくるのを感じとっていた。仕事に対する自信は、中国再生の信念と深くつながっていた。とはいえ、詩を書くだけでは生活ができない。七月には妻の出産も控えていて、ふだん金銭に関心のない父も、さすがに安定した収入の必要を切実に感じた。そこで杭州（ハンジョウ）市の蕙蘭（フイラン）中学校の教師の誘いを受けることにした。七月六日、上海から杭州に向かう列車の中で、父は新聞を読みながら、ときおり窓の外の畑を眺め、未来を思い描いて『復活した土地』を書いた。

なぜなら、かつて死んでいた我らが大地は、
今、明るい空の下で
復活したから！
——苦しかったことは記憶のかなたへ、
その温かい胸のなかに
新たに流れるのは
戦士の熱い血のはずだ。

（原題：『復活的土地』、一九三七年、抜粋）

その翌日、父の予想は見事に的中した。一九三七年七月七日、日本軍は北京近郊の宛平（ワンピン）を砲撃した。盧溝橋事件である。この日を境に日本の大規模な中国侵略と、中国の抗戦が始まった。そしてちょう

どその日に、艾青と張竹茹の娘が生まれた。夫婦は「七月」と名づけた。

一ヵ月のうちに北部の中国軍は敗れて撤退を余儀なくされ、北京と天津が共に日本軍の手に落ちた。日本が上海付近で第二戦線を設けると、百万人近い男子が戦いに動員された。三ヵ月後、中国軍は陣地を放棄、首都南京が陥落するのは時間の問題だった。完全な敗北に直面した国民党政府は首都を重慶に移し、そのあいだに政府の人員の一部を武漢に置くことを発表した。

父が初めて杭州に着いたとき、南部での戦争はまだ始まっていなかったが、すでに圧迫感と不安を肌で感じた。西湖の姿は相変わらずで、もやがかかってはっきり見えない。地元の人はいつまでも穏やかな暮らしの幻想にしがみついて、ただ流されているように見えた。戦争が始まっても杭州は驚きもせず、国の命運がかかっているというのに、人々はただ日々の生活を変わらずに続けていた。「杭州が好きだとは言えない」とすぐに父は認めることになる。「ほかの多くの中国の都市と同じだ。狭量で利己的な住民、自己満足で粗野な勤め人にゴマすりばかりの小役人、つまらないことを大仰に言い立てるのが趣味のえせ文化人がうようよしている。彼らはみな、母の膝の上に抱かれてでもいるかのように、至福のときを生きていると考えているのだ」。これを書くのはその年の暮れ、家族ともども武漢に避難したのち、杭州が陥落したとの知らせを聞いたときだ。

一九三七年の秋が深まるころ、杭州は三方を日本軍に囲まれていた。浙江省の省政府は、難を逃れてさらに金華へと避難した。十月には杭州の住民の多くが市内から逃げ出し、父の生徒たちも学校に来なくなってしまった。このため父は家族と金華へ向かい、実家に身を寄せた。翌月、自分と妻、生後四ヵ月の娘、そして二人の妹のうち年上の蔣希華のために列車の切符を買うお金を借り、安全な場所を求めて中国の内陸部へと逃げて行く脱出の大群に加わった。

朝八時、金華の駅に着くと、戦場から避難してきたばかりの負傷兵たちがホームのあちこちに寝そべっていた。兵士の一人が目にかすかな灰色の光を浮かべながら、このあたりの病院はもう負傷者を受け入れてくれないのだと言った。暖を取るために藁で体を覆っている者、藁を集めて火をつけ、手を温めている者もいる。一般の市民は空いている場所を見つけて野宿し、汚い寝具の中で丸くなっていた。戦闘のために通常列車の運行は乱れ、そもそも運行が続けられるのかどうかもわからない混乱状態だった。切符の販売は止まり、列車が来れば、切符を持っていようがいまいが、人々はどんどん乗り込んだ。

父と家族はなんとか南昌行きの列車に乗り込み、通路に袋やスーツケースで座席をこしらえた。車内は真っ暗で、ひとりふたりの子供のすすり泣きと母親のなだめるような子守歌が聞こえるだけで、静かだった。列車の車輪のリズムと共に父の思いは広がっていった。困難はあったが、この旅には確信があった。機関車のヘッドライトに照らされて左右にぼんやりと見える広大な大地は、中国人であることの喜びと誇りを感じさせ、夜の闇は宗教的とも言える歓喜をもたらしてくれるのだった。列車は南昌に停車した後、武漢へ向かった。冬のさなか、大河沿いの大都市武漢は、南京から逃げてきた中国政府や軍の関係者、上海や長江下流の都市から逃れてきた多くの避難民であふれかえっていた。

父と家族は、美術学校の応接室を一時的な住まいとした。十二月十三日、通りの新聞売りから買った新聞の見出しには、「中華民国の首都、南京陥落」とあった。その後数週間にわたり、武漢から四百八十キロ離れた南京で、日本軍による凄惨な虐殺がおこなわれることになる。

「戦争がやって来た」と父は書いた。「そして人々の忍耐によって、詩人の祈りのただなかで、我らが鎖を断ちきる日が来るだろう。このとき、作家は次のことを深く思わねばならぬ。我々の声を真に中国人民を代表するものにするには、どうすればよいのか。我々の声はこの戦争を、国全体の生活上の要求や革命の目標とつながるできごととして扱わなければならない」。この一編は『我らは闘う

——自由を得るまで』と題された。艾青の同胞への固い約束であり、日本に占領された悲惨な年月における確かな目的の表明だった。

その後書いたのが『中国の大地の上に雪は降り』（原題：『雪落在中国的土地上』）である。部分を抜粋する。

中国の道は、
かくも険しく、
かくもぬかるんでいる。

中国の苦痛と厄災は、
この雪の夜のように果てもなく広く長い！
中国の大地の上に雪は降り、
寒さが中国を封じ込めている……

父がこの詩を書き上げると、本当に雪が降りだした。空を見上げると、現実と芸術を融合させたいという長年の望みに、舞う雪で応（こた）えてくれた自然の力を感じた。「戦いの苦難に耐えうる粘り強い者だけが、最後まで持ちこたえることができる」。その意味は父にとっては明らかだった。

第四章　太陽に向かって

『中国の大地の上に雪は降り』は、生への愛と大地への愛から生まれた心の叫びだった。これを書いたときの父は若く楽観的で、中国に明るい未来が来ると確信していた。三十年後、小シベリアで暮らしていたときには、父が瀕死の状態になったとしても、誰も気にしなかっただろうし、たとえ死んだとしても、その死は何の影響もないと判断されたことだろう。

小シベリアでの暮らしは惨めなことも多かったが、子供はどんな状況でも楽しい遊びを見つける。新疆は緯度が高く夏の日は長く、大人たちが昼寝をする昼下がりには、友達と好きなところへ冒険に出かけた。野原でネズミの巣を掘り起こし、アリの巣のようにめぐらされた小さな貯蔵室を荒らして種を奪い、袋いっぱいに詰め込んだ。倉庫の屋根の上では宝探しをした。同級生の肩に乗って軒の隙間に手を突っ込み、鳥の卵をかき集めるのだ。生のまま、ちょっとピリッとする中身を飲み込んだ。

ある日の午後、かくれんぼをしていると、鍵のかかった倉庫のドアの隙間から二本の足が宙に浮いているのが見え、同時に殺虫剤の臭いが鼻をついた。中年男性が梁にぶら下がっていた。自殺だという者もいたが、殴り殺されてから吊るされたんだという者もいた。死因もその責任も、調査すらされなかった。拘留中に死ねば「処刑を恐れての自殺」「自ら人々から距離を置いた」などとして片づけられた。死刑執行のための銃弾が節約できてよかったという程度の扱いだった。

一九六八年の秋、「大右派」にふさわしい処遇として、中隊の指導者は私たちを再び移動させた。今度の家は使われなくなった地下住居「地窩子（ディーウオズー）」で、新疆のこの地域を開拓した人々の原始的な住居だった。地面には四角い穴が掘られ、葉の細かいギョリュウの枝とイネの茎で作った粗末な屋根がかけられていた。屋根は、草を混ぜた泥で上から何層にも覆って固めてあった。長いあいだ放置され、入り口に下りる階段が崩れていた。

新しい家に初めて下りて木製の扉を開けると、ぎいっという嫌な音と共に、ひんやりとして暗い空間からカビ臭い匂いが漂ってきた。父が中に入るやいなや鈍い音がして、見ると膝（ひざ）をついて痛がっている。飛び出ていた梁に額をぶつけ、血が出ていた。屋根を高くする方法がないため、仕方なく床をショベルで掘り下げて、まっすぐ立てるようにした。

「ベッド」は一段高く掘り残した土だった。それを藁（わら）で覆った。高剣（ガオ・ジエン）と私はストーブと煙道を作り、ランプを置くための小さなくぼみも掘った。湿気のせいで壁にたまっていた硝石を取り除き、古新聞を壁紙にして貼った。豚が頭上を走り回り、その振動で砂がぱらぱらと落ちてくるので、ベッドの上には古い木綿のシーツを張って受けとめるようにした。屋根に開いた四角い穴がわずかな明かりとりの天窓で、これはビニールシートで覆った。あるとき突然、子豚の尻（しり）が上からその穴にすっぽりはまったのには驚いた。子豚はしばらくもがいていたが、そのうちなんとか抜け出して逃げていった。

ガラスのランプのほやは、灯油の煤（すす）ですぐに黒くなってしまう。私は毎日夕方になると、必ずこすってきれいにしていた。管の片方を手で覆ってもう一方から息を吹き入れ、箸（はし）を使って綿を管の中に入れて前後にこするのだ。しかし朝日を覚ますと、ほやはまた汚れていて、鼻の穴も煙で黒くなっている。その年、中隊はネズミの害に悩まされ、地元の指導者はソ連の陰謀だと吹聴（ふいちょう）していた。ネズミたちは壁紙の裏で活発に動いていた。粘土を食い荒らし、巣を作り、子供を産み育て、そして四六時中、何かをかじって歯を削っている音が聞こえた。ネズミ捕りのしかけをいろいろ試したが、いちばん簡単なのは、部屋の隅に穴を掘って水を半分入れたボウルを置くことだった。翌朝には小さな灰色の死骸が水面に浮いている。穀物を床に落として、その上に足を浮かせて待っていると、すぐにネズミが一匹、靴の下に登場した。しかしそんなやつらでも、じつはけっこうかわいい生き物だった。

　シラミもいた。血を吸うと黒くなり、ぎゅっと押すとプチッと潰れた。やつらは服の縫い目にそって小さな透明な卵を産みつける。幸い、私たちが持っている服はわずかだったから、全部を一つのバケツに入れて熱湯に浸せばよかった。シャツやパンツが青く染まってしまおうがかまわない。絶滅させる唯一の手段は、マットレスを持ち上げてヘキサクロロベンゼンの結晶をふりかけることだ。この殺菌剤は分子式がC_6Cl_6だったから、私たちは「六六」と呼んでいた。臭いがきつく、一晩中眠れなかった。

　地下暮らしは父への罰であり、必要な政治闘争としての役割もあった。私たちのような反動分子は革命的大衆とは別の部類で、生活環境もそれに応じたものでなければならなかった。排斥され拒絶されるたびに、私の社会を見る目もそれなりに変化した。周囲の人々から疎まれ敵意を向けられたことで、自分が何者であるかの明確な意識が生まれ、社会的な地位がどのようにして決まるかについて、自分なりの考えも形づくられた。ほとんどの状況で私は劣勢だったが、消極的な姿勢はだんだんと、自分が主導権を握ってやろうという方向に変化していった。私たちを不当に扱うことに加担しているコミュニティから排除されることは、むしろ慰めに思え、安心感が増した。

その三十年前、杭州に日本軍が迫っているとき、父は友人である批評家の胡風に宛てて、詩作による表現をしつくす前に、戦争で命を取られるのではないかというおそれを書き送っていた。一九三七年の暮れ、父たちが武漢に着いてから一カ月あまりがたっていたが、当面の安全は確保されていたものの、作家としての野心を満たすにはほど遠かった。毎日が苦難の連続であり、収入につながる職もまだ見つかっていなかった。張竹茹は稼ぎ手として父を頼りにしていたが、こんなに困難な状況になるとは思いもよらなかった。故郷の金華を離れるのも初めて、母親としての経験も初めてだった。絶え間ない赤ん坊の泣き声が彼女の不安を煽った。お金の心配や日本軍による武漢包囲の危機もあり、彼女はパニック寸前だった。

日本による占領で家を失い、食うや食わずの生活をしていた知識人は艾青だけではない。一九三七年の終わりごろ、胡風の呼びかけで多くの作家や芸術家が、新設された「民族革命大学」の教員として採用された。北部の臨汾市にある大学で、父もそこに加わることを決意した。一九三八年一月二十七日、父は妻子と友人の李又然たちと共に、辛い長旅を開始した。漢口駅に着くと、長く連なった客車の列がホームで待っていたが、全体が金属シートで覆われ、まるで前線に兵士や弾薬を送るための軍用車両のようだった。全員が乗り込むと金属のドアが閉まり、鉄道警察が外側から鍵をかけた。窓は客車の両端に一つずつあるだけで、トイレもなく、息苦しかった。生理現象に襲われても、列車が駅で停まってドアが開くまで待つしかない。列車はのろのろと、常に危険と隣り合わせの紛争地帯を進み、父とその妻、生後七カ月の娘は、湿った床の上に何日も座っていなければならなかった。

小さな窓の外は、凍てつく空の下に黄色い大地がどこまでも続いていた。ときどき難民や負傷兵の群れ、焼け焦げた瓦屋根の家や打ち捨てられた村が見えるばかりで、生活の気配はほとんど感じられなかった。このとき父は初めて長江を渡り、中国北部の起伏に富んだ厳しい土地に入った。ノートを取り出して、遠くの野を行く人や渡し船を待つ人々、凍てついた北国の夜明けや夕暮れをスケッチした。この荒涼とした風景は、容赦ない厳しさの中で生き延びようと働く人々への共感を呼び起こした。

二月六日の朝、冷たい風が吹きつけるなか、父と家族は列車を降りて臨汾の古い市街まで歩いていった。それからの日々、父は大学で美術を教えたが、食料はとぼしく、学校で出る食事はニンジンに餡なし饅頭ばかりだった。水はその饅頭と同じような、にごった色をしていた。授業を始めて二十日ばかりで町は日本軍の手に落ち、一家は再び移動することになった。今度は西安である。

そこで父は、ほかの画家や作家と共に抗日芸術隊を結成する。ところがあるとき、父が一行を率いて近くの町で展覧会を開いていたとき、仲間の一人が殺害され、グループに国民党のスパイが潜入したのではないかという疑いが浮上した。父はまた武漢に戻ることにした。新しくできた統括組織である「中華全国文芸界抗敵協会」の活動に加わるつもりだった。

こうして武漢に戻った一九三八年の四月、艾青の、九編の詩からなり四百行を超える抒情長詩『太陽に向かって』が完成した。四カ月におよんだ中国北部での生活で、中国の惨状と人々のしぶとい生命力を目の当たりにした体験から生みだされたものだ。この詩はすぐに朗読会に欠かせない作品となった。日が沈み、学生たちがたき火の周りに集まって詩を朗読するとき、燃える火が彼らの顔を照らし、この詩の情熱と自信が心を温めていく。

私は疾走する
以前のように情熱の車輪に乗って
太陽は私の頭上にあり

その力強い光線が
私の体を焦がす
その熱に励まされ
私は嗄れた声で
歌うのだ、
「さあ、私の心臓は
炎の手で切り開かれた
陳腐な古い魂は
土手に投げ捨てよ……」
その時、
私は見るもの聞くものに
これまでにない愛と共感をおぼえる
この輝く瞬間、死んでもいいほどに……

我らはこの日を愛す
我らの困難が
　見えないからではない
我らの飢えと死が
　見えないからではない
我らはこの日を愛す

なぜならこの日こそ、
輝く明日の
最も確かな知らせを
運んで来てくれるのだから。

（原題：『向太陽』、一九三八年、抜粋）

艾青は祖国が創造性の時代にさしかかったと考え、中国の歴史の中でも特別なときに、表現力を持つ詩人が歓迎されるだろうと考えた。「この偉大で唯一無二の時代に属する詩人は、不平を言わずに尽くさねばならない。迫害もいとわぬ布教者のように、誠心誠意、その心を、多数の人々の感情や夢の中に浸すのだ」。

武漢にいるあいだ、父はある陸軍将校から手紙を受けとったが、それにはおぞましい写真が同封されていた。どこかの村の入り口の木に並んで吊るされている人間の皮の写真で、日本軍が中国人の体から剝（は）いだのだという。男性が七人、女性が一人だった。この無残なありさまを見て、父は社会的な詩『人間の皮』を書いた。また武漢で見た、通行人にぺこぺこ頭を下げる物乞（ものご）い女の姿に触発された詩もある。戦争にまつわるテーマを避けようとする一部の詩人とは違い、艾青はこれまで以上に熱意を持って、やむにやまれぬ気持ちで現実と向き合っていた。そして朗読にふさわしい、ゆるがぬリズムで書き続けた。

武漢の防衛作戦は四カ月におよんだが、結局、中国国民党の軍勢は再び撤退を余儀なくされ、父はまたもや難を逃れる場所を探さなければならなかった。一九三八年七月下旬、妻子と共に湖南省中央部の衡山（ホンシャン）県へ向かった。この静かな古い町で、父は毎日着実に書き続け、詩の理論書『詩論』（詩について）の執筆もはかどった。新しい時代の要求に応(こた)える新しい美学を論述したもので、彼はこれを最も重要な成果の一つとしている。

詩人とは、単に詩を書く人ではない。詩人は自らの体験に忠実であり、自分が理解した範囲外のことは書くべきではない。一方で、ただ文章をつなぎ合わせて行を分け、詩を書いたつもりになっている人間もいる。新鮮な色や艶(つや)、イメージがなければ、どこに詩の芸術生命があるのか、と彼は言う。「今日の詩は民主的な精神による大胆な実験であるべきだ」と彼は言い切る。「そして詩の未来は、来たるべき民主的な政治と切り離せない。政治体制は詩人にとってほかの人以上に大切である。なぜなら、表現する権利が保障されれば、多くの人々の希望を声にすることができ、そのとき初めて進歩が可能になるからだ。人々の声を抑圧することは、暴力の最も残酷な形だ」。八十年後、詩は自由の大使であるという父の信念は、中国ではいまだに裏づけられていない。

一九三八年八月、教える予定だった衡山県の学校は資金が足りず、給料が払えないことを知らされた。仕方なく各地の友人に手紙を書き、教師の職に空きがないか問い合わせた。ようやく返事が来て、もし南部の広西(グアンシー)省桂林(グイリン)まで来られるなら勤め口があるという。歴史的に見るとへき地だったが、戦争中に作家や芸術家が集まる場所になっていた。そこで、一九三八年十月、父は妻子と桂林に移った。三人は質素な土間の一室に住んだ。壁のうち一面は板張りで、残り三面はレンガである。場所がないため、料理するコンロは廊下に置くしかなかった。

父の仕事は「広西日報」の文芸付録の執筆と編集で、毎月の給料は数十元、家賃と食費には十分な額だ。自分は幸運なほうだと思った。桂林に逃げてきた作家たちの多くは職がなく、わずかな原稿料や友人からの援助で生き延びていたのだ。父の文芸付録は毎号一万字だったが、その半分は広告に取られてしまい、内容も行きあたりばったりだった。「今回の号は公衆便所だったよ！」と苛立(いらだ)った。

書いて編集し、校正もし、来る日も来る日も寄稿者の確保と印刷所との調整に追われた。連日夜遅くまで仕事が続くと、疲れを紛らわすために切れ目なくたばこを吸うようになった。
一九三八年十一月、日本の爆撃機が桂林への攻撃を開始した。この襲撃で多くの民間人が亡くなり、一万人以上が家を失った。父たちが住んでいた建物も被害をうけ、爆弾の裂片がわずか二、三メートル先に落ちたという。やっと空が明るくなりはじめ、多くの人がまだ眠っている早朝、上着を着るのも忘れた艾青が友人の部屋に駆け込んで、完成したばかりの詩を朗読しはじめた。

もしわたしが鳥だったら
しわがれた声で歌っただろう
この嵐にさらされた大地を
永遠に我らの悲しみと憤りにうねるこの河を
止むことのない激しい怒りの風を
そして森から来るこの上なく優しい夜明けを……
——そうして私は死ぬだろう、
羽根まで地のなかに腐らせて。
なぜわたしの目はいつも涙をたたえているのか?
それは、この地を深く愛しているから……

(『私はこの土地を愛す』、原題:『我愛這土地』、一九三八年)

この時期は、父の詩人としてのキャリアが最も充実していたときであり、作品は広く読まれていた。生活を切り詰め、ガリ版刷りと手書きの両方で作られた詩集『北方』の出版にこぎつけた。収められた詩には、混乱と困難のさなかで生きる人々の苦しさ、わびしさが描かれ、哀愁がただよっているが、その底には熱烈な闘志があるのも読み取れた。

一九三九年四月、二人目の子を妊娠していた妻の張竹茹は、実家で安心して出産するために金華に帰省した。妻が不在のあいだに、父は若いジャーナリストの高灝（ガオ・ハオ）という女性に惹（ひ）かれた。彼女が詩の朗読会で父の詩を読んだのが縁だ。非常に気が合うことがわかると、父は恋に落ちてしまった。すぐに張竹茹に宛て、離婚したいという手紙を書いた。驚いた妻は早急に桂林に戻ると返事をした。ただ高灝のほうにはその気持ちはなく、父の申し出を拒否し、のちに別の男性と結婚した。

芸術には綿密で厳しい父だが、こと恋愛に関しては現実ばなれしていて危なっかしいところがあった。子供のときから親の愛をあまり感じられず自立を余儀なくされ、危険な放浪の生活に追いやられた父は、空想や現実味のない期待を抱きがちだった。恋愛は、俗な悩みから解放されるための気高い自由の翼だと思ったのだ。高灝に拒絶された父は体調を崩し、落胆してふさぎ込んだ。

一九三九年六月、まだ妻が帰ってこないある晩、韋嫈（ウェイ・イン）というかつての教え子が父の前に現れた。中学校時代に慕っていた艾青に会うため、わざわざ桂林にやって来たのだ。まだ失恋で意気消沈していた父がノックに応えてドアを開けると、目の前に彼女が立っている。父はひどく驚いた。彼女のお陰で父は絶望から抜け出し、すぐに一緒に暮らすようになった。張竹茹が娘の七月（チーユエ）を連れて金華から戻ったときには、結婚生活が修復できる可能性はほとんどなかった。

一九三九年九月、省境を越えた湖南（フーナン）省新寧（シンニン）県にある学校の校長から教職に招かれた父は申し出を受けることにし、韋嫈をともなって赴いた。二人は夫夷河（フーイー）に近い、丘のふもとの簡素な土レンガの家に住んだ。軒下には唐辛子やタバコの葉が干され、玄関脇にはカボチャが山積みになっている。わずか六メートル四方の狭い部屋には、木枠のベッドに机と椅子があるだけだった。夜になると父は灯油ランプを灯（とも）し、翌日の授業の準備と宿題の採点をした。再び田舎に住むようになって、父は農村をテーマにした数々の詩を書いた。絶え間ない困難に見舞われる農民生活の不安を伝える、悲哀に満ちた詩だった。現実を目の当たりにすることで社会的な不公平への意識がとぎ澄まされ、国土を再分配すべきだという確信が強まった。

その年の十月初旬、張竹茹は娘の七月ともう一組の夫婦と共に新寧県へ向かう途上、男の子を出産した。新寧で産後の一カ月を過ごしたのちに竹茹は離婚に同意し、生まれたばかりの息子を父に託すと、娘を連れて金華へと去った。同世代の多くの進歩的な男性と同様に、父も親に決められた相手と真面目に添い遂げる気にはならなかったのだ。そんな結婚は封建的な伝統の遺物であり、真に望んだのは西洋の標準であり、中国でも普通になりつつある自由恋愛だった。数週間のうちに、二十九歳の父は十七歳の韋嫈と結婚した。

父は明るく闊達（かったつ）な教師で、彼の話や冗談に、教室ではいつも笑いが起きていたという。しかし教えることは創造的な詩作とはほとんど接点がなく、内心では書きたくてたまらなかった。彼にとって書くことは、生きていくことそのもののように大切だった。

ある日、韋嫈は元同級生から手紙を受けとった。同級生は、日本との戦争中、共産党最大の軍事組織である新四軍が支配権を握った地域に住んでいた。手紙には厳しいが気持ちを鼓舞するような軍務のことが生き生きと描かれ、あなたもここに来て参加したらどうかと誘っていた。若い理想家の韋嫈にとって、へき地新寧での単調な暮らしは、共産主義地域での新しい生活にくらべてまったく魅力がなかった。このときは実行に移さなかったが、理念のために尽くしたいという願いは忘れなかった。
どこか新天地に行きたいと願っていたのは韋嫈だけではない。艾青もまた、変化のときだと感じていた。戦時中の首都である重慶（チョンチン）の陶行知（タオ・シンジー）から、仕事の依頼があった。陶行知は戦争孤児や避難民の子供たちのために作られた有名な学校、育才学校の校長だった。この機会を逃す手はなかった。本や詩の原稿をまとめ、韋嫈と赤子を連れて北へ向かう船に乗り込んだ。

ところがその直後に新寧に戻ることになる。船上で赤ん坊が乳を飲まなくなり、泣き止まないのだ。父はやむなく乳母を見つけて、その人の家で赤ん坊を見てもらうことにした。そのうちに乳母はこの報酬では割に合わないと思い、赤ん坊をある教師夫婦に渡した。その後、里親となった夫婦は湖南省での交戦に危機感を持ち、子供を連れて桂林へ移る。しかし戦時で食料も薬もとぼしく、子供は病気にかかって死んでしまった。息子の死を知った父の悲しみはどれほどだっただろう。彼はすべての親に共通する本能をもって子供たちを愛した。この本能がなければ人類に未来はないだろうと、いつか私に語ったことがある。

艾青と韋嫈は再び出発した。今度は二人きりで船に乗り、邵陽（シャオヤン）に向かった。戦時中の首都である重慶への、長く辛い旅の最初の停泊地である。しかし、そのころにはすでに二人の結婚にはひずみが生じつつあった。赤ん坊を置いて去った張竹茹への恨みが韋嫈の中でくすぶって、二人の心には亀裂（きれつ）が音もなく生じつつあった。

日本による中国東部の侵略が始まってから二年以上がたち、国政は複雑な状況になっていた。日本は沿海部や長江の下流域を含む中国東部を、国民党政府は南西部と北西部の一部を、そして共産党は中国各地で点々と活動しており、とくに北西部で強い力を発揮していた。国民党と共産党の初期の協力関係が、一九二七年の血塗られた上海クーデターで終わった後、共産党は江西省の南部、福建省西部など辺境の地に、いわゆるソビエト（中華ソビエト共和国臨時政府のこと）を打ち立てた。しかし一九三三年十月、国民党政府は江西省にあった共産党の拠点地域を包囲、翌年秋、労働者や農民の集まりである紅軍は撤退を開始した。「長征」と呼ばれる一年にわたる長い撤退ののち、共産党の残存勢力は国内でも貧しい北西部地域、陝西省北部に再結集した。そのころには、毛沢東が共産党リーダーとしての地位を確立している。

一九三六年十二月、国民党軍の総司令官二人が蔣介石を自宅軟禁し、共産党への抑圧をやめ、共産党と共に日本に対抗するよう圧力をかけた。「西安事件」と呼ばれるこのできごとにより、両党は二度目の共闘時期に入る。一九三九年には、重慶は国民党政府の一時的な疎開地となったばかりでなく、中国共産党の指導者たちの住処でもあった。

一九四〇年五月、途中何度も障害に遭いながら、父と韋嫈はやっとのことで重慶行きの汽船に乗ることができた。金を使い果たしていたため、船が霧に包まれた長江三峡を通って行くあいだ、甲板で寝なければならなかった。一九四〇年六月に重慶に着くまで、一カ月以上もの旅になった。

今や一文無しとなった艾青は芸術家連盟に援助を求め、嘉陵江を見下ろす連盟本部北棟に二人のための部屋を提供してもらった。その一週間後、戦時首都を襲った数多くの空襲を初めて体験する。榴散弾の破片が部屋の壁や屋根に穴をあけ、床にがれきが散乱した。父は割れた瓦やガラス片の中ではいつくばって、大事な本や手紙、原稿を探し回るはめになった。

同じころ、地球の裏側では西欧に戦争が始まっていた。一九四〇年の四月から六月にかけて、ドイツ軍はデンマーク、ノルウェー、ベネルクス三国、フランスに侵攻、六月十四日にはフランスの首都に入城した。翌日、艾青は『パリへの哀歌』という詩を書いた。

赤白青の三色旗が
降ろされた
代わりにはためく
セーヌ川のほとりに
コンコルド広場に
黒い鉤十字（かぎじゅうじ）、血の色の旗。

荘厳な建築は傾く
それにつれて
「自由、平等、博愛」と刻まれた
あの大きな柱も……。

（原題：『哀巴黎』、一九四〇年、抜粋）

心の故郷である大切なパリが陥落したことは、父にとって壊滅的な打撃だった。
一九四〇年六月下旬、父は育才学校で文学を教えていた。学校は重慶市からは十分離れた安全な田舎の村にあった。ひっそりした山間（やまあい）の村に戻ったことに、父は安堵（あんど）を覚えた。生活は好きなように組み立てることができたので、早朝に起きて朝食前には書きものを済ませた。ときおり日本の戦闘機の戦隊が午後の空に現れ、頭上でエンジン音が聞こえると、肩に上着をひっかけて外に出て、その数を数えた。日本の標準的な爆撃編隊は二十七機だとわかってきた。

一九四〇年の夏、祖父が金華の病院で亡くなった。五十三歳だった。祖母は父に、帰省して葬式を手伝ってほしいと手紙を書き送った。地元の習慣では自宅の寝床で亡くなった者だけが正しい死を迎えたと判断され、祖父の遺体を村に戻すのは不適切とされた。祖父の棺(ひつぎ)は一時的に村の外に安置され、家族に依頼された僧が七日間にわたり経をあげ、死者の魂があの世へ行けるように祈った。もうすぐ収穫の季節、つまり一年で最も暑い時期のことで、祖父の遺体は腐敗しはじめた。あまりの異臭に村人たちはその周囲を避けて歩かねばならなかったという。埋葬の前にひどい雨が降り、雨水が棺にしみ込んで悪臭のする液体が棺の隙間から流れ出た。

祖父の死からまもなく、日本軍は金華周辺の村を襲撃した。多くの住民は山の中に逃げ込んだが、地主の息子が、略奪する兵士たちに向けて無謀な発砲をしたため、日本軍は村全体を焼き払って報復した。祖母は崩れ落ちた家の瓦のあいだに座り込んで三日三晩泣き続け、やがて死んでしまった。父は両親の葬儀を出すために帰省することはなかった。延安(イエンアン)で書いた詩に、その理由が書かれている。

昨春、父が何通も手紙をくれた
帰郷するよう哀願し
大事な話があると
土地や財産の話をしたいからと
しかし私は父の願いに従わず
帰ろうとはしなかった

家族が私に負わせる責任に
若い人生を潰されたくなかった
今、父は
静かに地中に横たわる
出棺のとき、私は魂の旗を揚げなかった
麻の喪服さえまとわなかった
そのとき私は前進していた、かすれた声で歌いながら
解放の戦のただなかで、かがり火の下で……

私は埋められはしない
母の望みも無情に退け
戦争が私に与えた勇気に感謝し
郷里とは逆の方向に進んでいた
なぜなら、学んだから
世界にはもっと偉大な理想があると
忠実であるべきは、私個人の家ではない
万人に属する
神聖なる信念なのだ。

（原題：『我的父親』、一九四一年、抜粋）

一九四〇年九月二十五日の朝、中国共産党の八路軍駐重慶事務所の所長だった周恩来（ジョウ・エンライ）が育才学校を訪問した。教師と生徒たちを前にした演説では、時事問題を解説し、対日戦争の行方について明るい見通しを述べて元気づけた。周は父を心から迎え入れ、延安の共産党拠点に増えつつある左派の知識人の一人として、彼を歓迎すると言った。「もし艾青氏のような友が延安に来てくれるならば、邪魔されずに書くことができるようにしよう。生活のことなど心配しなくてもいい」。こんな心地よい言葉に、執筆に集中したいと夢見ている父が心を動かされないはずはなかった。

一九三五年に刑務所を出てから十数県を移動、膨大な距離を旅し、十種以上のさまざまな仕事をしてきた。いつかこの極貧の流浪生活をやめたいと願っていた。しかし、こうした困難にもかかわらず、二百編以上の詩やエッセイを発表し、三冊の詩集を出し、まるで戦う兵士のような不屈の粘り強さで、書くという自分への誓いを果たしていた。

一九四一年一月、共産党新四軍が国民党軍に手ひどい打撃を受けた皖南（ワンナン）事変以降、両党の関係は悪化した。蔣介石の国民党か、共産党が根拠地を置く地域か、どちらかを選ばざるを得ないのなら、多くの進歩的知識人は後者を選んだ。どこかあてのない希望のような選択だったが、「進歩」や「解放」のような魅力的な概念は、絶望に対する強い解毒剤だった。共産党内では毛沢東が「知識人を大規模に吸収せよ」と呼びかけた。「知識人からの支持を勝ち取ることは、革命の勝利のための大前提だ」と言い、「ペンは銃と合体しなければならない」と述べた。こうした前向きな宣言は、そう単純ではない現実の姿を曇らせるものだ。毛沢東は若いころに北京大学図書館に職を得ようとして失敗したことがあり、これが、のちの彼の言動に見られるような学者への偏見を植えつけたとも考えられた。

人々が国民党政権の正当性にますます疑問を持つようになるなか、共産党のイメージは、秩序を乱す者から国益を守る存在へと変わっていった。延安は平等と自由、民主主義の天国であり、民主主義中国のひな型としてたたえられた。

　生活必需品は、平等主義にもとづいた軍事供給システムにより供給された。共産党は儒教の倫理規範や伝統的エリートの価値観を否定し、男女平等と大衆文化を奨励した。

　延安はとくに若い理想主義的な知識人を惹きつけ、韋婴はその典型だった。すでに妊娠八カ月だったが、ある晩、もうこれ以上待つのは嫌だ、たとえ途中で出産することになったとしても、この地を去ってすぐに延安へ出発したいと言いだした。共産主義の聖地なら、赤ん坊は託児所に預けて自分は仕事に専念できると信じていた。翌朝、韋婴が目を覚ますと、父は読んでいた本から顔を上げ、「好きなようにしなさい」とだけ言った。

　共産党は、重慶の重要な文化人がパートナーともども、香港や延安、桂林などのより安全な場所へ避難するのを支援する計画を作りあげていた。ある霧深い朝、韋婴はほかの女性たちと一緒に延安をめざす交通手段が整ったと伝えられた。その中には、同じようにもうすぐ母親になる人が何人もいた。「道中気をつけて。すぐにまた会おう」と周恩来が力強く言った。韋婴は延安に到着してまもなく出産した。産後は体が弱り、近所の人に赤ん坊を預けるしかなかった。しかし、ようやく体力が回復したときには、赤ん坊は死んでいた。

　重慶では、父の友人の多くがすでに去っていた。街では国民党の秘密工作員に尾行され、国民党支配下の領域にとどまることはますます危険に思えてきた。中国では、人生の岐路でどんな選択をしようと、政治に翻弄されることは免れない。延安での生活にも相応の危険があることはわかっていた。

　父が共産主義の大義に加わることを待ちかねていた周恩来は、旅費として千元もの現金を渡し、表通りを歩くようにと助言した。もし途中で拘束されるようなことがあったら、共産党にも国民党にも顔が利く詩人であり歴史学者の郭沫若（グオ・モールオ）に電報を打てと指示した。また、父の教え子で役人にコネのある人物が、父に政府高官の相談役という偽の身分証明書を準備し、同行するほかの四人にもそれぞれ、偽の身分証明書を与えた。重要人物らしく見せるために、父はカワウソの皮の襟付き毛皮コートを着て、ほかのメンバーは家族や秘書、ボディーガードのふりをした。差し向けられた長距離バスに乗り、ある日の午後遅く、陝西省中部の耀県(ヤオ)に着いた。そこでは街の門が閉ざされる前に中に入ろうと、人々が長い列を作って待っていた。衛兵が人々を四人か五人一組でチェックし、通行を許可する。一カ月を要した長旅の期間中、父たちは四十七カ所もの国民党の検問所を通らなければならなかった。そのうち一カ所ででも変装が見つかれば、即座に逮捕されただろう。とうとう延安の目印となる九層の宝塔が見えてくると、疲れた旅人たちは喜び、パリ・コミューンの時代から続く革命歌「インターナショナル」を歌いだした。

樹木の生えない陝西省北部地域には、窰洞(ヤオドン)という洞窟式住居がある。山腹に掘られた洞窟が、荒々しい気候から守ってくれるのだ。そんな住居の一つが父と韋嫈に割り当てられた。名高い詩人が到着したことを喜び、中国共産党総書記の張聞天(ジャン・ウェンティエン)と、宣伝部長の凱豊(カイフォン)がすぐに表敬訪問にやって来た。鼻先に眼鏡をのせた張聞天は、意外に学者風の態度で父に好印象を与えたそうだ。二人は父に歓迎の意を示し、入り用な物は何かと尋ね、最後に、「魯迅(ルー・シュン)芸術学院」または「中華全国文芸界抗敵協会」の延安支部、二つの文化組織のうちどちらで活動したいかと聞いてきた。後者のほうに慣れており、また有名な女性作家の丁玲(ディン・リン)がリーダーを務めていたこともあって、父はそちらを選んだ。

艾青の人生の新たなページが始まった。個人表現の世界、足かせのない自由な詩作の日々は終わろうとしていた。

延安の宝塔山

第五章　新たな時代

父の入念な剪定(せんてい)のかいあって、小シベリアの生産兵団を取りまく森は、数カ月もすると見違えるほどさっぱりした。感心して眺める労働者もいたくらいだ。「右派」の人間に環境美化をまかせたのはまずかったと、やっと上層部が気づいた。これでは懲罰にならない。父の生活をさらに惨めにするために命ぜられたのは、便所の掃除だった。最も過酷で不快な仕事だ。施設に全部で十三ある共同便所は、しゃがんで用を足す穴が並んでいるだけで、下を向けば肥溜(こえだ)めが見えた。

新しい仕事の道具が渡された。平型スコップと柄の長い鉄製ショベル、それに親指より少し太いくらいの鋼鉄の丸棒(ドリルロッド)だ。この鉄棒が冬には欠かせない。凍って柱のように上に伸びてくる便を崩すためだ。

父は便所掃除の前に必ずたばこに火をつけ、じっと眺めながら作業の見通しをたてた。まるでロダンの彫刻でも鑑賞しているようだった。ニコチンが体内に入ると、仕事を始める元気が出てくるのだ。

冬は鉄棒の出番だ。最初はただ細かい氷のかけらが飛び散って、顔や服を汚しているようにしか見えないが、やがて父が粘り勝つ。根気よく突いているうちに人糞(じんぷん)の柱の根元が深くえぐれ、しまいに倒れる。仕上げには凍った糞尿を適当な大きさまで崩し、それを一つずつ便槽の外に出した。夏には仕事の手順は変わってくる。まず便槽の中身を水分と固形物に分け、尿は少しずつすくっては地面に掘った穴に投入する。便は砂と消石灰をかけて覆い、ハエやカの発生を抑えるのだ。

トイレットペーパーなどないころの話だから、トウモロコシの茎や、綿入れの袖などからはみ出た綿を丸めたものや、たばこの空き箱まで何でも使った（壁のある便所なら、その角も尻を拭くのにちょうど良くて人気だった）。ただし、新聞紙だけは使えなかった。理由は簡単だ。どのページにも必ずといっていいほど毛沢東（マオ・ツォードン）の名前や言葉が載っている。それで尻を拭いて、万一見つかったら冒瀆（ぼうとく）行為として報告され、重大な「反革命事件」の〈証拠〉として衆目にさらされる。そんな危険は冒せなかった。

屋外便所

便槽内がきれいになると、角スコップを使って穴の四隅を整え、周囲に土を足した。最後の点検をするころには、便所は不快な場所ではあっても、すみずみまで掃除されて、清潔できちんとしていた。これで作業は終了だ。父はスコップを肩にかついでショベルを手に、次の便所へ向かった。

小シベリアでの五年間、父は一日たりとも仕事を休まなかった。休めば翌日二倍働かされることは誰よりもわかっていたのだ。マイナス三十度の厳寒の日でも、きつい肉体労働で服は汗まみれになる。毎晩干して乾かさなければならなかった。

父は運命をストイックに受け入れていた。誰が便所をきれいにしているかなど、若いころは気にもしていなかった。だから今、自分が掃除をさせられているのは理不尽でもないだろうと。忍耐力、広い心、平等への強い思いを示す言葉だ。父は迷信や脅迫、残忍さを憎んだが、どんな状況にも正直に、品格をもって順応することができた。私にあそこまでの寛容さはない。

　その二十六年前の延安(イエンアン)では、父はまた別の孤立のなかにいた。町は周囲を鳳凰山、宝塔山、清涼山という三つの山に囲まれ、東、西、南から延びる三つの谷が交錯していた。住まいの窰洞(ヤオドン)から文芸界抗敵協会本部までは、どのルートをとっても長い山道だ。必要がなければ、めったに外出しなかった。郵便配達人が配達のついでに、父からの手紙を預かっていった。紙不足のため封筒は古新聞で作り、細長い紙切れに宛名と住所を書いて貼りつけた。

　一九四一年、延安の文化人は比較的おだやかな気分でいられた。物は乏しかったが、知識人の中でも艾青(アイ・チン)ほどの地位があれば、一定の特権が与えられた。八路軍の制服と冬用の綿入り上着が支給され、わずかだが毎月俸給をもらった。食料品や医薬品、お湯は無料。父の食事は兵士が「中央厨房(ちゅうぼう)」から窰洞まで運び、食べ終えると同じ兵士が食器を回収していった。一九四二年の四月、父と韋婴(ウェイ・イン)にまた子供が生まれた。成人できた四人のうち、いちばん上になる女の子だ。艾清明(アイ・チンミン)と名づけられた。妻と子は食物支給対象ではないため、共同の食堂に通った。

　一九四一年七月、魯迅(ルー・シュン)芸術学院長の周揚(ジョウ・ヤン)が『文学と生活に関する雑感』と題する論評を発表した。「延安の作家の多くはろくなものを書いていない」と言うのだ。これに対して、艾青と四人の作家が共同で反論の手紙を書いた。周揚のような党のイデオロギーを信奉する作家とリベラルな知識人たちのあいだに潜在していた溝は、さらに深まることになった。

数日後の八月十一日の夕暮れ、毛沢東は周に反論した作家たちのもとを訪れた。毛は党主席でこそなかったが、すでに重要な地位を占めていた。父の窰洞に向から坂道を下る途中、ここまででよいと護衛を下がらせ、単身でやって来た。艾青は初対面の毛沢東を、思慮深くて落ち着きがあり、幅広い読書家で、縦横に知識を引用できる人物だと認めた。その後、毛は父とその隣人たちを誘って山を下り、自分の居住区で、ベーコンや魚の塩漬け、卵などの夕食でもてなしてくれた。毛は熱心に話を聞いてメモをとり、ときには笑い、冗談も言った。

周揚の「雑感」が起こしたもめごとにより、艾青の延安に対する幻想は破られた。共産党の活動のすべてを把握しているわけではなかった。「五・四運動」では民主主義と自由、独立、平等がうたわれていたが、共産党の要求するイデオロギーの統一や中央集権、集団主義とは相容(あいい)れないものだった。

十二月、艾青は自分の迷いを詩に託した。タイトルは単純に『時代』。

低い軒下に立ち
荒々しい山、高く広い空を
ただ仰ぎ見る
長いあいだ、心に奇跡を感じていた
私は光輝く何かを見る
それが太陽のように、私の心を鼓舞する。
激しく鼓動する心で、それを追い求める

婚礼の式に急ぐ新郎のように
――たとえやって来るのが
祝いの歓声ではなく、
にぎやかな笑い声でもなく、
千の殺生の地よりも惨い場面だと
知っていても
それでも私はそれに向かって進む
命がけで熱意をふり絞って。

『時代』は延安で書かれた作品中、最も印象的な詩だ。共産主義国家が約束する新時代を認めてはいるが、その底には暗い流れがある。

私ほど苦しんだ者はいない
時代に忠実に、人生を捧げ、そして黙っている
意に反して、まるで囚われ人が
刑場に向かおうとするとき、黙しているように。

父はすでに感じていたのだ。時代に忠実、つまり新興権力に仕えることは、致命傷になりかねないと。だが選択の余地があるとも思えなかった。

私はそれを愛する、今まで愛したどんなものよりも強く
その到来のために、私は喜んで命を差し出そう
体も魂も喜んで差し出そう
その面前では私など取るに足らぬ
私は地面に仰向(あおむ)けになり
馬の蹄(ひづめ)のようなその足で、胸を踏まれることさえ願うのだ。

（原題：『時代』、一九四一年、抜粋）

この詩は、四〇年代に中国を席巻(せっけん)した革命による劇的な変化と個人の苦しみを、怖いほどぴたりと予見している。しかし、さすがの父も、延安の知識人がどれほど急速に危険な政治の潮流に巻き込まれていくかまでは予測できなかった。

国民党政権への失望から、左翼の知識人が延安に集まってきた。しかし来てみると、共産党も同様に腐敗や専制、独裁から逃れられないことを知り、不満が募りはじめた。一九四二年三月、延安でもリーダー格の女性作家、丁玲(ディンリン)が『三八節に感有り』（三月八日は建国後に国際女性デーとなる）と題するエッセイを発表した。進歩的なはずの延安のコミュニティにおいても、女性は不平等な扱いを受け、「声なき抑圧」があることを指摘していた。

艾青は、作家たちが批判にさらされることに以前から危惧を抱いていた。丁玲に意見を求められ、『作家を理解し、作家を尊重しよう』という小論を書き、作家には心のままに自己を表現する権利があると強く主張した。「作家はヒバリではないし、お客を楽しませる歌姫でもない」。意義のある文学作品にとって、表現の自由は不可欠だと考えていた父は、「書く自由以外に、書き手はいかなる特権

も求めてはならない。芸術創作は自由で独立した精神を得て初めて、社会改革という事業を推進できるのだ」と主張した。

父より辛辣（しんらつ）な作家たちは、官僚的な自己満足や派閥争い、個人崇拝へと向かっている党の傾向をやり玉にあげた。三月十七日、王実味（ワン・シーウェイ）は『野百合（のゆり）の花』と題した論説を書いた。延安の社会にひそむ暗い影をあばいたもので、知識人の幻滅、階層的な体制への懸念、トップ指導者層が握る特権を指摘した。「きわめて健康ないわゆる〈大物〉たちが、必要でも合理的でもない特権を得ている」という表現が物議をかもした。『解放日報』でこの言葉を読んだ毛沢東は拳（こぶし）で机をたたき、「誰がここを仕切っているんだ、カール・マルクスか、王実味か？」と声を荒らげたという。

編集者にこのような文章を載せた過ちを認め、今後はこうした不始末を起こさないよう要求した。毛沢東によれば、党への批判は軍事的敗北と同じくらい活動に打撃を与える。士気を低下させ、党の正当性をも傷つけるものだった。

四月初旬、父に毛から手紙が届いた。「話したいことがある。時間があったらおいで願いたい」。顔を合わせると、毛はまず冗談から始めた。「私は長老の役をするのが好きでね」。そして続けて「延安の文学・芸術のサークルにはかなり問題がある。発表された論説の多くが不評だ。日本が飛行機から落としたビラか、国民党の新聞記事かと思うようなものまである」と言った。

この問題をどうすればいいか、艾青に意見を求めたのだ。深く考える時間はなく、父は思いついたことを提案してみた。「私たちの会合に来て、話されてはどうですか？」

「私の言うことは聞いてもらえるかね」

「少なくとも私は聞きますよ」と父は答えた。

二日後、毛沢東からまた手紙が来た。「先日話し合った文化政策の件について、批判的な論説をすべて集め、あなたの考えを聞かせてくれまいか」という。「批判的」という文字の下に小さな丸を付けて強調していた。しかし、何を意味するのかはっきりわからないため、父は論説を送ることはせず、代わりに自分の考えを書き送った。

作家の視点から、創造的芸術と政治との関係や、何をどう書くべきかを考察したものだ。「人々の生活を向上させる闘争において、文芸は政治と同じ目標を持つ。ただし文芸は政治の添え物ではなく、政治のための蓄音機でも拡声器でもない。文芸が政治に融合するには、誠実に表現するに尽きる。作品に誠意があればあるほど、その時代の進歩的な政治と同じ方向を向くはずだ」と論じた。

数日して毛から返事が来た。「手紙とご意見をありがとう。これについて至急話し合いたい。今は川が増水しているから、馬を差し向けよう」。四月のことで、毛の家の中はかなり寒かった。毛の着ている古い綿入れの上着は袖がすり切れ、ところどころ綿がはみ出していた。「あなたの文章をみんなで読んだ。それに対する我々の考えをお知らせしたい」と言った。艾青の書いた文章は毛と上層部で検討され、毛自身が数枚にわたりコメントを書いていたのだ。床がでこぼこで木のテーブルが安定しなかったため、毛は外に出て、テーブルの脚の下にはさむタイルを手に戻ってきた。そして自身の考えを詳しく述べたが、父の意見とは完全には一致しないものだった。

五月二日、「延安文芸座談会」が始まった。周揚が参加者のリストを作り上げ、毛沢東が百人以上の作家や画家に招待状を送った。昼食後、参加者は楊家嶺（ヤンジアリン）にある党本部の広い会議室に集まった。白いテーブルクロスのかかった長テーブルの周りには、椅子が二十数脚並んでいる。椅子は北側の壁沿いにも二列置かれていた。ほかの質素な椅子とは違う木製の肘（ひじ）かけ椅子が一脚、テーブルの中央を占めている。議長席なのだろう。毛沢東はぴったり午後一時半に到着し、会場を回って全員と握手した。

「椅子が足りないようだな」。話し合いに入る前に毛が言った。「全員にわたらない。将来的にはもう少し肘かけ椅子が必要だな」。延安の権力や特権についてのコメントを遠まわしにあてこすったのだ。肘かけ椅子が足りない、つまりそれに座りたいであろう、不公平に不満を言う特定の人々を皮肉ったのだ。

毛は続けた。「敵を倒すためには、まずは武器を持った軍隊に頼らねばならない。だがそれだけでは十分ではなく、文化的軍隊も必要だ。最初の軍隊を率いるのは朱(ジュー)だ。二番目の軍隊を率いるのは魯(ルー)だ」。朱は共産党軍総司令の朱徳(ジュー・ドー)、魯は数年前に上海で亡くなったが左翼運動の象徴だった魯迅だ。聴衆は笑って同意した。多くの人は、毛が文学や芸術の役割をそこまで重視していると思っていなかった。これまで知識人の多くが、文化と革命は並行して進み、同じ価値があるものだと考えていた。今回の集まりの目的は、文芸は党に奉仕するものだとはっきりさせることだったのだ。兵士が上官の命令に従うように。

五月二日に続いて十六日と二十三日にも全体会合があり、最後に毛が所見を述べた。意見の一致は得られず、作家は意見を述べ、問題を議論した。父も丁玲も要所で発言した。ほとんどの時間、毛は表情を変えずに座っていて、かなり過激な意見が出ても口をはさまなかった。

最終日、百九人の参加者は会場の外で集合写真を撮った。写真家がシャッターを切ろうとした瞬間に、どこからか犬が走り込んできた。毛沢東が立ち上がって「康生(カン・ション)、犬をなんとかしろ!」と叫び、みんな大笑いした。延安でスパイという犬を厳しく摘発していた康生が、本物の犬の捕獲も任されたというわけだ。

そのとき撮られた横長のモノクロ写真を、私は子供のころに見たことがある。最前列の中央に毛沢東が座り、三人おいて左に丁玲がいる。父はずっと後ろの右側、周揚の横に立っていた。『最後の晩餐(ばんさん)』のように悲しく謎めいた写真で、自分には無縁なものと感じられた。

夕食後、吊りランプがともされた中庭に全員が移動した。毛の結びの「講話」を聞くためだ。「いやあ、こいつは難しいぞ」。原稿を見ながら毛がつぶやくのが聞こえた。しかしいったん話しだすと、湖南なまりの言葉が聴衆を惹きつけた。「誰のために働くのかという問題は基本であり、大原則だ。我々の文芸も大衆のため、まずは労働者や農民、兵士のためのものだ」と語った。毛は「大衆」という概念を好んだが、その真の意味は、一般人、おとなしく党の言うことに従う人々のことだ。

毛沢東の延安文芸座談会での講話は、知識人の使命を大きく変えることになった。作家が誰を読者と想定するか、創作にどんな態度で臨むかを重要視し、読者は知識あるエリートではなく、労働者や農民、兵士であるべきで、作品も彼らのニーズに合わせなければならないと強調した。「五・四運動」では、知識人を社会の中核とし、啓蒙と社会批判を担う存在とした。しかし毛は「知識人は一般人を自分たちのところまで引き上げようとするのではなく、自分たちが彼らのところに行くべきだ。社会批判よりもまず自己批判に時間を使え」と言うのだ。この討論会には参加者が想定しなかった重大な意味があった。今後数十年の中国文化の命運、その基本方向が決まったのだ。知識人の役割が抜本的に変えられた。小説家も詩人も画家も、全員が「文芸労働者」となったのだ。

艾青もほかの作家たちも、それ以外の道が閉ざされたことを悟った。自由意思を表現する機会は日本との戦争に勝てば復活するかもしれないが、永遠に手の届かないものになるおそれもあった。今のところ、すべての議論は党の声と路線に塗り替えられてしまった。芸術家としての野心など、もはやむなしい茶番だった。

政治的な横槍がいつ入るかわからず、日和見主義に徹して生き延びる道を確保すれば、作品は毒にも薬にもならないものになる。中国共産党と左翼知識人は、太陽系に属する別の天体のようだった。たまたま並行して動くこともあるが、それぞれの軌道があり、必然的に別々の道を歩むことになる。

続く数年間で、知識人はますます重くのしかかる同調圧力にあえぎ、ついには一九五七年の反右派闘争の泥沼にはまることになり、社会への影響力はなくなった。中国の知識人は末端の位置に甘んじることになり、いまだにその場にとどまっているのだ。

座談会の直後、父は毛沢東に手紙を書き、創造性が涸(か)れるのが心配だと伝えた。もっと人里離れた貧しい村に移り、普通の働く人々と多くの時間を一緒に過ごせば、詩の題材も見つかるだろうと提案した。毛は提案を評価しつつも、日本軍がまだ多くの地域で脅威となっている、実行に移すべきではないと答えた。延安に残り、マルクス・レーニン主義の史的唯物論や農村における階級関係に精通するために勉強することを勧めた。中国の現実と進むべき道をはっきり理解したいのなら、これらを正しく把握しなくてはならないから、と言うのだ。

ある晴れた日、毛沢東が父の家に立ち寄り、窰洞の外で育っている野菜や花を見ながら言った。作家と政治指導者とのあいだで意見が食い違うのは珍しくない。レーニンもゴーリキーと常に意見が合うとはかぎらなかった。前進し勝利を得るためには、ときとして思考を規制することも必要になってくる。だからといって誰かが犠牲になるわけではない。

しかしやがて、厳しくなる一方の「整風運動」で最初の犠牲者が出た。この運動は内省と相互監視という、のちに党内で標準となる強制的な手段を用いて、高度なイデオロギー統一と遵守を強要するものだった。

中国共産党の諜報(ちょうほう)機関は「スパイは麻の実のようだ、どこにでもいる」と言い、党員は「意識的または無意識的」に敵を助けてしまっている人を救うようにと指示した。個人の経歴は詳細に調べあげられ、かすかでも不審な動きがないか探られ、ほとんど全員が厳しい尋問を受けた。隔離され、脅され、あるいは拷問を受け、自己批判するか、さもなければ他人を批判させられた。延安の三万人にのぼる職員と学生のうち、少なくとも半数がスパイとして告発された。

同調圧力のもと、誰もが「批判」と「自己批判」のイデオロギーの沼にはまった。父は自己批判を繰り返した。思想と表現への締めつけが命を脅かすほどに高まると、他の人たち同様、『野百合の花』の著者、王実味を糾弾する文章を書き、信念を曲げても公的な立場を守るしかなかった。

四〇年代の延安が陥ったこのような状況は、一九四九年以後の中国にも起こり、現在もまだ続いている。ただ、イデオロギーの浄化は全体主義政権でのみ起こるのではないと言っておきたい。形を変え、自由な西側民主主義国家でも見られる。たとえば行きすぎたポリティカル・コレクトネスのために個人の考えや表現が曲げられ、むなしい政治的スローガンになったりする。人がそのときに優勢な流れに乗ってうわべをなぞり、信じてもいないことを言ったり、おこなったりする例はいくらでもある。

父の死後、私は母に頼んで、父の関係書類を閲覧させてもらえるよう、中国作家協会に請求してもらった。門外不出、個人の政治的思想に関する機密資料で、本人の発言や他人からの告発内容、党による査定などが記載されている。だが申請は却下された。母からは、もう考えるのもやめなさいと言われてしまった。全記録を見られないのであれば、人の行動を判断することは無責任だ。その人は亡くなっていて反論も説明もできないのだから、客観性に欠ける。この時期のことはもう父からは聞けない。延安での彼のおこないを判断するとしたら、主観になってしまう。

一九四二年六月、王実味はいわゆる「五人反党集団」の一員とされ、共産党から追放処分を受け、反革命のトロツキスト、スパイとして投獄された。そして一九四七年に処刑された。

ある午後、文芸界抗敵協会の党書記が艾青に会いに来た。少し世間話をしてから突然父を射るような目で見て、一九三五年に蘇州（スージョウ）の看守所監獄から刑期より早く出られたのはなぜか、と質問してきた。また一九三八年の広西（グアンシー）日報との関わりについても、党に対して説明してくれと言う。父は口もきけないほど驚いた。自分が調査対象となったのがショックだった。まさか国民党に協力していたと疑われるとは。将来が不安に思えてきた。帰り際、書記は難しい表情で父を見据えると、誰もが自分の行動に責任をとらなければならない、逃げることはできない、と言った。

こうした雰囲気はますます強まり、作家たちは「整風」と「救済（つまり密告）」のために、中央党校に監禁された。毎日、指定された毛沢東の文章や論文を学ばされ、絶えず質問を浴びせられ、「自己批判」を書くことを強要された。自宅に帰ることを許されたのは週に一度だけで、土気色の顔をした父は、帰るなりすぐに横になっていた。「懺悔（ざんげ）文」を書くよう指示されると、彼は洞窟の中を行ったり来たりして決断できずに苦しんだ。同僚のなかにはプレッシャーに耐えられず、自殺してしまった人もいる。屈辱から逃れるには命を絶つしかなかったのだ。

父の人生の中でもとくに苦しいこの時期のことは、私はわずかしか知らない。今さらどうしようもないこととして父は口を濁し、私も深く追及しなかった。私自身が権力から敵意の標的とされて、初めて想像がつくようになった。私は尋問を受けているあいだ、意見を完全には表明せず、危険な領域を避け、本能的に舵（かじ）を切っていたのだ。

艾青の疑いがすべて晴れたのは、周恩来（ジョウ・エンライ）が国民党支配の地域から延安に帰ってきてからだと言われている。それからは、労働者や農民、兵士に奉仕せよという毛の呼びかけに積極的に応じることで、父は上層部の信頼を勝ち取り、一九四五年三月には正式に共産党の一員となった。

一九四五年四月、ついに整風運動が終了し、続いて延安で第七回中国共産党大会が開かれた。毛沢東はこの大会で初めて主要政治報告をおこなった。壇上には巨大な毛の肖像が「毛沢東の旗の下で勝利して進め」というスローガンと共に掲げられていた。中国の革命陣営がソビエト・ボリシェビキのドグマを捨て、独自の道をたどりはじめたのだ。毛沢東が党の指導者であることは大会期間を通して強調された。劉少奇(リウ・シャオチー)と周恩来もさかんに毛をたたえ、「毛沢東同志、万歳!」を叫んでいた。毛沢東の名前は党の報告書に百三十回も現れ、「才能ある創造的なマルクス主義者」「中国史上最も偉大な革命家、政治家、理論家であり科学者」と絶賛された。毛をたたえる刺繡(ししゅう)入りの旗が講堂の壁の随所にかけられていた。

この年、生産性に劣ると批評された艾青は、自分の役割についてますます確信が持てなくなった。彼は転任して魯迅芸術学院の文学部長となった。毎日、学院の中庭で詩の講義をした。学生たちは彼を囲んで輪になって座り、膝(ひざ)にノートを載せて聴いた。好きな作家を批評し、解釈するという方法で、ホイットマンやプーシキン、エセーニン、ヴェルハーレンなどが取り上げられた。

一九四五年八月十五日、いつもと変わらない夏の宵だった。ところが、突然丘のふもとから立て続けに爆竹の音が鳴り響き、「日本が降伏した!」と人々が叫びながら坂を駆け上がっていった。窰洞の住民たちは飛び上がって喜び、周囲に伝えに走った。勝利の行進が始まり、松明(たいまつ)の長い列が川のように谷を流れ、延安の闇夜を煌々(こうこう)と照らした。中国の人々が待ちかねていた瞬間だった。

八月六日の午前八時十五分、アメリカの爆撃機が原子爆弾「リトルボーイ」を広島に投下した。四十四・四秒後に爆発、市の人口の三分の一となる六万六千人が死亡した(編集部注:正確な死者数はいまだに不明)。

三日後には長崎に「ファットマン」が投下され、一週間たたずに天皇がラジオで降伏を表明した。中国では、八年間続いた戦争で約二千万人が殺された。

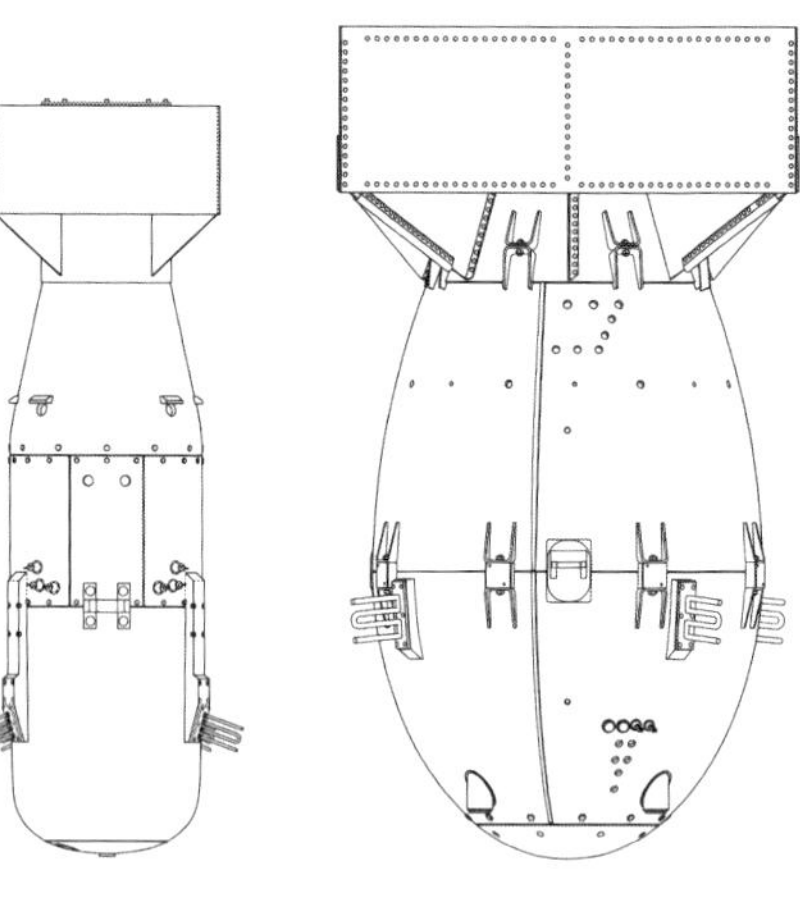

「リトルボーイ」と「ファットマン」

その間に、毛沢東は蔣介石（ジアン・ジエシー）に勝てるという自信を深めつつあった。「わが軍には雑穀とライフルしかないが、蔣介石の戦闘機や戦車よりも強いことを歴史は証明するだろう」と語った。「中国人民はこれからさらに長い困難に直面する。アメリカ帝国主義と中国の反動主義者たちが攻撃してくるだろう。しかし反動勢力が滅び、我々が勝利する日は必ず来る。理由は単純だ。反動主義者は反動だが、我々は進歩そのものだからだ」。

一九四六年六月二十六日、本格的な内戦（国共内戦）が始まった。蔣介石は解放地域への攻撃を開始し、三カ月から六カ月程度で制圧するつもりだった。国民党軍は陸海空軍を備え、総勢四百三十万人、対して中国共産党軍はわずか百二十万人の陸軍要員で構成され、海軍も空軍もない。国民党は国土の七十六パーセントを掌握、主要な都市やほとんどの鉄道、産業、人的・物的資源を支配していた。共産党に解放された地域は、国土のたった二十四パーセントにすぎなかった。ところが最初の一年で、中国共産党軍は百十二万人の国民党軍を撃退し、粉砕したのだ。

人民の心をつかむため、共産党は土地改革を推し進めた。これにより、揺るがぬ支持の土台が築かれた。共産党の支配する地域では、地主や富農の土地や財産は没収され、貧しい人々に分配された。

一九四七年九月、中国共産党は土地改革の新法を承認し、「封建的土地制度」を廃止して、土地は耕す者が所有するとした。富裕層の邸宅や寺院、僧院、学校、さまざまな団体の財産権は無効にされ、負債は帳消しになった。より多く持つ者、より豊かな土地を持つ者から、持たざる者、痩(や)せた土地を持つ者へと、土地と財産は徹底的に再分配された。

歴史的に見ても、中国の社会改革には常に土地が関わっている。二十世紀の中国革命は本質的に農民革命だ。一九四九年には人口の八十パーセントが農民であり、彼らが革命を支える最強の力となったのだ。帝政初期から代々続いてきた農村の地主階級は、土地改革で排斥された。

一九四五年九月、艾青は四年間住んだ延安に別れを告げた。魯迅芸術学院が三つの部門に分割され、一部門は延安に残ったが、別部門は中国東北部へ、もう一つが北部へと移された。艾青は三番目の部門、総勢五十六人のチームの指導者に任命された。厳しい寒さのなか、四十九日もの長旅の後、艾青らは張家口(ジャンジアコウ)にたどり着いた、北京の北西という戦略的な位置にある市だ。韋嫈は娘と生まれたばかりの息子の艾端午(アイ・ドワンウー)を連れ、後から張家口入りした。

父にとっては久々の都会だった。つい数週間前まで日本の支配下にあった張家口の繁華街に立つと、誇らしい気持ちで胸がいっぱいになった。「今やこの都市は我らのものだ。人民の都市、苦難の末に人民の手で解放された都市だ。もう帝国主義に脅かされることも、軍人に踏みにじられることもなく、自由に呼吸し、生活し、歌える。これこそ幸福そのものではないか！」と書き、父は新たな現実に飛び込んでいく。

父の家族は増え続けていた。一九四七年十一月に、韋嫈は第三子となる息子の艾圭圭(アイ・グイグイ)（今では艾軒(アイ・シュエン)の名で知られている）を出産した。艾青は革命事業に没頭して、あまり家族と過ごす時間はなかった。土地改革運動のあいだは管理業務に忙しく、創作活動は二の次になっていた。朝起きると、精神が干からびてしまったように感じることもあった。

　一九四七年七月、共産党軍は攻勢に出た。四八年九月から四九年一月にかけて、東北部と中部、北京・天津（ティエンジン）の三つの地域で重要な戦いがあった。国民党は百五十万以上の兵を失った。四八年の秋、共産党の野戦軍は国民党軍を次々に破って降伏に追い込み、東北部全土を支配下に置いた。精鋭部隊の大部分が失われた国民党の権威は失墜し、共産党の勝利につながった。

　父は急ぎ北京に向かった。国立北平（ベイピン）美術専門学校（のちの中央美術学院）で指導することになったのだ。学校の財産を整理し、教授陣で誰を残すかを決めなければならなかった。韋嫈は地方の管理部門に配置されていたので、当面は子供たちと河北省（ホーベイ）にとどまり、後から北京で合流することになった。

　一九四九年四月、艾青と旧友の江豊（ジアン・フォン）は、美術学校の教授である李可染（リー・コーラン）にともなわれ、国立北平美術専門学校で指導していた中国画の巨匠、斉白石（チー・バイシー）を訪ねた。すでに八十代半ば、人生前半の四十年以上を清王朝の臣民として生きてきた人だ。今も伝統的な長い暗色の衣を着て流れるような白鬚（しらひげ）をたくわえた姿は、古い時代を彷彿（ほうふつ）とさせる。軍服を着て腕章をつけた見慣れぬ客人たちを、鋭い目をした斉が用心深く見守っていた。気持ちをほぐしてもらうため艾青は、十八歳のときから先生の絵を尊敬していいます、と話しかけた。

「どこで私の絵を見たのだ」と斉が聞いた。

「西湖（シーフー）の美術大学です。先生の作品集のページが教室の壁に貼られていました」

「校長は誰だ？」

「林風眠（リン・フォンミエン）です」

　斉は満足げな表情でうなずいた。「林は私の絵が好きだったからな」。

昔ながらの工房の中央には大きな紫檀（したん）の机があり、斉の仕事道具の筆、墨、紙、硯（すずり）が並べてあった。斉は客それぞれに絵を描いてくれた。艾青がもらったのは百二十センチほどの巻紙に描かれた、エビと小さな魚が二匹たわむれている絵だった。

斉白石を教授として残すかどうかは、かなりもめた。「斉先生は月に一度だけ学校に現れて、たった一回実演を見せるだけじゃないか」と不平を鳴らす人もいた。しかし父の意見は違った。「日本軍の後は国民党がここを支配した。辛（つら）い時期を斉先生は生き延びたのだ。我々が来たとたんに先生を飢え死にさせていいものだろうか？」。父は心から斉が好きだったのだ。それからはたびたび斉を訪ねるようになった。

七月二日、今や中国共産党のトップたちがオフィスを持つ紫禁城のすぐ隣、中南海（ジョンナンハイ）を会場に、「中華全国文学芸術工作者代表大会」が開かれた。その夜、毛沢東は作家や美術家を前に、北京で初の演説をした。実質的な内容を避けた歓迎の挨拶（あいさつ）で、「人民はあなたがたを作家として、芸術家として、また文学芸術活動を組織する存在として必要としている。あなた方の仕事は革命と人民にとってすばらしいものだ。あなた方は必要とされている。あなた方を歓迎する立派な理由がそこにある」と語った。

父が最後に毛沢東に会ってから四年、毛は少し体重を増やしていた。演説で使われた「あなた方」と「我々」という言葉は、「我々」としか言わなかった延安時代とは明らかに意味が違っていた。新たに作られた組織は、文学と演劇、映画、音楽、そして美術を管理する。つまり、共産党が創造的芸術を支配下に置くためのものだった。表現の自由な時代に戻ることはできなくなった。

艾青は新国旗や国璽（こくじ）、国歌を作る委員会の議長に任ぜられた。九月には、多くの応募作の中から三十八点の国旗デザイン案を選び、ファイルにまとめて、選定会議に出席する全員が見て議論できるよう用意した。最終的に選ばれたのは赤地に黄色い星が五つ配されたものだ。赤が革命を象徴し、一つの大きな星が中国共産党を、そして四つの小さな星が労働者と農民、それに二種類のブルジョアジー、都会の小資産階級と愛国的資本家を表す。

　十月一日午後三時、中央人民政府の主席である毛沢東と、人民解放軍総司令の朱徳が天安門（ティエンアンメン）に上がると、眼下の古い街路や広場を埋めた群衆が歓喜で迎えた。毛はこの時のために特別にあつらえた服を着ていた。中国革命の父と呼ばれた孫文（スン・ウェン）（孫中山（スン・ジョンシャン））が着て有名になった「中山服」だ。毛をはじめ、要人たちは胸に祝いの赤いリボンを付けていた。毛は湖南なまりで宣言した。「同志諸君、本日、中華人民共和国が建国された」。そして中央人民政府の設立も宣言された。大砲が打たれ、軍楽隊が演奏するなか、毛がボタンを押すと、五つの黄色い星が配された赤い旗がゆっくりと揚がっていった。

　だが、父を含めて新共和国の象徴をデザインした人々が公然と侮辱されることになるまでに、時間はかからなかった。

第六章　庭師の夢

建国から十八年、砂漠の端の私たちの生産兵団が騒然とすることがある。「糾弾集会」が開かれ、出席者数を増やして大規模に見せるため、周辺の部隊からも労働者がかき集められる日だ。集会では毛沢東（マオ・ソードン）思想の原則に違反した者、故意に逆らう人間が公衆の面前で糾弾され、批判され、侮辱され、ひどいときには集団暴行という肉体的攻撃を受けた。北京で始まった文化大革命は国全体に野火のように広がり、粗暴な群衆がこれまでのうっぷんを晴らそうと暴れていた。彼らは乾いた焚（た）きつけ同然で、ちょっと火花が上がれば待っていたとばかりに燃えさかるのだ。

集会がある日、父は会場まで十キロ近くも歩いて行かなければならなかった。そして周辺地域から集まったほかの「牛鬼蛇神（ニウグイショーシェン）」（滅ぼすべき妖怪変化のこと。文革では批判される人をこう呼んだ）と共に舞台上に並ばされ、自分たちの正当な怒りを声にしようとうずうずしている「革命的大衆」に向かい合う。罵倒（ばとう）のみでは飽きたらず、「反革命分子」に対する即席の判決が下りてしまうこともあり、罪人はただちに処刑場へと引きずられる。陶酔した老若男女が見物するなか、殺されるのだ。集会が終わっても聴衆はまだ興奮冷めやらず、革命歌を歌いながら、月明かりの下、それぞれの寝床へとゆっくり帰っていった。

文化大革命の初期に宣言された目標は、旧思想、旧文化、旧風俗、旧習慣という「四旧（スージゥ）」を一掃し、すべてを毛沢東思想に置き換えようというものだった。中華人民共和国の建国以来、政治運動はますます過激になっていたが、文化大革命は「歴史上類を見ない」「あらゆる人々の魂に響く運動」として賛美されていた。糾弾集会は、父のような人たちが受けた多くの屈辱の始まりにすぎなかった。

一九六七年も暮れようとするころ、急進派の活動家たちが父に愚か者のしるしの高いとんがり帽を用意し、かぶせて外を歩かせた。歩くたびに耳当てが前後にパタパタと揺れ、京劇のお役人のようだった。帽子は大きすぎてすぐに頭から落ちてしまうので、歩きながら手で押さえなければならず、すると「罪を認めて頭をたれる」ことがいっそう難しくなった。背後から歩くのは、毛沢東思想の敵をたたき潰(つぶ)すことを使命とする若き紅衛兵だ。赤い房付きの槍(やり)で父の背中を突ついては、さらに頭を垂れよとうながした。

糾弾集会では「黒五類(ヘイウーレイ)」は黒い服を着る決まりだった。父は他人の黒い上着を借りることもあり、体に合わなくてもそのまま着て行った。ある夜、私は穴蔵の家の隅っこで枕を抱き上掛けにくるまって、父の帰りを待っていた。やっと家に入って来た父は全身真っ黒だった。ようやく聞きとれるような声で説明した。集会で誰かが舞台に突進してきて、顔に唾(つば)を吐きかけ、頭を押さえつけて墨汁を全身に浴びせたのだという。一日中水分が摂(と)れなかった父は疲労困憊(こんぱい)していて、腰をおろすとあとは無言だった。顔の墨が完全に取れるまでには何日もかかった。

父は視力が低下し、読書に拡大鏡を使うようになった。あるとき、集会の開始前に警備員が突然来て父の拡大鏡を奪うと、はしごを上って講堂の屋根に上った。拡大鏡をかざして遠くをにらみ、ライバル分派による不審な動きがないか監視しようとした。拡大鏡を望遠鏡のつもりで使おうとした男の姿は、文化大革命の無知と愚行の象徴として、ずっと私の心に残っている。

過労と栄養不足がたたって、父はヘルニアを発症した。鼠径(そけい)部の痛みが耐えがたく、脂汗をかくことも多かった。ある日、学校から帰ると父が寝台にふせっていた。父は私を呼びよせ、新聞をちぎった紙片を手渡した。蔣姓だが、知らない名前が二つ書かれていた。命がもたないかもしれない、もし自分が死んだら金華県にいる叔父のところへ行けと言うのだ。そこで面倒を見てもらえと。父の声は小さく弱々しかったが、落ち着いていて冷静だった。十一歳になっていた私も、それほど慌てなかった。困難に慣れすぎて、何があってもただそのまま受けとめることが当たり前になっていたのだ。幸い、父は死ななかった。石河子でヘルニアの手術を受けることが許されたのは、それから四年後だった。

一方、私自身の状況も面倒なことになっていた。ある昼休み、私は同級生と一緒に馬小屋を訪ね、藁を食べたり跳ねたりしている馬を眺めた。とくにすばらしい馬が一頭いた。背が高く大きくて、唐三彩の馬よりもずっと立派だった。私は御者と仲が良かった。御者は収穫した野菜の運搬中に、私が薪を入れたかごを背負ってとぼとぼ歩いているのを見ると、いつも何か野菜を放り投げてくれるのだ。

私が馬小屋に遊びに行ったのを誰かが告げ口し、大問題になった。なにしろ私は黒五類の息子だから、妨害工作に関わっているとされたのかもしれない。校庭に立たされて女教師から厳しい叱責を受けている最中に、ちょうど父がスコップとショベルをかついで通るのが見えた。いっそう惨めな気分になり、父の立場を悪くしたのでは、と不安になった。しかし、帰宅した私を、父は少しも叱らなかった。自分の悩みで精いっぱいだっただけかもしれないが。

父と私が二人きりで小シベリアで暮らした期間は、十四カ月におよんだ。父はよく私に、母に手紙を書くようにと言った。そのたびに「ここのお水はおいしい、世界でいちばんおいしいです」「ここには世界でいちばん甘いスイカがあります」などと、毎度代わり映えしないことを書いていた。両親に自分の感情を見せることがあまりなかったため、聞きなれた宣伝文句に頼るほかなかったのだ。

その母がある日、とうとうやって来た。弟の艾丹も一緒だ。二人は石油の町カラマイ行きのバスに

地窩子（ディーウオズー）（地下住居）

乗って沙湾県（シャーワン）で降り、油田行きのバスに乗り換え、農場から二キロ足らずの停留所で下車した。運転手は母に、麦畑を越えて、あのもやのかかった緑地をめざしなさいと言った。

　バスからやっと降りられた艾丹は、喜び勇んでウサギのように走ってくる。その後から母がついて来た。遠くに立っている人影に気づいて、艾青（アイ・チン）だとわかると、母は艾丹に「あれがお父さんよ」と言った。

　スコップを手にして立った父は、「二人ともまるで天国から降りて来たようじゃないか」と言った。

「お家（うち）どこ？」と艾丹が聞く。

「こっちだ、見せてやろう」と父が言った。

「どこ？　あんなのお家じゃないよ！」

「あれが家なんだ。地下の家は悪くないぞ。冬暖かくて夏は涼しい」

　奇跡が起こったようだった。母が、昔と変わらずきれいな母が、そこに立っている。弟と手をつないで、二人ともこざっぱりした身なりで。そのときだ、自分がどれほど母を恋しがっていたかを自覚したのは。その瞬間から、今までとはすべてが違った。穴蔵の家には笑い声が上がり、温かく、父も私も孤独や不機嫌さを感じなくなった。料理上手な母の手作りの麺料理が食べられる。やがて、父の顔にも血色が戻ってきた。生活は変わらず厳しかったが、離ればなれだった時期のことは決して話さなかった。また一緒になれたことだけで安堵しきっていた。

　私が子供時代から抜け出したのはその年だ。冬に備えるため、ほかの子供たちと一団となって砂漠に薪を集めに行き、肩にかついで持ち帰った。いつも背負いきれないほど集めてしまい、まっすぐ体を起こせないほどだった。なんとか歩きはじめるが、一歩一歩、足を引きずるはめになった。しかし、日がたつうちに背中も脚も強くなり、長い距離を歩けるようになってきた。ときどき、遠くに潜んでいるオオカミの姿に気づくことがあった。こちらが歩くと向こうも動き、立ち止まると向こうも止まる。きらりと光る目は、まるで私が倒れるのを待っているようだった。

　やがて、小さなわが家の外には、きれいに積まれた薪の山ができた。寸法をそろえ、端もきれいに合わせ、その後の人生で出会ったアート作品にも匹敵する見事さだった。近所の人はひそかに羨んでいたようだ。毎日夕暮れになると、母は戸口に立って、私が重い荷物を背負ってゆっくり歩いて来るのを見ている。母の誇らしげな顔を見ると、辛い道のりのことなど忘れてしまった。

　自転車が手に入ると、私は艾丹を連れて薪拾いに出た。まだ背が低かった私は、ペダルが上半分にあるときしか足が届かず、まるでサーカスの猿のようだった。しかし、自転車があれば砂漠の奥まで行けて、大きな枝が手に入った。薪は自転車の後ろの荷台にしっかり縛りつけ、積み上げられた高さは私の頭を超えた。艾丹をサドル前のフレームに座らせると、必死でこがないと自転車はまっすぐ進まなかった。あるときなど、涸れた河床を横切っている最中に突然黒い雲が湧いて、土砂降りの雨になった。突風が背後から吹きつけ、自転車は猛スピードで坂を転がるように下り、大きく跳び上がった拍子に、私と弟は地面に放り出された。

しかし、そんな雨はごくまれだ。空はたいてい快晴だった。長時間太陽に照りつけられた水筒の水は、とても飲めないほど熱くなる。そんなとき雨水がたまったくぼみを見つけ、もし周囲に動物の足跡があったら飲めると判断し、軍帽で水をすくい、不純物を取り除いてから夢中で飲んだ。

　毎年春になると私は下痢に悩まされ、夜中に何度も寝床を出ては外で用を足すことになる。天空が低く垂れ、星がいっぱいの静寂の中でしゃがんでいると、怖さはなかった。私は下痢を自力で治した。抗生物質をひとつかみ飲み下し、『村の「はだしの医者」ハンドブック』（はだしの医者は、文革当時活躍した「半農半医」の医療従事者のこと）と鍼(しん)灸(きゅう)用の鍼(はり)を手に入れて、自分で打ってみたり、薬草を集めては煎(せん)じて漢方薬にしてみたりした。中隊の診療所の医師は楊(ヤン)先生といって、鍼治療のときに私を助手に使ってくれた。私が鍼を打つと少しも痛くないと、患者さんには好評だった。教養がある楊先生はときどき詩を書いていたので、いい機会だとばかりに父に詩の上達法を尋ねた。先生が書いていた詩は、たとえばこんなふうに始まった。「荷車を引いた小隊長が、足を捻挫(ねんざ)した。真っ赤に腫(は)れて、痛むこと甚だし」。

　空き時間に、父はローマ帝国の歴史を勉強していた。教材は苦労して手に入れたフランス語の書籍だ。そして身の毛もよだつ殺人だの、宮廷内の陰謀事件のことを楽しそうに話してくれた。私は自分でも本を読みはじめていた。古い『三国志演義』や、最近の作では田園地帯の土地改革にまつわる小説などだ。繰り返し読んだマーク・トウェインの『ミシシッピの生活』では、初めて真の読書の喜びを味わった。しかし父は私に、あまり読みすぎるなと言った。照明の悪い場所で分厚い本を読むと目に悪いからと。理由はほかにもあった。息子には過度に本の世界にひたってほしくなかったのだ。危険な結果が目に見えていたから。

　一九七二年十一月のある朝のこと、周囲の犬たちが一斉に吠(ほ)えはじめた。トラックが近づいてきて家の前に停まった。わが家の誰も知らないうちに、生産兵団の上層部が一家を石河子に移す準備を整えていたのだ。急いでわずかな持ち物をまとめているとき、穴蔵のわが家の前には近所の人々が集まっていた。私たちの出発に、到着のときと同じくらい驚いていた。「思ったより早く出て行くのだな」と猫背の所長が父に言った。

私たちを石河子に戻すことを誰が決めたのか、またどういう理由なのか、誰も教えてくれなかった。よくあることだ。こちらがいちばん知りたいことは、いちばん知ってはいけないことなのだ。不可解で不合理なパズルのように。私たちはここでの暮らしに慣れてしまい、いつまでも続ける覚悟ができていた。「最初からここがわが家だと思えばいい」と父は言ったものだ。しかし今、そこから急に去ることになった。すべてが変化するなかで確かなのは、これから何が起こるのかは予測がつかない、ということだけだった。

私は十五歳になっていた。これからどうなるのか皆目見当がつかなかった。どうにかなるさとだけ思っていた。風に翻弄された木の葉が、やがては地面に落ち着くようなものだ。いつ、どこに落ちるかは、木の葉の決めることではない。出発する朝、トラックに乗り込む前に、私は家の前にしゃがんで歯を磨いた。歯磨き粉を使ったのは生まれて初めてだった。小シベリアへの別れのしるし、新しい生活が始まるのだという気持ちだった。トラックが動きだすと、五年間住んだ暖かくて安全な穴蔵を振り返って見た。父の使った道具はきれいに並べて玄関先に残した。そのころには、角スコップの刃は半分すり減っていた。

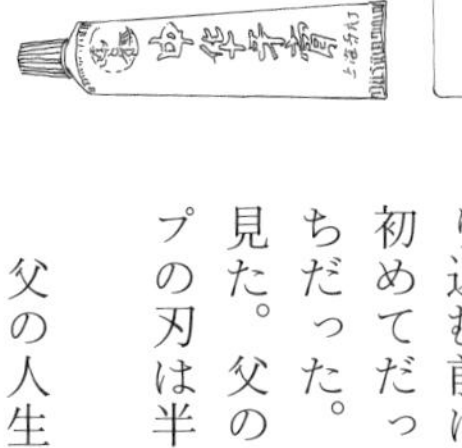

父の人生には常に移動がつきまとった。一九五〇年にも引っ越しがあった。新たに組織された「中国文学芸術界聯合会」の重要な出版物『人民文学』を編集すると

いう任務を受け、北京の東総部通り二十一番に移り住んだのだ。紫禁城から東に数キロ離れたこの狭い路地に、聯合会は明王朝（一三六八年〜一六四四年）の政府関連機関が入っていた建物を使うことになった。高名な作家が何人も住んでおり、父には立派な二階建ての建物の続き部屋が割り当てられた。大理石の基礎の上にそびえた建物の屋根は、緑色の陶器瓦でふかれていた。住まいは二階で、いちばん大きな部屋が書斎と居間、続いて寝室が二つある。料理やお湯の用意、ちょっとしたお使いなどはスタッフがやってくれた。韋嫈は新聞『工人日報』で働きだして記者として熱心に活動し、出張で数日家を空けることもあった。

暇があれば、父は琉璃廠に出かけた。天安門の南西、書道用品や骨董の店が立ち並んだ、清朝時代からの商店街だ。革命初期には、何世紀にもわたり蓄積された豊かな物質的文化がまだ普通に見られたのだ。艾青は過去からのこだまを愛でた。店にはさまざまな宝が置かれていた。青銅、翡翠、アンティークの家具、それに文房四宝と言われた文人の必需品である紙と筆、墨、硯などだ。楽しく何時間も店を見てまわり、ときには気に入ったものを手に取った。伝統工芸を愛する父の好みは私にも受けつがれたようで、四十年後、同じ通りを私も頻繁に訪れるようになる。

一九五〇年七月、宣伝使節団の一員としてソ連に渡った艾青は、四カ月をかけて、モスクワからグルジア（現ジョージア）、アゼルバイジャン、シベリアまで幅広くめぐった。偶然にも一団の通訳として同行していたのが、かつての教え子だった。異国で毎日一緒に過ごすうちに、二人のあいだに愛情が芽生えはじめた。二人の噂はたちまち北京に達し、延安時代にすでに生じていた艾青と韋嫈のあいだの亀裂は、さらに深まっていった。夫婦はよく口論するようになり、すでに別居してしばらくたっていた。

父の恋愛のことを知った韋嫈は、共産党中央委員会組織部宛てに苦情の手紙を書いた。そして父の

「私は何も恐れない。党から追放されることになったって構うものか」という言葉を書き添えた。これに対し父は一九五一年四月、離婚を申請した。北京裁判所は父の訴えを受け入れたが、韋嫈の控訴が認められ、争いはこじれた。このため一九五三年、父は共産党から監視処分を受けた。「政治的に消極的であること、異性関係で間違いを何度も起こした」ためだ。ようやく離婚が成立したのは、一九五五年の五月だった。

　今や中国全土のリーダーとして不動の地位を築いていても、危険な兆候があればいち早く見抜くのが毛沢東だった。一九五〇年代初頭から、毛は新政権の地位を固め、高めるための作戦を次々に繰り出した。当初は、農村地帯のすべての私有地を没収し、何億人という農村労働者に再分配するということで、信頼と支持を取りつけた。ところが、土地改革で地主階級を追い出して彼らの富を手に入れたとたん、共産党は方針を変えた。土地を私有させるのでなく集団農場化したのだ。

　次に党は、学術界を標的にした「思想改造」作戦を遂行する。一九四九年当時、全国に二百万人以上の知識人がいたが、さらに、中国の進歩的な変化に期待して、祖国に戻って再建に加わろうという華僑(かきょう)も相当数現れた。知識人のほとんどが地主や上・中流家庭の出身だったため、彼らの価値観を〈改造〉しようと、マルクス・レーニン主義の基礎を学び、自らのブルジョア的な考え方を自己批判するよう求めたのだ。

　一九四九年十一月、すぐれた美学者であった朱光潜(ジュー・グワンチエン)が『人民日報』に自己批判を発表した。これに続いて社会学者の費孝通(フェイ・シアオトン)、哲学者の馮友蘭(フォン・ヨウラン)のような多くの著名な学者が同じく「マルクス・レーニン主義と新時代の要請に従い、考え方を改造する」と誓った。中国作家協会発行の影響力ある『文藝報』には、三十人以上の著者の自己批判が掲載された。この運動は延安における整風運動とは性質が違った。毛沢東は知識人に向けて明確に「イデオロギーを改めよ」と言っている。「批評集会」や「闘争集会」が、知識人の独立性を弱め、思想的に支配することを狙って開かれた。精神の自由と表現の自由を重んじる心は、確実に弱っていった。

『人民日報』に艾青を名指しで批判する記事が載った。「編集者の中には創作活動が編集の任務にそぐわない者がいて、任務がないがしろにされている。とくに目立つのは艾青で、『人民文学』の副編集長を務めた期間、使命感に欠けるところがあった。リベラルな態度をとることが多く、指導者としての義務を放棄していた」と書かれた。公に非難され、父は非常に失望した。どうすればいいのかわからず、ただ仲間と酒を飲んだり、詩や絵画の鑑賞に慰めを求めたりした。美術制作の仕事に戻ろうかとさえ考えたという。

一九五四年七月、チリの詩人パブロ・ネルーダが五十歳を迎えるにあたり、艾青はチリでの誕生祝賀会に招かれた。二人が初めて会ったのは一九五一年の八月だ。ネルーダが孫文の未亡人である宋慶齢に国際スターリン平和賞（のちに「国際レーニン平和賞」と改称）を授与することになり、北京を訪れた。彼をもてなす役割を与えられたのが父だった。ネルーダは艾青より六歳年長で、十九歳で最初の詩集を出版、第二次世界大戦後にはチリ共産党に入党している。

五一年のネルーダ訪問時には、父は彼を円明園や西山森林公園などの名所に案内し、一週間もすると二人は親友になっていた。ネルーダは父の人柄に魅せられ、父の詩に感動した。のちに艾青を「中国詩の王子」と評した。

ネルーダは中国語で「聶魯達」と書く。艾青は最初の漢字を説明して、からかった。「聶という漢字には耳が三つあるが、あなたには耳は二つしかない。三つ目はどうしたんです？」。

ネルーダは広い額を手でたたいた。「ここにあるよ。未来を聞くときに使うのだ」。

一九五四年当時、中国はまだ共産圏以外の国とはほとんど国交を結んでおらず、旅行は容易ではなかった。父は八日かけてサンティアゴに到着した。到着したとき、チリの首都の青い空には凧がたくさん揚がっていた。そこで父は中国式の、円形の風車がムカデのように数多く連なった凧をスケッチブックに描いて見せた。スケッチがいたく気に入ったネルーダは、次に訪中したらぜひ自分でもこんな凧を揚げたいと言った。

若草色の上着姿のネルーダは、まるで引退した兵士のような風貌だった。禿げ上がった額には艶があり、子供のまま大人になったようで、無邪気な好奇心をもって世界を眺めていた。父にとっては寛げる、楽しい訪問だった。太平洋沿岸のイスラ・ネグラでは、ネルーダの自宅近くの浜辺で、さまざまな色の貝殻を集めた。海からの贈り物として、北京に帰ると机のいちばん良い場所に飾った。ネルーダは友人たちに、艾青こそは中国戦国時代の屈原の系譜に連なる、現存するただ一人の抒情詩人だと紹介した。屈原といえば最古の詩人だ。父に敬意を表して、ネルーダは牛の角でできたカップをプレゼントした。内側には南米の銀鴨の嘴が象眼されていた。


一九五〇年代半ば、艾青の才能を最初に見抜いた評論家の胡風に、しばらく前から逆風が吹きはじめていた。一九五二年には『人民日報』上で、「ブルジョアジーやプチブルにありがちな個人主義傾向が見られる」と非難された。一九五四年七月、胡風は『近年の芸術文学における実践と現状についての報告』でそうした批判を一蹴する。「三十万語の文芸意見書」として有名になった文章だ。

胡風は独立を重んじ、いかなる強制にも屈しない高潔な人物として知られていたが、このときの権威への反抗は粛清につながった。毛沢東は報復として『人民日報』に「胡風反党集団に関する資料」

の掲載を指示し、その導入部分を自ら執筆した。一九五五年の夏に胡風は逮捕され入獄、十年後に十四年の懲役刑を言いわたされる。

この「胡風反党集団」の告発は数百人の作家を巻き込み、捜査中に全員が停職となった上、多くが正式に罪を問われ投獄された。しかもそれで終わりではなかった。一九五五年八月、一部を丁玲（ディン・リン）が率いたとされる別の反党集団が告発された。延安時代から、周揚（ジョウ・ヤン）は艾青を丁玲の仲間と見なしてきた。今や党の宣伝部副部長および文化部副部長として、丁玲が人をそそのかして自分の賛同者を増やそうとしていると告発し、彼女と艾青が共謀しているともほのめかした。

艾青は昔から周揚の横暴なやり口を嫌っていた。丁玲への野蛮な攻撃と、異論を認めない党の態度にも不快感がつのった。延安での整風運動が思い出された。作家協会は、常に批判される側と、常に批判する側の二つに分裂している、と彼は抗議した。この発言は、艾青は傲慢（ごうまん）で尊大、党組織をばかにしているという体制側の見方を裏づけることになった。

胡風が激しい攻撃にさらされていた時期は、昼夜を問わず党の文書を要人に届ける必要があった。作家協会では、その仕事を大勢の若手スタッフがこなしていた。若手は作家協会の供給する住宅の一階に住んでいた。その中の一人、高瑛（ガオ・イン）という若い女性が、私の母になる人だ。

高瑛は一九三三年に山東（シャンドン）省の黄（ホアン）県（現在の竜口（ロンコウ）市）に生まれた。まだ幼いころ、家族はソ連との国境に近い黒竜江（ヘイロンジアン）省の佳木斯（ジアムースー）に移った。そこで一九四五年八月、日本占領軍の降伏直後の様子を目撃している。大急ぎで立ち退いた後には、家具や家庭用品、服が残されていた。撤退の際に地雷を敷設していったため、何週間ものあいだ、地雷が爆発して町が揺れていた。

共産軍が東北部を掌握したとき、高瑛はプロの歌手兼ダンサーとして、瀋陽（シェンヤン）で軍隊の慰問団に加わっていた。その後母親の勧めで、上着の裾(すそ)に金の指輪を三つ縫い付けてもらって送り出され、教員養成学校に入った。一九四九年には芸能団に雇われた。

高瑛は一度結婚していた。十七歳のときで、相手は山東省の出身で十一歳も年上だった。党の承認も得ており、高瑛は深く考えずにプロポーズを受け入れ、寮を引き払って支給された住居に移った。ところが後になって、夫にはすでに妻がいたことが発覚した。

一九五五年、高瑛と夫が北京に移されたとき、すでに子供が二人いた。高瑛は姉娘の玲玲(リンリン)を連れ、弟の高剣(ガオ・ジエン)は山東省の実家へ預けてきた。

作家協会の人事部門のスタッフが最近手術を受け、また別の職員が出産したため、高瑛は代替要員として雇われた。ある土曜日の夕方、オフィスで残業していると、中年の男性が階段を下りてきた。

「艾青同志、お出かけですか?」。同僚が男性に声をかけた。

外国映画を見に行くところだという。映画評論委員会のメンバーとして、外国映画を一般公開できるか審査することも、艾青の仕事の一つだった。

「きみたちも来たいかい。興味があるなら連れて行ってあげよう」

若い同僚は「高瑛さん、今日はもうすることも少ないし、二人で行かない?」と言う。

高瑛はまだ二十二歳、元気で率直な性格だった。父は彼女を大変魅力的に感じ、高瑛のほうは気取らない父に惹(ひ)かれた。

その日から、父は日曜日ごとに高瑛とデートをするようになった、ただし用心しなければならなかった。二人ともまだ離婚は成立していないし、恋愛は、自由主義的で個人主義的な傾向があると見なされるおそれがあった。街中だと知人に会う危険性があったので、たいていは街の東南にある静かな公園で待ち合わせた。父はまず崇文門(チョンウェンメン)近くの外国人向けの店に寄り、高瑛の好きなクロワッサンなど、ほかでは手に入らない西洋の食品を買った。

一方、同僚による艾青の監視はますます厳しくなっていた。『解放』（中華人民共和国の建国）以後の詩は、それ以前の作品ほど読者に受けなかった。最近の艾青の詩には情熱が欠けている、政治への関わりが薄いためだ、と言われた。行き詰まったのは、古い社会を否定しても、新しい社会に対する熱意が足りないのが原因だというのだ。批判は、あたかも仲間の詩人たちの意見を反映したように書かれていたが、じつはよくある党の戦略だった。仲間内に疑惑と恐怖を煽（あお）り、作家たちの結束を弱めようとしたのだ。

容赦なく批判され、艾青は悔い改める態度を示すしかなかった。「詩人として恥ずかしく思う」と彼は告白した。「新中国の詩人として、一層恥ずかしい。魅力ある作品を書くことができていない」。しかし、前進の道も見えなかった。

一九五六年には、ごく短期間だが雪解けがあった。重要な演説で周恩来（ジョウ・エンライ）首相が「中国の知識人のほとんどは国の労働者であり、すでに労働者階級の一員として社会主義に奉仕している」と語った。国のトップが知識人の地位をここまで固めたことはない。今までは常にブルジョアジーの一員と見られていた。

その年の四月、毛沢東から同じくらい心強い合図が出された。毛は学問には多様なアプローチがあって良いと言い、「百花斉放、百家争鳴」をとなえた。中国の歴史を顧みると、始皇帝が国家を統一する前には、あらゆる考えが自由に議論された。そのような状態が今こそ必要だ、と毛は訴えたのだ。

これに力づけられた艾青は、夏のあいだ、何編かの寓話（ぐうわ）を書き上げた。十四年前の延安時代に書いた『作家を理解し、作家を尊重しよう』の精神に立ち戻ったのだ。たとえば『庭師の夢』は、庭に薔（ば）

薇だけを育てている男の物語だ。男の夢に、さまざまな種類の花が出てきた。牡丹や睡蓮、朝顔、蘭などの花たちが男に迫り、私たちのことも見てくれと訴える。「花にも意志があり、美しく咲くのは権利である」。また『蟬の歌』では、蟬が一匹、騒がしく単調な同じ歌を何度も何度も、朝から晩まで歌う。周囲でどんな変化が起ころうがおかまいなしだ。新中国の文学で許される題材や形式が限られていることを、かなり直接的に批判している。

　高瑛との関係は急速に深まり、党組織から目をつけられるようになった。高瑛の夫は、艾青のせいで結婚生活が破綻したと訴えた。作家協会は高瑛に圧力をかけ、間違いを告白させ、行動を制限して艾青と会うのをやめさせようとした。また「過失が重大であること、反省の態度もないこと」を考慮して、党は艾青を保護観察処分とした。除名以外では最も厳しい処分だ。

　それでも二人は耐えぬき、最終的には当局もしぶしぶながら、カップルと認めるようになった。晴れて離婚も成立し、艾青と高瑛はやっと結婚証明書を受けとって新生活を始めた。父は四十六歳、母は二十三歳で、二人の連れ子と共に、父の本の印税で購入した伝統的な中庭付きの家に引っ越した。中庭にはさまざまな花やサボテンなどを植え込んだ。水甕に植えたハスは真昼に花が開き、数時間すると閉じた。当時の写真を見ると、新婚の二人が幸せそうに座っている。夫のほうへ頭をかしげ、こちらをまっすぐ見つめる妻の目は、自信と充足感に満ちていた。まさか、再び政治的な嵐が襲ってきて暮らしがかき乱されるとは、夢にも思っていなかった。

一九五七年四月三十日、毛沢東は中国の非共産党の代表者を集め、公開討論会を開いた。自由に話そうという建前だ。「何でも思ったことを言ってほしい。包み隠さず自分の意見を出しても罰せられたりしない。あなた方の言葉から得るものがあるはずだ。我々が間違いを犯したのなら、それを改めよう。そうでなければ、将来もそのような間違いは犯さないようにする」。代表として呼ばれた著名人たちは、毛の言葉を文字どおりに受けとり、一党独裁は社会に分裂を生みだしていると、穏便な言い方で示唆した。毛は「こうした批判的な議論のできる雰囲気は保つべきだ。さもなければ官僚主義はいつまでも解決しないだろう」とはっきり言った。ほどなくして中国共産党中央委員会は、党員ではない人々にも「意見を述べる」よう呼びかけ、大衆に、党や政府への批判を示すよう勧めた。共産党が自らを是正するためだ。

そのころ両親は上海で数週間を過ごし、外灘（ワイタン）の和平（ホーピン）飯店に泊まっていた。父には野心的な執筆の構想があった。「五・四運動」からの上海の物語を長い叙事詩にし、帝国主義と植民地主義の盛衰を語ろうというものだ。ある日、ホテルの部屋にいた父は、作家協会から電報を受けとった。至急北京に戻り、最新の整風運動に参加してもらいたいという要請だった。父と、ちょうど私がお腹にいた高瑛は、列車の切符を買って帰途についた。五月一日の労働節の前夜とあって、列車がゆっくりと北京駅に入っていくと、天安門広場の上空に打ち上がる花火が見えた。

家に帰ると女中がもう産着を準備していた。予定日は迫っていた。艾青は家でのお産を望んでいた。

妻のそばにいて、予期しなかった新しい家族が世界に登場するのを見たかったのだ。五月十八日午後二時、赤ん坊は生まれた。産婆が私の首に巻きついていたへその緒を切ると、血が噴き出して白い漆喰塗りの天井に飛び散り、「桜の花びらがふりかかったように」と父はその様子を描写した。

父は分厚い辞書『辞海』を適当に開くと目を閉じて、指でさした。目を開けると、指は「未」（ウェイ）という字の上にあった。未だ○○でない、という意味だ。「この子は未未という名にしよう」父は言った。

私が生まれたとたんに、両親は人生で最も困難な時期に入る。後年よく、私が不幸の始まりだったと言われたものだ。実際にはもちろん、父だけがひどい目に遭ったわけではない。ほかに何十万人もの知識人が激しい攻撃の犠牲になったのだから。「百花斉放、百家争鳴」を宣言してからそれほどたっていないのに、毛沢東は手のひらを返すように態度を一変させた。六月に党内に配られた『事態は変化しつつある』と題された文章の中で、毛は党を批判する人々に対して「右派」という言葉を用いた。ブルジョアの自由主義者である右派たちは、基本的に共産党による権力独占に反対していると見たのだ。

つまりは腹を割って話そうという誘いはすべて、計画的に「蛇をねぐらからおびき出す」ための罠だったのだ。四月の討論会で自分の考えを正直に話した人々を、今になって、彼らは権力を得ようとしているとした。毛沢東はますます、「右派」の脅威を強い言葉で決めつけるようになっていった。「ブルジョアの右派と人民のあいだの矛盾は、敵対的で解決できない、生死にかかわる対立だ」。不安と怒りにかられた毛は、自分を批判する人々をグロテスクな、非人間的な姿にたとえた。「今や魚がすべて水面に浮かんできた。ただの年老いた魚ではない、まるでサメだ。鋭い歯で人に嚙みつきたがっている」。

折悪しく七月には、ネルーダが二度目の、そして最後の中国訪問をおこなった。雲行きは怪しくなっていたが、父はネルーダの中国南西部と中央部の旅に付き添う許しを得た。昆明市に飛んでネルーダとマティルデ夫人、それにブラジル人作家のジョルジェ・アマードとゼリア夫人を迎えた。そして共に雲南省や長江の三峡、武漢市を旅した。

ネルーダは回想録の中で、次のように書いている。「国境を越えて最初の中国の都市昆明で、旧友の詩人、艾青が私たちを待っていてくれた。彼の広い浅黒い顔、茶目っ気と優しさできらきらした大きな目、敏捷な知性は、再びこの長い旅が心地よいものであることを約束していた」。

ネルーダは続けて「ホー・チ・ミンと同様、艾青も東洋の立派な家の出で、東洋での植民地支配による抑圧と、パリでの厳しい生活に鍛えられた。自然で優しい声を持つこの二人の詩人は、故国で監獄から出ると、外国へ渡り、貧しい学生やレストランのウェイターに変わった。彼らは革命に対する信念を失わなかった。詩の中ではきわめて優しく、しかし政治には断固としたこの二人は、運命に従って帰国したのだ」。

しかしながら中国では、人の運命はしばしば個人の選択ではなく、大きな政治的力により形づくられてしまう。ネルーダによれば、艾青をはじめ中国の友人たちは「調査の手が入っているとは決して言わなかった。将来が危機に瀕していることも口にしなかった」。ネルーダは北京に戻ったときに、艾青が攻撃の的になっていることを知って衝撃を受けた。ネルーダが帰国するとき、見送りの人々の中に父はいなかった。再び北京の文化人たちの前に姿を見せるまでには、二十年待たねばならなかった。

反右派闘争は全国的に展開された。作家協会では丁玲への誹謗中傷が始まった。次々と発言する人間が現れ、彼女を「反革命分子」と糾弾したり、「敵に従っている」あるいは「党から独立したがっている」と告発した。以前は彼女と握手し、気さくに世間話などしていた同僚が、今ではまったく別の顔を見せていた。人がどれほどすばやく態度を変えられるか、恐ろしいほどだった。

しかし艾青は丁玲を擁護した。「なぜみんな、これほど非情になれるのか」と彼は抗議した。「同志を、まるで卑劣な犯罪者であるかのように悪く言うのは間違っている。派閥的な攻撃は受け入れがたい」。この言葉は丁玲を助けられなかったばかりでなく、艾青自身に災難が降りかかる結果になった。父は蜂の巣を突ついてしまったのだ。あらゆる方向から非難にさらされることになった。

一九五七年の六月初旬から八月初旬にかけて、作家協会は十二回もの集会を開いた。二百人以上の党員・非党員の作家が出席、丁玲が率いる反党分子と疑われる者の正体を暴こうとした。『人民日報』は一面でこの勝利をたたえる記事を載せ、艾青と延安時代から親しい何人もの仲間が、丁玲と共謀していると主張した。艾青は長らくいくつもの「反党集団」で活動していたとされ、「丁玲のアクセサリー」、李又然（リー・ヨウラン）の友人、江豊（ジアン・フォン）の取り巻き、呉祖光（ウー・ズーグアン）の無二の友人」とも呼ばれた。呉祖光とは著名な劇作家だ。呉と艾青、友人たちはやがて右派のレッテルを貼られ、首都から追い出されることになる。

秋が来て、父は自分の机に孤独に座っていた、目はどんよりし、一日中口をきかなかった。高瑛は郵便配達人が新聞を配りに来るときには、必ず路地で待っているようにした。艾青についての記事があったら破り捨てるためだ。

十二月、作家協会の党リーダーは父を共産党から除名、すべての職から解くことを決めた。その知らせに父は絶望した。

ある夜更け、高瑛は赤ん坊の私を抱いてぐっすり眠っていたが、激しい物音がして目を覚ました。急いで台所に行ってみると、自暴自棄になった父が壁に頭を打ちつけていた。顔から血を流している父を、高瑛は固く抱きしめた。この悲惨な時代、政治的生命はいちばん大事なものだった。それを失えば、生きている意味がなかった。

右派の烙印を押されてからは、ほかの作家たちは疫病神のように艾青を避けた。中山公園に出かけ、彼のことを知らない暇人と将棋を一、二回指すのが唯一の外部との関わりだった。

彼の愛したロシアの詩人、エセーニンもマヤコフスキーも、自らの手でその生涯を断っている。初期の作品で、父は死の可能性を思っていた。希望もなく鬱々とした、悔恨につきまとわれた死は、戦いのさなかではなく、人けのない、孤独な片隅で襲って来るのだと。そんな考えがこの時期、何度となく父を訪れたに違いない。

この年が終わるころ、艾青の作家生活はすでに壊滅状態だったが、革命的実績を積みたい熱心な批評家は、まだ彼の許されざる過ちについて言い足りなかったようだ。翌年の春、若い文芸評論家の姚文元が書いた記事は、さらに一歩踏み込んでいた。艾青の全作品を通してブルジョア的傾向が見られるというのだ。「多くの知識人は、ブルジョア的な民主主義の見解を持ったまま延安にやってきた」と姚は認める。「しかし、ほとんどの者はやがてプロレタリアのイデオロギーを受け入れた。ところが、艾青はかたくなに反動的な理想に固執し、プロレタリア革命への恐れを克服することはついになかった。正体が暴かれるのは時間の問題だ」。そして「艾青の時代はこうして、大衆から忌み嫌われて終わりを迎えた」と結論づけた。「彼はブルジョア的民主主義の支持者として始まり、社会主義の敵として終わった。もう道は残されていない」。

その後、姚は毛沢東主義の正統性を擁護し、中国の知識人たちの忠誠に疑問を投げかける記事を何十本も書いた。毛に取り入り、最終的に政治局での地位を確保した。一九七六年、毛沢東の死後、彼は文化大革命の責任を問われ、悪名高い「四人組」の一員として、二十年間を刑務所で過ごすことになる。

毛沢東の考えでは、艾青やそのほかの犯罪者には「右派」のレッテルを貼るだけでは十分ではなかった。犯した重罪にふさわしい物理的な懲罰が必要だったのだ。そのために、五十五万人もの知識人が「労働による改造」の対象となった。二十年たってやっと「名誉回復」されたとき、生き残っていたのはわずか十万人だった。そのころには、反体制派はほとんど死に絶えていた。

第七章　北東の果てから北西の果てへ

一九五八年は、艾青（アイ・チン）と仲間の作家への新たな攻撃で幕を開けた。一月二十六日、有力な文学評論紙『文芸報』が「再び批判されるべきものは？」と攻撃的な問いかけをした。答えはすでに用意されていた。「王実味（ワン・シーウェイ）の『野百合（のゆり）の花』、丁玲（ディン・リン）の『三八節に感有り』、艾青の『作家を理解し、作家を尊重しよう』など」だという。記事は続く。

これらの著者について注意すべきは、革命的な言葉を用いながら、じつは反革命的なメッセージを広めようとしていることだ。臭覚の鋭い者ならば気づくだろうが、そうでない者は騙（だま）されかねない。国外にいて丁玲や艾青の名を知る人は、事情がわからないかもしれない。そのため上記の論評を再び全文掲載する。丁玲や王実味らのたくらみに感謝しよう。毒ある雑草は今や良い肥料となり、わが偉大なる人民に、敵のやり口を教えてくれたのだ。

十六年前に解決したと思っていた件が再び取りざたされたことに、艾青は愕然（がくぜん）とした。数カ月前には、作家協会内の共産主義青年団の会議で、議長が全員に向かって「高瑛（ガオ・イン）を助け、艾青とはっきり距離を置かせよう。艾青の反党的態度を暴こう」と呼びかけた。しかし高瑛は抵抗した。「私は艾青が反党分子であるとは思いません。また離婚もしません」と言った。「もし艾青が逆行していると考えられるなら、私が進歩的になるわけにはいきません。ですから青年団を浄化するため、退団を表明します」。

会議室は大騒動になった。高瑛はさっさと部屋から、そして建物からも出ていってしまい、停まっていた人力車に飛び乗った。びっくりしている車夫に「出してちょうだい！」と命じた。帰宅すると父に向かって「これからは、あなたがどこへ行こうと、私もついて行きます」と宣言したのだ。

反右派闘争のあいだ、政治的圧力に屈して多くの夫婦が別れてしまったが、私の両親の結束は強かった。当時、家には三人の子がいた。高瑛の連れ子の玲玲（リンリン）と高剣（ガオ・ジエン）、そして私だ。私の一歳の誕生日が近づいていたが、一家は心地よい今の家を去らなければならなかった。帰ってくるまでに二十年かかった。

父が王震（ワン・ジエン）将軍と知り合ったのは、延安（イエンアン）時代の一九四三年だった。北京に移ってからは交際範囲が重ならないこともあり、めったに会うことはなかったが、艾青がチリから帰ったとき、王震の自宅に招かれ食事をした。話の途中で将軍は読み込まれた詩集『艾青選集』を見せた。ぎっしり書き込みがされ、とくに感銘を受けた行には丸印がつけてある。タイトルのページに子供たちに向けたメモもあった。「丸一つは、この行をよく理解するようにという意味だ。丸二つは、暗記すべし」。

一九五八年早春、艾青たち「右派」が首都から追放処分にされようとしているとき、国務院農墾部長（大臣にあたる）の地位にいた王震は、再び艾青を自宅に招いた。そして単刀直入に言った。「艾先生。あなたは反党でもないし、反社会主義分子でもない。あなたが真実の側にいると私はわかっている。今は文化界から距離を置いて、我々の運動に加わってほしいのだ」。

王震はステッキを取って、壁にかかっている大きな中国地図のそばに立った。黒竜江省が地図の右上、北東の隅にある。王はその中の一点を指さした。森に囲まれた駅、南横林子である。「艾先生には、ここに行っていただきます」。

ほかの右派の人々と同じように、父は国内でも最も過酷な地域に「思想改造」のために追いやられることになった。しかし王震は、艾青の行き先が自分の管轄下の「北大荒（北方の広大な荒野という意味）」となるように計らい、それとなく目を配れるようにしたのだ。北大荒は中国最北部で、北端と東端はソビエト連邦が目と鼻の先だ。一六五〇年代、つまり清朝最初の皇帝の時代から、帝国に服従しない者や反乱の罪に問われた人間を捨てる場所として、悪評高かった。

北京を発つ前、母は外国人向けの食品店で、アメリカ製の粉ミルクをケースごと買ってきた。北大荒には粉ミルクなどない。後年母は、私の小さな体が追放生活に耐えられたのは、このミルクのお陰だと言っていた。

家族は軍用列車に乗って北をめざした。民間人の乗客は私たちだけだった。よけいな注目を集めないために、列車に乗り込む前、父は玲玲に「もし誰かにお父さんの仕事は何かと聞かれたら、農業ですと言うのだよ」と教えた。

やっと密山まで来ると、王震が待っていてくれた。小さな町は、民間人の生活に戻る何万人もの兵士でごった返していた。王震は戦時中の司令官のようにトラックの屋根に乗り、声を張り上げて農民となる人々に指示を与えはじめた。「この処女地を開拓し、北大荒を耕すのだ。延安精神を忘れるな」。そして呼びかけた。「ここに艾青という詩人がいる。彼もみなさんと一緒に行く。歓迎しようではないか」。

「ようこそ！」。みんなが叫んだ。

「今日、我々は北大荒へと歩を進める。もし交通手段がなければ、どうする?」「行進しよう!」と答えが返った。

密山からはハンカ湖を隔ててソ連が見えた。極東の軍港都市ウラジオストクも遠くない。私たちには誰もいない学校の空いた部屋があてがわれた。以前そこにいた子供がはしかで死んだことを知ると、母は私にうつるのではないかと怖れ、「外で寝たほうがましだわ!」と叫んだ。部屋を移り、別の場所で夜を明かすことになった。

母の家系は、孔子の生まれ故郷である山東省(シャンドン)にある。母は家庭については山東人らしく、昔ながらの考え方をした。両親を敬い、子供を全力で育て、物事をはっきり言い、有能だった。気持ちを表現することには控えめだったが、父を愛していた。ただこの時代、「愛」は個人的な感情には使われず、国家や党、そしてその指導者にのみ使われる言葉だった。

一家が到着した第八五二農場は山地の奥深く、つい最近まで原生林だったところだ。ここに送られた右派は艾青ただ一人だった。ほかの千四百十七人の右派(作家をはじめ画家、俳優、音楽家、エンジニアなど)は、別の二カ所の林場に送られた。それでも、中国全土にちらばった五十万人もの右派のごく一部でしかない。

第八五二農場の共産党書記は、王震の警備員を務めたことのある人で、私たちには丁重に、思いやりを持って接してくれた。林場の管理職のための丸太小屋が五軒あり、真ん中の一軒を囲むようにほかの四軒が建てられている。私たちには、もともと王震が住むことになっていた南東角の一軒が与えられた。長い松材を組んで建てられた小屋で、防寒のため、丸太の隙間におがくずが詰められていた。外には樺(かば)の木が、白い姿を見せて並んでいる。

父には林場副場長という名誉職があてがわれたが、権限もなければ決まった任務もない立場だった。

文人の父に森林管理や木材伐採の経験は皆無だ。王震は、普通の労働者と交わり「生活を経験」することで書く題材も得られるだろうと考えた。父は丸太小屋を建てたり、寒冷地には必須の炕と呼ばれるレンガの床暖房を備えたりする作業を手伝った。日中は、黒板に告示などを書く仕事を担当し、夜になると、重労働から帰った同僚のために提灯を掲げた。

　四月になると森の木々がまた緑を取り戻す。父は私たち子供を連れ出して、鳥を観察した。ひっそりとした森は暗く、斜めに射す木漏れ日が倒木や枯れ葉の吹きだまりを照らしていた。夜が近づくと風が強まり、谷間を吹きわたるときには怖いような咆哮となった。父は子供たちを慰めるように、この森は風のお家なのだよと語った。忙しく働いた風は、毎夜、人間と同じように家に帰るのだ。彼の目には、風はこの山の最古参の住人だった。そしていちばん若い新入りが私だった。

　国営農場には小さなよろず屋があったが、しまいには売るものがほとんどなくなり、何カ月も入り口に南京錠がかけられていた。ここで生き延びるには、自分の力に頼るしかなかった。両親は少し土地を整えて野菜でも作ろうと考えたが、地面の下でからまっている木の根をちょっと掘り起こすだけで、父の手は痛み、まめだらけになってしまった。

　ある日、森の奥で生まれたばかりのニホンジカの子に出くわした。家に連れて帰って赤ちゃん用のミルクを飲ませた。しばらくのあいだ、私の遊び友達になって楽しそうに跳ね回っていたのだが、かわいそうなことに井戸に落ちて溺れてしまった。その後、農場では一頭の大きなトナカイを捕まえて、柵を作って閉じ込め、父を世話役にした。やがてトナカイは柵の一部を蹴り倒して脱出、父は内心喜んでいた。

　森は静寂で、生活は単純で質素だった。夏になると山々は「金針花」という黄色い野生の花で覆われる。私たちはそれを摘んで乾燥させ、おいしく食べた。あるとき、まだ言葉が出るか出ないかくらいだった私が、父の手を引っ張り、森の奥へ入ったという。木の根元の穴の中に生えたヤマブシタケを見つけ、うれしくなって父に見せたのだ。

秋には鉄道が東の虎林(フーリン)まで延びた。この辺りの鉄道の枕木はすべて、ここから切り出された木材を使っていた。母は苗床の世話をして野菜を育てていたが、鉄道建設を助けるため、伐採要員として駆り出された。伐採には二人がかりで引く大きなのこぎりを使う。木が地面に倒れるたびに、ドーンと大きな音が山じゅうにこだました。一日の終わりには、母は汗びっしょりで、林から出ると冷たい風で体を冷やした。母はその冬に風邪をひき、しつこい咳(せき)に二ヵ月以上も悩まされた。咳で目の血管が破け、目が真っ赤になったほどだ。まともな薬も入手できず、以来、慢性ぜんそくを患うようになってしまった。

さらに奥に入った遠い切り出し場になると、まずは凍った雪の中に穴を掘って一時避難所を作っておかなければならない。穴は木の大きな枝と防水シートで覆い、換気のために少しだけ隙間をあけた。夜になると火をたいて暖を取るのだが、火が一晩中持つことはなく、朝にはあまりの寒さに寝ている人の息が蒸気となって、覆いの穴から白い雲のように上がった。もしその穴から蒸気が上がっていなかったら、中の人は死んでいるということだ。

冬が来ると、山々は半年ほど雪に埋もれてしまう。そして春になって雪がとけると、たちまちあたり一帯がぬかるみになり、物資を運ぶトラックが奥まで入って来られなくなる。穀物の配給を使い果たしてしまった私たちは、小麦種を煮てやっと飢えをしのいだ。父は成長期の食事にカルシウムが不足し、歯が弱いほうだった。そのため硬い種を噛(か)み砕くことができず、丸飲みするほかなかった。このためしょっちゅう腹を下した。しばらくするとげっそり痩(や)せてしまい、ベッドから起き上がることもできなくなった。肉体も魂も疲れきって、いったん目を閉じると、もう開けたくないと思うこともよくあったという。私たち子供がいたことと母の励ましで、父は生き延びた。後年、母は言ったものだ。あなたたちがいなかったら、夫婦で片道切符を買って河まで行き、体を結び合って重い石を抱え、冷たい水に飛び込んでいただろう。一分もあれば苦しみから逃れられたのだ、と。

森の中までは電気が来ておらず、父は自分の印税と引き換えに小さな発電機を入手し、電灯がつくことになった。一九五九年十月、王震が林場を訪ねたとき、艾青が痩せ細って床についていることに驚き、医者を呼んで治療させた。しばらくして、農業部農墾局から手紙が来た。北京に帰ってよいという知らせだった。

この二年前にソ連が世界初の人工衛星、スプートニクの打ち上げに成功していた。この飛躍で勢いのついたソ連は、「共産主義建設の時代を包括的に推し進める」計画を立て、十五年でアメリカ合衆国を追い抜くことを目標とした。毛沢東(マオ・ツードン)も同様に、十年のうちに工業生産高でイギリスに追いつき、その後さらに十年でアメリカと肩を並べると想定した。公には「イギリスとアメリカを二十五年あまりで追い越す」ということだったが、毛の個人的な考えでは二十年で十分だと思っていた。中国共産党の指導部はいわゆる「総路線」という基本方針を打ち出した。「全力を尽くし、志高く、より多く、より速く、より良く、無駄なく社会主義を建設しよう」というものだ。

総路線と大躍進（産業化をすみやかに進めること。鉄鋼の大増産運動などを含む）、人民公社（農村経済の集産化をめざしたもの）は「三面紅旗(サンミエンホンチー)」となって、国のすみずみに掲げられた。しかし、これらの急進的政策は、その後の数年間で何千万人もの餓死者を出すことになる。

一家で首都に戻ったのも束の間、両親は再び辺境へと追いやられることを知った。今度は中国北西部の果てだった。新疆（シンジアン）ウイグル生産建設兵団、王震の「国境地方を開拓し、防御せよ」という命により設立された施設で、新疆北部のグルバンテュンギュト砂漠の近くだ。

一九五九年十一月下旬のことだった。北京でも寒くなってきており、母は、私をそんなへき地に連れて行くことに強い不安を感じた。北東部と同様、新疆は昔から好ましくない人物を処分する土地と見られていて、清の時代には宮廷で不興を買った人の追放先だった。まず行くまでが長く困難な旅になる。そこに住むということは、ほぼ孤絶することを意味した。二歳半の幼児にそんな過酷な旅をさせるわけにはいかないと判断した両親は、北京でデザイナーとして働いていた叔母（おば）の蔣希華（ジアン・シーホワ）に私を預けることにした。両親が置いて帰ろうとすると、私はスーツケースの上に座りこんで、行かせまいと抵抗した。母の脚にしがみついて「連れていかないのは捨てることだ」と抗議したのだ。車を待たせてあった母は、私を引きはがして家から走り出た。

両親が新疆へ旅立ったとき、鉄道はまだ甘粛省（ガンスー）との境、星星峡（シンシンシア）という、昔は西へ向かう旅人の検問所だった小さな町までしかなかった。翌日、バスに乗り換えて尾亜（ウェイヤー）へ向かった。当時は地図にも載らない小さな集落だった。そこからバスで二日かけてクムルまで行き、一泊して、やっと雪と氷に閉じ込められたウルムチに着いた。新疆に入ってからは、最後まで緑の樹木は見られなかった。行けども行けども、とげとげしい低木のラクダ草が群れているだけだった。砂嵐はバスの窓をたたき壊しかねない勢いで、道路はまるで整備されておらず、旅の終わりまで骨が定位置からずれなかったのが奇跡だと父が言ったほどだ。

この旅で、父は初めて火焰山（フオイエンシャン）を目にした。ウルムチの東、砂漠の中の赤々とした砂岩の丘陵は永遠に燃える炎のようで、父は新疆の風景の美しさに気づきはじめた。それに土地にはなじみがなくても、延安時代からの友がいるのが心強かった。現地には新疆自治区第一書記の王恩茂（ワン・エンマオ）や、新疆ウイグル生産建設兵団の副政治委員、張仲瀚（ジャン・ジョンハン）などがいた。

一九五九年から六一年にかけて、中国は破滅的な飢饉（ききん）に見舞われ、何千万人という餓死者が出た。新疆は比較的被害が深刻にならず、穀物も十分あった。両親は北京では十分に食べられないかもしれないと、私を連れてくることにした。

一九六一年の夏、私は四歳になったばかりだ。途中の甘粛省の省都、蘭州（ランジョウ）市で泊まった宿のベッドはナンキンムシだらけで、衛生にうるさい母はその夜は一睡もできなかった。

鉄道は今や星星峡から塩湖（イエンフー）まで延びていた。列車から降りると、突風が吹いて私のかぶっていた帽子を吹き飛ばしてしまった。私は少しも騒がず、父に向かって、「こっちの風は全然強くないね！」と言った。すでに皮肉好きの要素が芽生えていたようだ。

長距離バスを待っていると、父は偶然、副総理の習仲勲（シー・ジョンシュン）に出くわした。新疆に視察で来ていたのだ。現在の国家主席、習近平（シー・ジンピン）の父である習仲勲とは、延安時代に知り合っていた。少し話をしてから、習は見送りに来た新疆の役人に、そろそろ艾青を右派というのは再考する時期ではないかと語った。彼の目には、父は明らかに反党分子ではなかったのだ。そして、家族をウルムチまで送る自動車を手配してくれた。

石河子（シーホーズ）市はウルムチの北西百三十キロほど、マナス川の西岸に位置する。一九四九年にはわずか数十戸のウイグル人世帯があるばかりだったが、十年のうちに二十万人規模の都市に成長していた。北にはジュンガル盆地があり、南には天山（ティエンシャン）山脈が連なる。新しい街の通りはまるで定規で引いたようにまっすぐだった。農八師の管理部門が入った建物群は壁で囲まれ、門には守衛がいた。オフィスとして使われているビルのほか、百世帯を超える家族の住まいにもなっていた。北側の入り口を入ると、麦わら色のソビエト様式の平屋が並んでいる。東側の一軒が、私たちの新しい住まいとなった。

子供のときにしょっちゅう家が変わり、そのつど環境に合わせ、周囲に適応しなければならなかった私にとって、「家」は安心できるところでも、居場所と思えるところでもない。守れず、維持もできない家など説得力がない。信頼も愛着も記憶にしっかり根を下ろさないなら、存在しなくなる。

ソビエト的都市開発の概念でつくられた街は、効率と統一性を重んじ、個人の好みは抑えこまれていた。石河子も同様で、空間だけはたっぷりあって、幅広いポプラの並木が水平なコンクリートの街路から垂直に立ち、くっきりと影を落としていた。元軍人や東部の都市からの移住者、貧困地域から移ってきた経済難民たちが建てた石河子の街は、これまで両親が見たどんな街とも違っていた。レンガもコンクリートも、すべてが真新しい。歴史というものがまったくないために、この都市を計画した人々の未来像だけが強調され、ほかの道の可能性などゼロになっていた。さまざまな経歴を持つ石河子の住民は、それ以前の生活を過去のものとして、新たな出発をしようとする人々であり、思い出や個性は危険なものだと、苦い経験から学んだ人々だった。国家とは人から記憶を吸い取って漂白してしまう機械だった。

南にそびえる天山山脈は一年中、うだるように暑い夏のさなかでも、雪に覆われていた。石河子はここから流れてくる水の恩恵を受けて、ゆたかな緑に恵まれていた。自宅の玄関近くには、ヒノキの生け垣に隠れるように小さな庭があり、朝顔が巻きついた木の門から入るようになっている。中にはさまざまな植物が植えられていた。年老いて背の縮んだ庭師が、かがんで木の枝をはらい、土を耕し、雑草を取り、花に水をやりながら、いつもそこで働いていた。誰かと話しているのを見たことがない。噂によると、庭師はかつて国民党の上級スパイだったという。私は、庭のどこかに秘密の暗号が隠されているという空想をふくらませていた。彼の家は物置小屋ほどの大きさしかなく、植え込みに囲まれ、狭い通路の先にあった。一度だけ窓からのぞいてみたことがあるが、ツイン・ベッドと机が一つ見えた。それ以外は掃除もしていないようで、うっすらとほこりに覆われ、まるで光沢ある薄布がかけてあるようだった。

　少なくとも表面上は、石河子での父の状況はそれほど悪くなかった。仕事の義務もなく、強い圧力をかけられてもいなかったが、父は何かしら忙しくしていた。朝は四時か五時に起きて机に向かい、緑色のガラスのランプをともして書きものを始める。しかし、文学雑誌に送った詩は読まれもせずに返送されてきた。父の作品を出版する勇気のある編集者はいなかったのだ。王震の助けで生産兵団内の雑誌『大躍進』に十あまりの作品を、しかも林璧（リン・ビー）というペンネームで発表できたのみで、一編につき五元を得ただけだった。のちに父は、『砂漠は退却する』という新疆の開拓生活を描いたルポルタージュを書きはじめた。

　子供の私は、父が毎日苦心して原稿を書いているのを見ていた。どのページも書き直しや削除や、挿入などの修正でいっぱいだった。出版されないかもしれない本に父がそこまで献身的な情熱を注いでいるのが、私にとっては謎であり魅力だった。後年、父を見習い、地下出版物の編集で危険を招くことにもなった。父にとって書くことは人生と一体なのだ。書こうという意志が砕けることは決してなかった。

　母は買い物、料理、水汲（みずく）みなど、家のすべての雑用を引き受けていた。隅々まで目を配り、家の中はいつでもチリ一つなかった。私はよく洗濯をしている母の近くをうろちょろして、私たちの服をごしごし洗い、すすぎ、絞って、物干しに干す力強い腕を、まぶしく眺めていた。

　肘（ひじ）かけ椅子からベッド、本棚、テーブル、椅子、父がお茶を飲む茶碗に至るまで、家の中にあるものは、ほとんどが政府から支給されたものだった。私物といえば、北京から持ってきた二つの荷物だ

フランス、パリ郊外の艾青と友人たち。1930年9月
(左から右へ) 唐一禾、呉作人、艾青、周圭。

常州市の武進女子師範学校で中国語を教えていた艾青。中国・江蘇省、1936年

船上のパブロ・ネルーダと艾青。中国・武漢、1957年7月

第八五二農場での艾未未と艾青。中国・黒竜江省、1958年

第八五二農場での艾未未。中国・黒竜江省、1958年

天安門広場の艾未未と艾青。中国・北京、1959年11月

石河子市の高瑛と艾未未。中国・新疆、1962年

自宅での艾青と艾未未。北京市東城区、1980年

「労働改造収容所」から解放された艾青。1980年

ロウアー・イースト・サイドの艾未未。ニューヨーク、1985年

ピラミッド・クラブの前の艾丹と
艾未未。ニューヨーク、1987年

マルセル・デュシャンの『To Be Looked At (from the Other Side of the Glass) with One Eye, Close to, for Almost an Hour』、MoMA（ニューヨーク近代美術館）にて。1987年

タイムズ・スクエアの艾未未。1987年

アレン・ギンズバーグと艾未未。ニューヨーク、ロウアー・イースト・サイド、1988年

エイズ・アクティビスト・グループ（ACT UP）のデモ行進に参加するキース・ヘリング。ニューヨーク、1989年

けだ。一つは父の絵画を入れた衣装箱。もう一つは栗色の革製スーツケースで、角が明るい色の金属で補強してあった。中には夢のような宝物が収まっていた。あちこちから集められた美術品、美しい陶磁器、中に銀を貼った牛の角の杯、魅惑のオルゴール。そしていちばん数が多かったのが、父が各地の海岸で拾った巻き貝とタカラガイのコレクションだった。

石河子に移って二年目の夏のある日、父が言った。「お母さんがおまえの弟を産んだよ。行って、二人に会おう」。午後の日射しを背に受けながら、私たちは人けのない通りを病院へ向かった。記憶する限り、父と私が二人きりで長い距離を歩いたのはこれが初めてだ。途中で小石が積み上げてあるのを見つけ、私がしゃがんで面白い石を選んでいるあいだ、父は脇でたばこをふかしていた。その手には、出産後の母に食べさせる固ゆで玉子の袋を持っていた。

一九六一年十二月、五七年の反右派闘争に巻き込まれた何十万人のうちのごく一部に、右派のレッテルを解除する決定が出た。父もこの恩恵を受けた三百七十人のうちの一人だ。知らせは『人民日報』に発表され、しばらくすると日報が数百通もの読者からの手紙を転送してきた。父を祝福し、今後の活躍を祈る内容だ。しかし、政府の決定で父の不幸がおしまいになったわけではなかった。作家協会は、父のような右派の「首謀者」に、わずかでも寛大な措置を取るつもりなどなかったのだ。

はるか遠くで嵐を告げる暗雲が立ちのぼりつつあり、私たちを飲み込もうとしていた。

第八章　世界は君たちのもの

世界は君たちのもの、また私たちのものでもあるが、つまるところは君たちのものだ。君たち若者は、はつらつとし、人生の伸び盛り、朝の八時や九時の太陽のようだ。希望は君たちに託されている。世界は君たちの手の中にある。中国の未来は君たちの手の中にある。

――毛沢東、一九五七年、モスクワ、中国人留学生に向けて。

一九六〇年代の半ば、毛沢東(マオ・ツォードン)は、ソビエト連邦と東欧傀儡(かいらい)国家は世界革命という目標を捨てたのだと判断した。マルクス主義を裏切るニキータ・フルシチョフら指導者たちが取り組んでいるのは、「修正主義」と資本主義の復活だ。気をつけなければ中国でも同じことが起きると考えた。七十三歳になった毛は、自分の死後のことを心配するようになり、最大の脅威は政府のトップレベル、中央指導部にあると思い込んだ。一九六六年五月五日、アルバニアの使節団にこんなことを言っている。「体調は上々です。しかし遅かれ早かれ、マルクスにあの世に呼ばれるでしょう。私は人生のたそがれに来ている。残りの時間を有効に使って、ブルジョア復活を阻止しなければならないのです」。

毛沢東は、過去の闘争のやり方では今の問題を解決できないと考えた。新しい方法、大衆を一挙に結集できるような方法が必要だ。その答えが「文化大革命」（以下、適宜「文革」と略称）だった。世界に秩序をもたらすため、まずカオスの中に投じるのだ。

五月十六日、共産党中央政治局拡大会議で、毛沢東が自ら起草した通知が採択された。ブルジョアジーが党や政府、軍隊、文化人グループに潜入していると指摘する内容だ。彼らは反革命の修正主義者であり、権力を取り戻し、プロレタリアートによる独裁をブルジョア独裁に転換する機会をうかがっているというのだ。

五月下旬、北京大学の学長ら指導部を激しく攻撃する壁新聞が、キャンパスに掲げられた。大きな紙に、ときには数枚にわたって手書きした壁新聞を目立つ場所に貼りだすことは、政治運動を仕掛けたり、世論を形づくったりする手段として、五〇年代から盛んにおこなわれていた。いわば毛沢東時代のブログやフェイスブックであり、違いは、この時代には意見も言葉遣いも、決まった方向と目的からそれないよう、厳重に管理されていたことだ。北京大学指導部への攻撃は、毛が反動的と見なした北京市政の長をことごとく排除するための大きな動きの一環だったのだ。

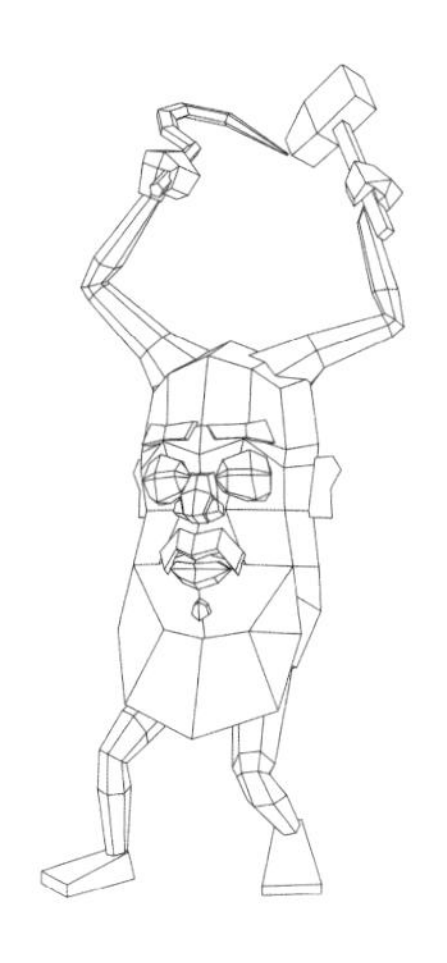

毛沢東は妻、江青(ジアン・チン)との会話の中で、文革への抱負を語っている。社会は正しく治められる前に、いったん混沌(こんとん)状態になる必要がある。七年か八年ごとに繰り返す必要があり、「牛鬼蛇神(ニウグイショーシェン)」をねぐらから引きずり出し、階級的本性をあばくのだ。文化大革命は国家規模の軍事演習となるだろう。左派や右派、煮え切らぬ日和見主義者は、それぞれふさわしい扱いを受けることになる。

七月十六日、武漢（ウーハン）は快晴だった。新たに建設された武漢長江（チャンジアン）大橋を背景に、海水パンツ姿の毛沢東は川に入り、六十五分間、ゆうゆうと下流へと泳いだ。メディア向けに演出されたイベントだ。毛はまたもカリスマ性と体力を見せつけたのだ。毛の泳ぐ姿は全国にニュース映像として流され、その不屈の「流れのただ中で波に向かって進む」精神で、革命の小さな将軍たちを煽（あお）るものだった。

北京に帰ると、毛は「本部を爆撃せよ」という過激な声明を発表した。標的は明らかに中国共産党の指導部だ。今まで実権を握っていた者たちが矢面に立たされることになった。後はまるで高圧ホースにスイッチが入ったように、激しやすい「革命的大衆」があらゆる職場、学校、通りから湧き出て熱狂し、「大串連（ダーチュワンリエン）」という全国規模の学生交流会を企画する。この動きは国じゅうの町や村、工場や鉱山、大都市から辺境にまで拡がった。

その後、毛は数週間で八回も天安門（ティエンアンメン）上に姿を現した。緑色の軍服姿の毛は、「毛沢東の軍師」と呼ばれた林彪（リン・ビアオ）を従えていた。昔から毛に忠実な古株だった（しかし、のちに毛を裏切ることになる）。八月十八日の初集会で、広場にひしめく百万人に迫ろうかという紅衛兵を前にした毛は、自分に紅衛兵の腕章をつけてくれた女子学生の名を聞き、「武（ウー）」という字もあれば良かったと言った。この言葉を多くの若い過激派が、敵に対してもっと力に訴えよという意味に受けとった。大群衆に対して毛は何度も、「大胆に考え、行動し、反逆せよ」と檄（げき）を飛ばした。「命を失ってもいい覚悟で、皇帝を馬から引きずり下ろすのだ」と熱く説いた。皇帝とはむろん自分のことではない。毛が敵とみなす官僚主義の上層部のことだ。

八月二十三日、艾青（アイ・チン）の旧友で小説家の老舎（ラオ・ショー）を始め、何人もの作家が紅衛兵に捕えられ、古い孔子廟（こうしびょう）に連行された。罵倒（ばとう）され、過酷な暴力を受けた。翌朝、老舎の死体が近くの湖に浮かんでいた。同じ日に、武漢大学の学長、李達（リー・ダー）も拷問の末死亡している。十日後には、ヴォルテールやバルザックの翻訳家の傅雷と妻の朱梅馥が、上海の自宅で首を吊っていた。赤色テロの始まりだった。
石河子でも、ある朝、ふだんは静かな家の近くの通りに人だかりができていた。壁新聞が貼りだされていたのだ。父の名が目立つように書かれ、その上、鼻つまみ者のしるしに赤いインクでバツをつけられていた。「艾青の仮面をはがせ」「艾青の反革命の正体をあばけ」「隠れた右派をあぶりだせ」など、書かれている言葉の意味はわからなかったが、父への、そして家族みんなへの悪口だということはわかった。母のハイヒールや体の線にそったワンピースまで、「ふしだらな服装」だとやり玉に挙げられていた。

　これを書いた俳優や作家は、両親と同じく文学好きで、よく家に遊びに来ていた。政治の嵐が来たとき、彼らはいち早く手のひらを返し、保身のために周囲の人を裏切り中傷しだしたのだ。

　その夏の終わり、ある日昼食をとっていると、緑色の軍服に紅衛兵の腕章をつけた若者が大勢で家に押し入ってきた。大声で毛主席の言葉を唱えると、「家宅捜索」を始めた。それもきわめて真剣に、床板をはがし、すべての本のページをめくり、手紙や写真を集めて疑わしいものを探した。父の原稿や書簡などを荷車に積み込んで去っていった後は、家はめちゃくちゃに荒らされていた。

　姉は泣いていた。父が集めていたきれいな物がみんな盗られてしまったからだ。「あんなものはどうでもいいんだ。ほしいというのなら、くれてやればいい」と父は姉をなだめた。父にとって大事なのは、自分が書いたものだった。しかし、上海を詠った長詩や、北大荒で書いてまだ出版されていない数編は、二度と出てこなかった。

　父の書棚は文学書でいっぱいだったが、美術関係の本も多かった。まだ幼くて字が読めないころから、私は目を引く表紙や挿画のきれいな本を見て楽しむことを覚えた。金の後光がさした聖母マリア、レンブラントの銅版画、ギリシャ・ローマ時代やルネサンス時代の建築や塑像など、すべてが私の想像力に翼を与えてくれた。詩集も覚えている。ホイットマンやボードレール、マヤコフスキー、ロルカ、そしてトルコの詩人ナーズム・ヒクメットがあった。中でもポール・エリュアールの詩集に添えられたピカソの版画や、中国の革命初期の木版画、父が延安時代に入手した、窓に飾る伝統的な細やかな切り絵には魅了された。ページをめくると、その本だけの匂いがして、別の時代の別の場所から来たことがわかる。小さいころから、こうした本やアルバムが父にとって大切なものだと知っていた。その話をする父の顔がぱっと輝くからだ。本が心労を忘れさせてくれたのだ。

しかしこんな情勢では、書物は表紙の麻の繊維くずでさえ、一家にとって危険だった。紅衛兵に何度も家を侵略されてから、父はとうとう蔵書をすべて焼くことを決意し、私はその手伝いをした。父がたき火をたいて本を積み上げ、私はページをはがしては火にくべた。溺れる亡霊のように、紙片は熱に身をよじり、やがて炎に飲まれた。本が灰になってしまった瞬間に、奇妙な力が私に取りついた。だんだんと私の体と精神を支配するようになったその力は、やがていかなる強大な敵をもひるませるほどに成熟していった。それは自分の頭で判断し、美意識に忠実であることで、どちらも曲げられず、妥協できない。もし抑えようとする者があれば、必ず強い反発力が生じた。

反右派闘争の標的は文化的エリートだったが、文革はあらゆる人が対象だった。学校は生徒が「革命に取り組める」ようにと休みになり、教師の多くはブルジョア的教育をしたと糾弾されて迫害と侮辱を受けるか、もっとひどい目に遭わされた。大人たちは一日中集会や闘争で忙しく、子供に目が行き届かない。おかげで私たちは、大人のいない、がらんとした敷地内で好きなだけ遊んだ。かくれんぼが人気で、あるとき私は隠れ場所を探して、窓から誰もいない事務室に忍び込んだ。しゃがんで身を隠した拍子に、床に積まれた書類が目に入った。よくよく見て、心底驚いた。父や家族の写真、手紙の束、そして見慣れた父の筆跡で書かれた何枚ものページ。私たち家族にとって最も貴重な品々だった。父の個人的な思い出につながる数少ない物を失ったことで、私の家族や社会への想像力は、いつも薄っぺらく感じられるのだ。

ある日、母が帰宅すると、子供たちの通学カバンを掛けるラックが壁から外れて落ちていた。電球が一つ父の机の上に載っていて、手に取ってみると、コイルが切れているわけでもない。「なぜ切れてもいない電球を外したの？」。母は、黙って座っている父に聞いた。その時不意に、夫がこのラックで首を吊ろうとしたのだ、そして今は別の方法を考えているのだと悟った。涙を浮かべた母は、父をしっかりと抱きしめた。「やめてちょうだい！　あなたが死んだら私たちはどうすればいいんですか？　もう二度とこんなことしないで！」。

父はすやすや眠っている弟の艾丹(アイ・ダン)をちらっと見下ろした。危うく大惨事が回避されたことなど知らない寝顔だ。「高瑛(ガオ・イン)、まだ子供たちも小さいじゃないか、一人だけでやっていけるのか？」と父は言った。「心配しないでいい、俺にそんな勇気はないから」。

一九六七年には紅衛兵の派閥争いが激しくなった。すべての派閥が毛主席へ永遠の忠誠を誓っていながら、派閥間の不和と敵意は高まる一方で、ついに武力衝突にまで発展した。一九六七年一月二十五日夜、構内で紅衛兵の「造反派」と「保皇派」の争いが勃発(ぼっぱつ)した。党組織の利益を守ろうという、相反する派閥グループだ。

その夜、屋根の上を人々が走り回る音を聞いた。瓦(かわら)が踏みくだかれ、混乱した人々の声が交錯する。拡声器からは耳をつんざくようなスローガンや脅し文句がなり立てられた。翌日には銃声が響いた。炒(いた)め物の鍋(なべ)ではじける豆のように、大きなパンパンという音がしつこく続いた。銃撃がおさまったのはその日の晩になってからで、やっと構内に静寂が戻った。

翌朝、寒空の下、凍った地面に二十体ほどの遺体が散乱していた。亡くなった人のなかには兵士や妊婦、それに私の同級生で近所の人気者だった馬路(マー・ルー)がいた。水を汲(く)んで家に帰る途中、銃弾に当たったのだ。路の亡骸(なきがら)のそばには天秤棒(てんびんぼう)と二つのバケツが転がり、厚い氷に張りついていた。兵士の死体は岩のようにかちかちに凍っていた。異様な状況に興奮し、怖がっていないことを見せようと、近所の少年たちが代わる代わる、兵士の死体に飛び乗っては降りていた。

噂が飛び交うばかりで、この恐怖の夜に何が起こったのか説明できる人は誰もいなかったし、責任をとる人もいなかった。ばからしいことに、父が背後で糸を引いていたのだと言う者まで出てきた。母も加担していたというのだ。

ある朝、家で高剣(ガオ・ジエン)と玲玲(リンリン)が、どこからもらったのか軍服を着て得意になっていた。変だな、と私は思った。服が体に合っていないし、その前に、二人には軍服を着る資格がない。父はいわゆる「黒五類(ヘイウーレイ)」の一員であり、富農であり、反革命、破壊分子、右派だったのだから。そのころちょうど流行(はや)っていた歌のとおり、「龍は龍を生み、不死鳥は不死鳥を生む。ネズミは生まれたら、穴の中で生きていく」。血は争えないという考えが主流だった。「黒五類」の子供は革命のエリートとして受け入れられることはあり得ない。ネズミの子が龍になれないのと同じだった。

玲玲と高剣が十代になり、母はますます子供の安全を心配した。そして二人に、北京に帰って実の父と暮らすように言った。元夫は「革命幹部」であり、いかなる粛清にも遭ったことがない。家族がばらばらになることに、父は苦しんでいるようだった。父は母の連れ子をわけ隔てなく可愛がっていて、私は父親が違うことをまるで意識していなかったくらいだ。しかし母は、自分の再婚のために子供の人生を犠牲にしたくなかった。その怖れは父も理解した。危険な時期に二人を安全な場所に移すのは賢い選択だった。

兄たちと引き離されるという事実に直面し、私は内心ひどく傷ついた。自分たちは本当の家族ではない、兄と姉にはほかに道があるけど、自分にはない、と自覚したのだ。

私は姉の前に身を硬くして立ちはだかった。「行っちゃ嫌だ」とぼそぼそ声で言った。

玲玲は妙な顔で私を見ただけだった。きっとよく聞こえなかったのだろう。

玲玲と高剣が発(た)ってしまうと家の中はひっそりとして、これからどうなるのかと、不安なときを過ごした。数週間後に高剣だけが舞い戻った。実父は玲玲のことは喜んで引き取ったのだが、剣は拒否したのだ。十歳の私にとってはずいぶんおかしな話だったから、なぜ本当のお父さんは引き取ってくれなかったのと、兄にしつこく聞いた。もちろん高剣にはいちばん辛(つら)い質問だ。そのうち、返事の代わりに顔にげんこつが飛んでくるようになった。私には知る由もなかったが、高剣は母が養育権を取っていた。元夫が息子だけを拒んだのは、法的には正しいのだ。

父はこの時期に味わった困難についてはめったに話さなかった。当時もその後も、家族にも友人にも。沈黙を選んだ父は、四半世紀前に自ら書いた詩に忠実だった。

私ほど苦しんだ者はいない
時代に忠実に、人生を捧(ささ)げ、そして黙っている

意に反して、まるで囚われ人が
刑場に向かおうとするとき、黙しているように。

このあとすぐ、父と高剣と私は、わずかな荷物と共に砂漠の端に追いやられ、「小シベリア」で新しい生活を始めることになる。

それから長い時を経た二〇一一年四月、私は拘留された。二日目になって、自分にも法的保護を受ける権利があると主張したところ、取調官は意味ありげな顔になった。「紅衛兵が家に押し入ったとき、劉少奇が手に何を持っていたか知らないのか？　憲法の写しだ」と言った。

劉少奇はベテラン革命家であり、一九二一年以来の共産主義者で、文化大革命が始まった当初は国のトップに立っていた。憲法の草案を起こしたのも彼で、憲法が、それを書いた者を守ってくれるはずと考えていた。しかし一九六六年、劉は「資本主義の道を歩む」ことを選んだとして告発され、監禁されて廃人同然になる。一九六九年十一月、肺炎で亡くなり、名を隠してひっそり火葬された。取調官はことさら声高に言った。「今も、何も変わっちゃいない。現在の指導者だっていつなんどき、劉の立場になるかわからんのさ」。

彼はただ事実を述べただけだ。「全体主義体制では残虐と不条理が手を組んでいることを忘れるな」という意味だった。

第九章　風よりも自由に

共産党政権樹立から一九七六年の毛沢東(マオ・ツォードン)の死までに、中国は五十以上の政治運動を経験し、後になるほど暴力性が増した。文化大革命で、国は夢想と妄想の世界に突入した。
一九六八年八月、ワルシャワ条約機構軍がプラハを占領して以来、中ソ関係はさらに緊張を高めていた。ソ連は新疆(シンジアン)ウイグル自治区との国境に百万人の兵士を配備し、今にも戦争が起こりそうな緊迫感だった。小学校では言葉の授業に力が入れられ、私も「銃を渡せば命は助けてやる」とか「我々は捕虜を優しく扱う」というロシア語を覚えた。
一九七一年十月、夜更けに若い男性が玄関先に現れた。驚く父に、男性はポケットから巻いた紙片を取り出した。党中央部からの極秘書類だ。副主席の林彪(リン・ビアオ)が外国へ脱出する途中、飛行機が墜落してモンゴルで死亡したという内容だった。たまたま農場の本部で報告を見て、直感的に「これを読むべき唯一の人物」、つまり父に伝えなければと思ったそうだ。
本部ではすぐに書類の紛失に気づいた。その若者は二日二晩も梁(はり)から吊（つ）るされ、行動の動機をあらいざらい吐かされた。じつを言うと、農場の指導部に報告が届いたころには、中国以外の世界ではとっくに知れわたっていたニュースだった。

かつて軍部の最高司令官であった林彪は、人民共和国建国の父であり、文革では毛沢東の敵を倒すために重要な役割を演じている。しかし、二人のあいだには亀裂（きれつ）が生じ、ついに今回のような事件になった。林彪がソ連亡命をはかったことは、毛の体面を損なう打撃だった。以来、毛沢東は以前より影が薄れたように見えた。

一九七二年二月二十一日、もっと驚くべきことが起きた。リチャード・ニクソンを乗せた大統領専用機が北京に着陸したのだ。アメリカ合衆国大統領の初めての中華人民共和国訪問だった。ニクソンの訪中は、何十年にもわたった冷戦が急激に雪解けを迎えたしるしであり、すべての予想を覆して中国の人々に衝撃を与えた。七カ月後には日本の首相、田中角栄も北京に到着、数日のうちに日中国交正常化が宣言された。こうした情勢の変化を受け、かつて『中国の赤い星』を書いて世界に延安（イエンアン）を紹介したアメリカ人ジャーナリストのエドガー・スノーが中国を再び訪れ、周恩来（ジョウ・エンライ）に、詩人の艾青（アイ・チン）は存命かと尋ねた。「ええ、健在ですよ、彼は新疆で生活を経験中です」というのが返事だった。

小シベリアから石河子（シーホーズ）に戻った私たちは、生産兵団のホテルに入居することになった。中心街の交差点の角、三階建ての立派なビルだ。廊下をはさんで向かい合った二部室が割り当てられ、暖房も電気もあって生活は大きく改善した。私は何年か前に少しだけ通った市内の学校に、中学一年生として編入した。学習委員に選ばれ、写生をすれば学校の廊下に展示され、作文を書けば掲示板に貼りだされた。

そのくらい出来がよければ、共産主義青年団に入るのは当然だった。立派な成績を表彰する意味もあり、同時に青少年の考え方を正しい型にはめて、将来は共産党に入るよう導くための組織だ。青年団の書記は、もし私を入れずに別の生徒を選ぶとなれば、正当な理由を考えるのが難しいだろうと言った。しかし、私という候補には問題があった。強硬派は、父親が右派とされた生徒に資格があるのかと疑問視した。そして私に、父親とはっきり一線を画すよう要求した。結局、私を応援する人たちの、このような少年こそ適切な教育によって良い人材になるのだという意見が通った。こうして私は共産主義青年団員になったが、これは最初で最後の政治体制への協力だった。

この中学校で出会ったのが、のちに私の人生に大きな役割を果たすことになる周臨(ジョウ・リン)だ。三歳年上の彼女は私と同じ北京生まれで、言動のせいか服装のせいか、ほかの女生徒とは違っていた。独立心があり、冷静だった。周臨は週末になるとわが家に来て、書棚を見ては本や雑誌を何冊も借り、束ねて自転車に積んで帰った。そして、次の週末にはそれを返しに来るのだ。

一九七二年五月、周恩来はがんの診断を受け、しだいに弱っていった。一方、鄧小平(ドン・シアオピン)は、江西(ジアンシー)省の田舎から毛沢東に自己批判の手紙を二通送って復帰を許され、副総理に返り咲いた。文革の初期に解雇され迫害されたほかの「走資派(ゾウズーパイ)」(資本主義の道を歩む実権派)たちも、ひっそり元の地位に戻りはじめた。

父はしばらく前から物が見えにくくなっていたが、穴蔵暮らしで照明が暗いせいだろうと思っていた。石河子で眼科に行って初めて、右目の視力が完全に失われていることが判明した。もっと早く来てくれれば簡単に治療できたのだが、と言う医師に、父は無念そうに微笑むだけだった。

一九七三年の夏には左目の視力も急激に低下し、字を読むのも難しくなった。症状は複雑で、地元の医師は自信がなかったのか、北京で治療することを勧めた。父の申請は党組織の中で何段階もの承認を経てから、新疆軍区の党委員会にたどり着いた。追放後十五年、治療のため、ついに北京に帰ることを許可されたのだ。高瑛と艾丹も一緒だったが、私は学校があったので石河子に残された。もう北京には家と呼べる場所はなかった。元の家には他人が住んでおり、父の二人の妹のうち、若いほうの蔣希寧の住まいに居候するしかなかった。昔から小柄だった希寧叔母さんは、長年の道路掃除のせいで猫背になり、耳もますます遠くなって、話しかけるには大声を出さなければならなかった。私が小さいころ、希寧叔母さんは姉の希華叔母さんとこのアパートに住んでいた。今でも覚えているのは、毎日、西単の商店街へ買い物に出た叔母さんが、いつもの笑みをうかべ、野菜や豚ひき肉の包みを抱えて帰って来る姿だ。

父に江豊との旧交を温める機会がおとずれた。二人は上海刑務所で一緒に服役していた。延安で再会し、一九四九年には共に北京に凱旋したのだが、一九五七年、二人とも右派のレッテルを貼られた。それからは連絡手段もなく、相手が生きているのかどうかもわからなかった。もともと口数が少なかった江豊は、いっそう寡黙になっていたが、父は彼の話から古い友人たちの消息を知った。丁玲がまだ東北のへき地に追放されたままなこと、周揚は文革で失脚後、投獄されていることなどだ。

北京で医師の診察を受けてから、父は浙江省の故郷へ里帰りした。最後に訪ねてから二十年、風景はさほど変わらないものの、家族も友人もすっかり年老いていた。父の身分はまだ政治的に不安定で、このまま北京に戻れる見込みはなく、新疆に帰るしかなかった。江豊がわざわざ駅まで見送りに来てくれ、かつての同志二人は涙ながらに別れを告げた。

プロパガンダ活動は続いた。一九七三年九月、八十歳になろうとしていた毛沢東は、ある外国人訪問客に、自らを秦の始皇帝になぞらえ、本音をもらした。始皇帝は無慈悲な暴君と否定的な見方をされるのが一般的だが、毛は彼を立派な人物として語り、一方で相変わらず孔子を批判した。毛には儒教的な中庸は魅力がない。優れた指導者に権力を集中させることこそが大事だった。毛は党員に、孔子と儒教的伝統を批判するために歴史を学べと促した。昔からイデオロギー闘争を重んじる毛の考えを推し進め、実利を取ろうとする党内勢力に対抗するためだった。

そのうち、儒教への批判が林彪への糾弾と合体した（「批林批孔（ピーリンピーコン）」運動）。一石二鳥をねらい、運動はさらに強化された。孔子をおとしめる風刺画が中学校の掲示板にまで登場し、ようやく自己評価が回復したばかりの教師たちは、またもや頭を垂れて歩かなければならなくなった。

一九七五年五月、開始から九年たった文革は最終段階に入り、多くの人が残忍で過酷な目に遭わされた。毛の計画では社会は偉大な混沌（こんとん）から偉大な秩序へと変化するはずだったが、むしろ緊張が増しているようだった。一九七四年の中国経済は不振をきわめ、多くの生活必需品が不足した。毛の妻の江青（ジアン・チン）は三人の急進派、すなわち張春橋（ジャン・チュンチアオ）、姚文元（ヤオ・ウェンユエン）、王洪文（ワン・ホンウェン）と組み（のちに四人組と呼ばれる）、周恩来や鄧小平と権力を争った。

しだいに毛は、鄧が表向きは自分に従いながら、実際には逆らっており、毛思想を形骸（けいがい）化し、文革を否定していると疑うようになった。一九七五年の暮れ、毛は病床からはっきりと、鄧を信頼していないこと、秩序を回復するための鄧の取り組みは「右派の巻き返しの気風」であると言った。

こんな緊迫した情勢を背景にして、父に北京復帰が認められた。左目の白内障は手術で取り除かれ、その後、母と艾丹とともに首都に住み続けることができた。私は一九七六年一月初旬、冬休みに家族と合流した。

私が北京に戻ったのと同時に周恩来が死去した。父世代の知識人たちにとっては悲しく厳粛なできごとだ。三十六年前、周恩来は父が延安に行く用意を整えてくれた。一九四四年の整風運動中に、父の嫌疑を晴らしてくれたのも周だった。父にとっては周こそ党指導部の中で最も人間的で、知識人を理解し認めてくれる存在だった。周が亡くなり、中国の将来は、また父自身の未来も、ますます不透明になったと思われた。悲しみと不安、将来への懸念が父や周囲の人々を、そして北京に住んでいたほとんどの人を襲った。一月十一日、周恩来の遺体は、北京市の西十五キロほどの八宝山(バーバオシャン)の火葬場へと運ばれた。大勢の市民が周に別れを告げようと集まった。周の政敵である江青ら急進派たちは、一般民衆による追悼を阻止したかったのだが、火葬がおこなわれるという知らせが口コミで広がり、霊柩車(れいきゅうしゃ)が長安街(チャンアンジエ)の東端から西端までゆっくりと進むあいだ、何万もの人々が通りに並び、泣いて悲しんだ。父と私もその午後の人混みの中にいた。

当時住んでいた西単は、天安門(ティエンアンメン)広場まで徒歩で二十分と近かった。広場の中央にある顕彰碑の「人民英雄紀念碑」が、周恩来追悼の中心となっていた。私は毎日そこへ行って、人々が朗読する詩を書きとって持ち帰ると、父は熱心にそれを読んでいた。

ある日、父と私は一緒に広場に出かけた。父は古びた綿入り上着に木綿の帽子をかぶり、長いマフラーを首から垂らしていた。天安門に着いたときには、父の片目はまったく見えず、もう片方も寒さのために閉じそうになっていた。父は老い、定まった家もなく、この先、生活向上の見込みもなかった。彼は灰色の空の下にぽつんと立ち、悲しみと喪失感をたたえて周囲を見回していた。広場の空気は悲壮で重苦しかった。人の海の中にあの顕彰碑が立っていた。周囲を常緑の垣根が囲み、白い花を咲かせ、まるで雪が深く積もったかのように見えた。十五年前、父が私を新疆に連れ帰るために北京に来たときも、私たちは一緒に天安門に来た。父は門の前で私を抱っこし、写真では二人とも笑顔だった。今回再び広場に戻り、長い迫害を耐えた父の心には多くの感情が入り混じっていたことだろう。私はこのとき初めて、大群衆の集まりを体験した。

翌月、首相代理に選ばれたのは華国鋒(ホワ・グオフォン)だった。鄧小平が冷遇されたことがはっきりした。華国鋒は静かで控えめな人物で、四人組とは一線を画し、周恩来にも鄧小平にもつながりはなかった。急進派と中庸派の権力闘争では中立を保ち、毛沢東の言うことだけを聞いていた。

メディアは左派に支配されており、周恩来の追悼活動を妨げようとしたが、本格的な春の訪れとともに、多くの都市で人々は指示を無視し、自発的に周恩来への敬意を示した。それが北京で最高潮に達したのは四月初め、私が新疆に戻ってからのことだった。人民英雄紀念碑は花輪で埋まり、先祖を偲ぶ日である四月四日の清明節には、百万人が天安門広場に押し寄せた。多くの人がこの機会に、積もり積もった急進左派への恨みを吐き出した。さらなるデモを阻止するため、花輪が一夜のうちに撤去されると、怒った市民は警察の詰め所を襲撃し、警察車両に火をつけた。四月五日の夜には、抗議する民衆を排除するために民兵が投入され、人々は棍棒で殴られ、多くが逮捕された。

石河子に戻っていた私は、天安門広場で「反革命事件」が起きたことをラジオのニュースで知った。背後には鄧小平がいるという。報道によれば、階級の敵が反動的演説をおこない、反動的詩やスローガンを掲げ、反動的なビラを配り、反革命組織の結成を煽っているというのだ。デモ隊の民衆に強く共感した私は、活動が無慈悲に押さえ込まれたことに憤り、プロパガンダ・マシンが正体を現したと、激しい嫌悪を覚えた。これ以後、真実を話し合うことはできなくなったのだ。十三年後の一九八九年にも、共産党は民主化運動に対して同じ態度に出る。非暴力の抗議行動に対しても、全体主義政権は一歩も引かない。それどころか、いつでもその本性を露わにし、野蛮な暴力で報復してくる。人間の命も自由も、どうなろうとかまわないのだ。

十九歳になっていた私の考えは漠然としていることも多かったが、一つだけはっきりしていた。誰よりも変化を欲していたということだ。何であれ、今の状態に比べればましだった。七月に高校を卒業すると、私は大急ぎで北京へ向かった。列車が北京の南西二百六十キロほどの石家庄に停まったとき、逆方向からきた列車の乗客が窓から顔を出し、これ以上行くなと警告した。北京を大地震が襲ったというのだ。私はちょっとした興奮を感じた。これもある意味、ずっと求めていた変化だったから。地震の壊滅的な被害を、まだ誰も知らなかった。震源地は北京の東百六十キロにある唐山(タンシャン)で、夜中の三時四十二分に発生した地震は産業都市・唐山を数分で破壊し、二十万人以上の命を奪った。

北京に着くと、駅前広場に何百人もの人が寝ている。しかし長安街の通信局のビルからは、何ごともなかったかのように『東方紅(ドンファンホン)』の歌が流れていた。首都の建物にも多少の被害はあったが、唐山のような大規模なものではなかった。ただ余震が多く、もっと大きな地震が来るという噂もあって、人々は屋内を避けていた。その夜、私は紫禁城の南門に近い中山(ジョンシャン)公園で野宿した。明朝や清朝の皇帝が、土と穀物の神に捧(ささ)げものをした場所だ。ハスに覆われた池に沿って屋根付きの長い散歩道があり、風景や歴史的エピソードが描かれた天井の下には、道の両側にベンチが連なっていた。その夜は、私のように行き場のない人たちがあらゆるベンチを占領していた。余震は夜通し続き、不安のあまりバランスを崩し、池に落ちてしまう人もいた。

北京ではその後何週間も、次の地震で家が崩れることを怖れた市民が屋外で寝泊まりした。地下鉄駅の建設中だった阜成門(フーチョンメン)の砂利山のそばで、私はやっと家族と再会した。実家の被害は最初の地震で屋根瓦(がわら)が一枚落ちただけだったが、両親も弟も、家の外に金属棒とビニールシートで作った間に合わせのテントで暮らしていた。あいにく雨がちで、ほとんど連日、雷鳴や稲妻を合図に土砂降りに見舞われた。屋根のシートに水がたまりすぎるとテントが崩れてしまう。水を落とす係りの艾丹は、夜のあいだほとんど寝られなかった。原始的な生活に、父は重慶(チョンチン)市が日本軍の爆撃を受けていた暗い日々を思い出した。ほとんどの店は閉まり、仮設の被災支援センターが頼りだ。温かい食べ物は小麦の蒸しパンか饅頭(マントウ)、米飯くらいで、どこでも長い行列ができていた。掘っ立て小屋が通りの両側に並び、狭い隙間を縫うように、バスや自転車がやっと通っていた。

災害は人々の忍耐力を試したが、地震による本当の亀裂は、人の心の奥に生じた。ストイックに耐える姿は表面だけだった。私たちは信頼できるニュースに飢えていたが、地震の犠牲者が何人かも知らされなかった。三十二年後の四川(スーチュワン)大地震と同じだ。ただ、四川のときは、私は人々に呼びかけ、当局が隠そうとした事実をあばく行動を起こした。危険は承知の上だった。中国では自国のことを知ろうとするだけで、法律に違反することもある。

唐山地震後の数週間、時は止まっていた。人は次にどうなるかを知らず、ただ何かが起きるのを待っていた。私たちはそれぞれの場所に避難しただけで、善悪も気にせず、悲しみも怒りもさほど感じず、好奇心にも親切心にも欠けていた。

周囲では人々が小声で情報を交換していた。誰それが名誉回復したそうだとか、誰かが北京に戻ったらしいとか。誰か訪ねてくると、いつもそんな情報を熱心に交換し合っていた。しかし私は、人生の大半を災難の中で暮らしてきただろう大人たちが活気づいたような興奮を、ちっとも感じなかった。この時期、私の人生を表す言葉は「宙ぶらりん」だった。宙ぶらりんなのは私だけではなく、この時代全部が、ゆらゆらと目的もなく、頼りなく揺れていた。人々はほかにすることがなく、ただ物事が変わるのを待っていた。この異常事態に社会全体が息を詰まらせ、沈んでいた。北京は灰色に沈黙していた。父は、学校を卒業した若者の多くと同じように、私も農村コミューンで労働者として働けばいいと考えていた。しかし、人に指示されて動く立場に戻ることは考えられなかった。

ある蒸し暑い日の午後三時過ぎ、友達と北京の北西郊外にある紫竹院(ズージューユエン)公園の湖に浸(つ)かって涼んでいた。急に拡声器からアナウンスが流れ、重大なニュースが発表されるという。私たちは水から顔を出して耳をすませた。しめやかな葬送の音楽があたり一面に鳴り響いた。一九七六年九月九日、毛沢東が死んだのだ。

つい数カ月前に周恩来と朱徳(ジュー・ドー)という二人の指導者を失ったばかりで、また毛沢東が逝(い)ったのは、まるで空が落ちてきたかのようだった。悲しみには、将来への不安と、毛のために味わった苦労への恨みとが混じり合っていた。終わったのは個人の人生でもあるが、何より私たちの社会に対する特定の考え方だった。邪悪にまみれた時代を死が奪っていった。残された私たちは習慣から生に卑しくしがみついた。

数週間後、周恩来を継いで首相となった華国鋒が、引退した将軍たちに促されて江青ら四人組を逮捕した。誰も予期していなかった速さで情勢が変化した。江青の言った「まだ主席の骨が冷たくなってもいない」という言葉どおりだ。彼女は政変を起こした人たちの度胸を甘く見ていた。華国鋒によると、四人組を粛清するのは毛の死の床での願いであったという。続けて、華は文化大革命の終了を宣言した。

ちょうどこのころ、父の詩の愛好家から、都心の一角にある平屋建ての小さな住居が提供された。魯迅(ルー・シュン)の旧居からも近かった。暗くて湿気のこもった小さな家で、ダブルベッドとシングルベッドが一つずつあるだけだったが、場所は便利だった。すぐに元「牛鬼蛇神(ニウグイショーシェン)」で、今は無事に首都に帰って来た人々が訪ねて来るようになった。

まだ眠りから覚めていないようなこの街で、私はすることがなかった。私のように、最近学校を卒業したが仕事がないという人間は何万人もいて、どこへ行こうともその身分は嗅(か)ぎつけられ、軽く見られてしまう。当時の中国は計画経済であり、仕事は自分で選べず、国家に割り当ててもらうものだった。父と同様、作家や芸術家は大多数が不安定な状況にあり、もう政治に迫害されることはなくても、収入につながる雇用は与えられない。隣人に情に厚い老教授がいて、よく父を訪ねて来ていた。その教授に、デッサンを学べと勧められた。

毎日、折りたたみ椅子とイーゼルを持って出かけ、中山公園で花を描いたり、駅の待合室で人間をスケッチしたり、動物園でライオンや象を描き、ときには自転車で遠出をして、円明三園の裏山風景や、円明園の廃墟を描いた。いつも帰宅はずいぶん遅くなった。私としては相当がんばって描いたのだが、自分と老教授以外はさっぱり興味を示してくれないのが謎だった。私は「美」を見いだそうというつもりはあまりなく、絵を描くことで、芸術的伝達手段を使って心を静めることができたのだ。集中から歓びが得られ、私は他から切り離され、解放感を味わった。芸術によって、私は新たな空間を開いた。雑草のはびこる、荒れたわびしい廃墟だ。私がしていたことは贅沢で身勝手なことだったかもしれない。しかし、自分を取り戻すこと、そしてここを離れ、逃げるという希望も得られたのだ。

中央美術学院の教授が率いる山東半島へのスケッチ旅行に、私も参加した。もっと自然を描く経験がしたかった。漁船に揺られながら海を行くとき、沈む太陽が水面を血のように赤く染めるのを、漁師たちの赤黒く日焼けした肌が青い空の下で紫色を帯びるのを見た。私の素描の腕は雑だったかもしれないが、自信たっぷりだった。単純に、絵こそ自分がしたいことだと思っていた。ただし、何かの基準に合わせようという気はさらさらなく、当初から、確立された技法や伝統的ルールにしばられることを拒んでいた。学期の終わりに先生が学生の絵に点数をつけたが、私の作品は評価から外された。あまりに突飛で判断がつかないと思われたのだ。

一九七七年、共産党上層部の支持を受け、鄧小平の地位が回復した。「実践は真理を検証する唯一の基準だ」という鄧は、毛沢東の多くの考えを理論的に覆し、それにより華国鋒の地位をぐらつかせ、一九七八年に自らが中国の偉大な指導者に登りつめる。

　こうした変化の時期に、父は新たなエネルギーと希望をもって執筆に戻った。文革が始まってから一行も詩を書いていなかったが、夜中の二時や三時に起きだして、三時間、四時間と、書く時間をとるようになった。

　元「大右派」というレッテルを考えれば、艾青自身も、そしてどんな新聞も、少しでも問題になりそうな詩を発表することはできなかった。一九七八年四月三十日、上海の新聞に載った父の二十年ぶりの作品は、安全なテーマに終始していた。しかし、それは中国の読者に、長年沈黙していた艾青がまだ生きているのだと知らせるものだった。

　北京では、私たちはいまだに黒孩子（ヘイハイズ）、つまり正式な許可を持たない住民だった。地位を取り戻した王震（ワン・ジェン）が個人的に、一九五〇年代に艾青が購入した家の返却を承認してくれたのだが、実行に移すのは難しかった。すでに数家族が住みついていて、退去を拒んでいたのだ。このため作家協会が史家胡同通りに、一時的な住まいを用意してくれた。六室ある比較的広い家だ。まだ珍しかった電話もついていた。父に外国からの訪問者が来るようになったためだ。

　自分一人の場所を得たことで、父は毎日書斎にこもってものを書くことができるようになった。『魚化石』が「文匯報」に載ったのは政治的にも緊張の解けた八月後半のことで、毛沢東時代の知識人の多くが味わった窮状を描いた詩だった。彼らは何年ものあいだ、尊敬も安全も、仕事に必要な物さえも拒まれてきたのだ。

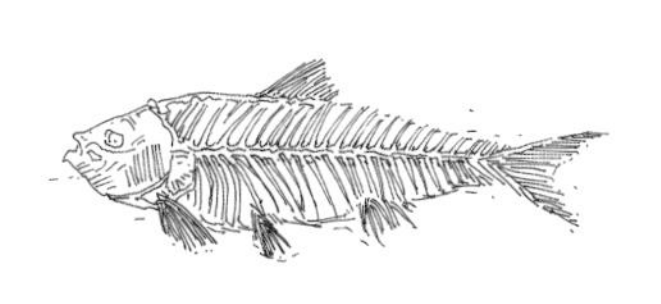

だがおまえは黙っている、
息すら漏らさず、
ヒレもエラもちゃんとある、
なのに動くことができない。

おまえはぴくとも動かず、
外の世界にまるで反応しない、
空も海も見ることができない、
波の音を聞くこともできない。

知識人たちが追放の憂き目にあったとき、生存そのものが脅かされ、「魚の化石」になることは容易だった。しかし艾青は、そんな運命を受け入れてはならないと詠う。

生き続ける以上、闘わねばならない、
闘いのなかで前進するのだ、
たとえ死のうとも
持てる力を出しきらなければならない。

（原題：『魚化石』、一九七八年、抜粋）

一九七八年秋、鄧小平の改革がさまざまな方面で進んだ。一九七六年四月の天安門広場での事件は「反革命」ではなかったとされ、毛が文革を始めた判断自体が暗に否定された。そして艾青が最も勇気づけられたのが、党が一九五七年の反右派闘争の犠牲者の名誉回復をすると宣言したことだ。

十一月二十五日、北京工人体育場における詩の朗読会（のちに中国中央電視台によりテレビで放送された）では、一九七六年四月の天安門でのデモと、四人組の粛清をたたえる艾青の最新作に、大群衆が嵐のような拍手を送った。後半では、不当な措置の是正という、多くの人の願いを代弁している。

政策はすべて実行されなければならぬ
不当な判決はすべて覆されなければならぬ
すでに地下に永眠する人たちも
名誉は恢復（かいふく）されなければならぬ！

最後は高らかに、改革路線を支持して締めくくった。

障害を取り除け、
封建的な、ファッショ的な障害物、
宗教的迷信、腐敗、すべてを取り除き
「四つの近代化」の礎（いしずえ）を作るのだ。

（原題：『在浪尖上』、一九七八年、抜粋）

「四つ（工業、農業、国防、科学技術）の近代化」は政府の優先政策であり、最初にこれを提唱したのは周恩来だ。それが再び政府の政策の中心となった。

雪解けが進み、立場が安定した父は、楽観的になってきた。十二月、詩集の前書きに、未来が明るいことを告げている。「私は重大で多彩な時代を生きてきた。同年代の皆と同じく、絶えず変化する風景の中であらゆる戦いに耐え、あらゆる敵に遭遇した。今、時の波が私を新たな港へと運んできた。そこは陽光に満ち、汽笛が長く鳴り響くなか、私の人生に新たな旅が始まる」。

父は少しずつ大胆になり、毛沢東時代の文化政策を批判し、芸術にもっと自由を、と主張した。翌一九七九年一月十二日、作家や芸術家のフォーラムで、こんな発言をした。「批判の自由だけあって議論の自由がないのなら、だれが創造的になれるだろうか」。その五日後、詩の雑誌『詩刊』がスポンサーになった別のフォーラムでも、「政治的民主主義がないところでは、芸術的民主主義を語ることはできない」と語っている。「民主主義は盆に載せられて運ばれてくると思ってはいけない。闘争によって勝ち取るのだ」。なぜこんなに長いあいだ、人々は本当に思うことを言えなかったのだろうか。それは真実が権力者の怒りを買い、恐ろしい罰をもたらし、自分と家族を破滅させただろうから、と指摘した。今から、将来も、詩人は真実を話さなければならない。問題を指摘し、「なぜか」と問わねばならない。

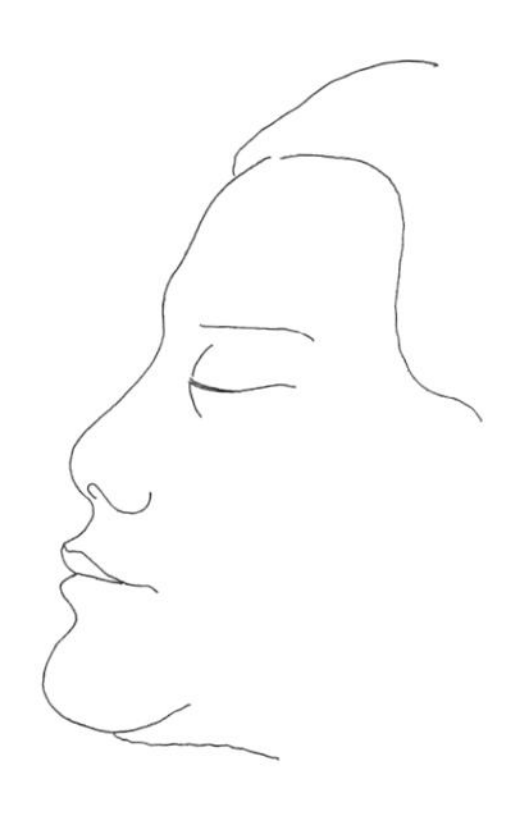

艾青による高瑛のスケッチ、1978 年

三月、ついに父は長年待ちわびた知らせを受けとった。

艾青を右派とした決定の正式な訂正、完全な名誉回復だった。党員の資格、政治的地位、元の給料のランクもすべて回復した。家族、子供、友人などに悪影響がおよぶことはなくなった。

それから少しして、香山(シアンシャン)公園を散歩していた父は、最近秦城(チンチョン)刑務所から出所した周揚に偶然出会った。以前は文化の皇帝だった男が寄ってきてわびたという。「艾青同志、あなたの件で、我々は間違っていた」。

「間違っていた」と言うのは簡単だ。しかし、彼らが「間違って」しまった多くの人が、生き延びられなかったのだ。父はのちに、自分の復権のことをこんなふうに言っている。「海の底から散らばった記憶をさらうのは容易ではない。海水で錆(さ)びたり、元の艶(つや)を失っているものも多い。長いあいだ、私は世界から切り離されていた」。

それでも、艾青は失った時間を取り戻すのにベストを尽くした。一九七九年八月から八二年のあいだに百編以上の詩を出版し、中国国内と海外を精力的に旅行して回り、幅広く、高い評価を受けた。一九七九年五月には、西ドイツとオーストリア、イタリアを訪問、一九五四年以来の海外旅行だった。ミュンヘンでの催しで詩を朗読してほしいと言われると、父はにっこり笑ってポケットから数片の紙を取り出すと、通訳者に手渡した。それはベルリンの壁についての詩だった。

一枚の壁が刀のように
ひとつの都市を両断して
半分は東にあり
半分は西にある

壁の高さはどれほどか？
厚さは？
長さは？
どんなに高く、厚く、長くとも
万里の長城には比べられない
もっと高く、厚く、長くとも
ただ歴史の痕跡
民族の傷痕にすぎない
誰もそんな壁を好まない
高さ三メートルが何だろう
厚さ五十センチが何だろう
長さ四十五キロが何だろう
その千倍高くても
千倍厚くても
千倍長くても
どうして遮ることができよう
雲や風、雨や太陽を？

どうして遮ることができよう
飛ぶ鳥の羽を、ナイチンゲールの歌を

どうして遮ることができよう
流れる水と、空気を？

どうして遮ることができよう
何千万もの人々の
風よりも自由な思想を
大地よりも深い意志を
時間よりも長い願いを？

（『壁』、原題：『墻』、一九七九年）

十年後、ベルリンの壁崩壊の日、一人の青年が壁の下でこの詩を朗読した。
一九八三年、父はこう書いている。「正直なところ、あまりにも混乱と不安ばかり経験してきたから、今はまったく落ち着いている。私よりも若い人が何人も亡くなっているが、私は生きている。もし私が七、八年前に死んでいたら、犬が死んだも同然だったろう。一九三二年に『会合』が発表されてから半世紀がたった。私の物書きとしての生活は、長くじめじめした真っ暗なトンネルに入って、生き延びられるかどうかわからなかったことも何度かあるが、今、ついにトンネルを抜けたのだ」。
この「トンネルの向こう側」が父の人生の苦悩の終わりを表したが、そんな苦痛をもたらした体制は終わったとは言えず、未来はこれまで以上に不確かだった。新疆から北京に帰って父の人生は変わったが、私の人生も変わった。新たな現実に共感するには、悪い思い出が多すぎた。やはり、父のように国を出てしまうのが唯一の道だと、私は思うようになった。

第十章　民主主義か独裁か

一九七八年八月、私は北京電影学院の美術部アニメーション学科に入学した。毛沢東（マオ・ツードン）時代はしだいに過去となり、個人への絶対的服従や崇拝は見られなくなった。歴史の新たなページが開かれたようで、人の心は弾んでいた。国内の生活は物質的・精神的に大きな打撃を受けたが、破壊されたからこそ、新しい物や考え、人々が入り込む機会ができたのであり、新たに力を得た層は、改革の時代に生まれた幸運を喜んだ。親世代の疑惑の雲はまだ晴れず、少し年上の世代はまだ辺鄙（へんぴ）な田舎の畑できつい労働をしているかもしれないが、私たちの未来は明るいと思えた。

しかし、私はすぐに、自分の子供時代を形づくった、というより変形させた毛沢東時代と同じくらい、ポスト毛沢東の世の中にもなじめないのを知った。ほかの人が当たり前に思う標準や常識にことごとく反感を覚え、いつでも肩に力が入っていた。同級生の多くは恵まれた上層部の家庭出身だ。彼らの洗練されたマナーを見るにつけ、自分はアウトサイダーだという意識が強くなった。

一九七八年十一月、北京の中心地、西単（シーダン）交差点近くの工事現場横のレンガの壁に、「機械工〇五三八号」とサインされた大きな壁新聞が貼りだされた。内容は驚くほど大胆で、いつもの四人組告発をはるかに超えて、毛沢東本人を批判していた。それから四カ月のあいだ、高さ三メートル、長さ八十メートルのこの壁を舞台として、独裁体制を批判し、民主主義と言論の自由を求める運動が展開する。

ひときわ光彩を放ったのが二十九歳の魏京生という、電気技師から思想家・作家に転じた人物だ。彼の記事『第五の近代化――民主主義』は一九七八年十二月五日に貼られ、一九四九年以来の共産党の政策を鋭く批判し、さらに新指導部のメッセージをもきっぱりと拒絶していた。そのメッセージは魏の言葉によると「四つの近代化を基本理念としよう。確実に、調和をもって前進し、忠実な老牛のように勇敢に革命に仕える。そうすれば楽園――共産主義の繁栄と四つの近代化――が来る」という、オーソドックスな社会主義的筋書だ。魏京生は画期的な新案を打ち出した。「我々の経済や科学、軍事などを近代化するには、まず人間と社会を近代化しなければならない。民主主義と自由、全員の幸福が、近代化のただ一つの目標だ。この〈第五の近代化〉がなければ、ほかの近代化は新たな嘘にすぎなくなる」。魏京生は私の頭に渦まいていた思いを言葉にしてくれていた。

一九七九年一月下旬、鄧小平が九日間の日程でアメリカ合衆国を訪問した。共産党の最高指導者がアメリカの地を踏んだのはこれが初めてだ。ジミー・カーター大統領は、ワシントンDCのケネディ・センターでガラ・コンサートを催した。最後を飾ったのは二百人の小学生たちの歌う『私の好きな天安門』だった。鄧小平は感動した。鄧がカメラの前でカーター大統領をハグする姿に、中国のテレビ視聴者は仰天した。

しかし、中国では三月二十二日付の『北京日報』に、「〈人権〉はプロレタリア的スローガンではない」と題する記事が載り、弾圧の気配がただよってきた。危険をおかして三日後、魏京生は地下出版の雑誌に率直な小論『我々が求めるのは民主主義か、新たな独裁か』を書いた。事態がどちらに動いているか、彼には見えていたのだ。政治は本当に変わったのではなく、イデオロギーによる支配と言論の自由の抑圧は続くのだと。どんな政治指導者も無条件に信頼するわけにはいかないと主張し、鄧小平自身にも独裁的な傾向はあるのだと言った。四日後の真夜中、魏京生は警官に拘束された。ほかの活動家も沈黙を強いられ、「北京の春」と呼ばれた知識人による政治運動は、突然幕を閉じた。

名誉を回復した父が今までにない充実感を得ていた一方で、私は別の道を進みながら、幻滅を深めていた。大学教育も、もったいぶった、うわべだけの偽物と思えた。果てしない砂漠や塩混じりの大地、真っ暗な穴蔵と長い屈辱の年月による無力感から湧き上がる野生の血が、体を駆けめぐるのを感じた。あの記憶のために、私は行きたくもない場所へと常に引き戻されるのだ。昔ながらのやり方で視覚芸術の輪郭や色を追求すること、映画のストーリーや登場人物に入り込むこと——そんな課題にやる気は出なかった。

ある夕方、電影学院の帰りに薄暗い街灯の下を歩いていると、石河子(シーホーズ)での友人、周臨(ジョウ・リン)に出会った。相変わらずシックでセンスの良い服装をしていた。北京師範大学に入学していたが、私と同じで、新たな環境になじめないようだった。

周臨の優秀さには脱帽した。ろくに講義にも出ていないのに、試験前の二日間ですべての教材をちゃんと理解し、良い成績をとってしまうのだ。七〇年代後半、おとなしくて従順な学生が多いなか、彼女のような個人主義の行動はきわめて珍しかった。

二人とも北西部の小さな町から来て、二人とも学校が好きではない、というより、はっきり嫌っていた。周臨は、教室の窓から飛び降りようかと思ったこともあると言い、学校教育への私の考えを理解していた。彼女といると、学校の何が惨めだったのかを説明する必要もなかったし、骨なしとか偽善という言葉の意味を説明しなくても通じた。嫌な記憶を共有した私たちは、いきおい周囲のすべてに反発することになり、現実を否定することでお互いに近づいた。

毎週末に周臨と会うようになった。臨は女子寮住まいで、五人のルームメートがいた。蚊帳(かや)の中にこもって過ごすよりは外に出ようと、私たちは郊外の小麦畑の見える道を散歩し、空が暗くなるまで歩いた。静かな道は、たまにバスが通るだけで、何もかもが停止しているようだった。やがてこの景観は劇的に変化をとげ、私たち自身にもダイナミックな変化が起きる。

電影学院の学生になって一つだけ良かったのが、毎週二本の外国映画が見られたことだ。当時、これはかなりの特権だった。文革のあいだは、江青(ジアン・チン)女史のような特別な人だけに許されていたことだ。チケットは一人一枚なので、二枚目を作り上げるのが私の任務だった。チケットの紙は、偽造を防ぐために毎回背景と色が変えられている。私はほうぼう探し回ってちょうど合う紙を見つけた。実際に映画を見ることより、周臨をうまく上映室に忍び込ませることのほうが大事だった。子供のころから身につけた線画の技術のおかげで、元のチケットを寸分の違いもなく再現でき、誰にも本物との違いがわからなかった。いつも私を疑う点検係りがいた。あるとき二枚のチケットを長々と点検し、これは偽物だと言ったが、彼が指さしていたのは本物のほうだった。

文革のあいだは外国文化が忌み嫌われていたから、こうして暗い部屋に座ってヨーロッパやアメリカの映画を見て、通訳が訳したセリフを聞くのは、とまどうような体験だった。何年もたってからフィラデルフィアでポルノ映画を見に行ったときよりも、よほど緊張したくらいだ。とくに好きだったのはフェリーニだ。彼の映画の奇怪な、ときに心を打つシーンが、自分の経験と共鳴する気がした。

このころ、アメリカにいる周臨の二人の叔母(おば)が、一九四九年以来初めて北京を訪れた。帰り際、何か送ってほしいものはあるかと尋ねられると、臨はすぐに「世界の芸術の本」と答えた。この本で、私は世界中の芸術作品に出会ったのだ。後年ニューヨークで何度引っ越しても、この画集だけは手放すことができなかった。自分の作品を捨てるほうがましだった。

周臨の父親は整形外科医で、十時間以上ぶっ通しで手術台に向かうこともあった。母親は英語教師で、きょうだいは若くしてアメリカに移住していた。周臨の両親だけが中国に残り、革命に加わった。

新疆に移ったのは、国境地帯の開発を支援するためだった。

口には出さなくても、周臨が母親を深く愛していたことはわかった。母親は文化大革命の初期に紅衛兵に連れ去られ、帰らぬ人となった。激しく殴られたあとに、女子トイレで首を吊っているのが発見されたのだ。そこまでの敵意を向けられた理由は、英語を流暢に話すからだった。

周臨はアメリカで教育を受けたがっており、親戚も協力を惜しまなかった。アメリカに行ったら、もう帰ってこないだろう。自分が住む社会への嫌悪を隠さなかったのは私だけではない、彼女も同じだった。思ったより早く、周臨はアメリカへと旅立っていった。辛かったが、彼女のために私は喜んだ。自分の一部が自由を得たかのように感じて。

周臨はピッツバーグ大学に入学し、しばらくしてファン・ゴッホのひまわりの絵の前に立っている写真を送ってくれた。一緒にいたころ、彼女はよく私のことを最高のアーティストだと言っていた。私の作品などわずかだったから、ずいぶんと大げさな話だ。あまりに真面目な表情なので、逆に嘘をついているみたいだった。でも彼女は本当に確信していたのだ。とにかく、それを聞いた同級生はすっかり信じた。彼らにしてみれば、アートはプロパガンダ用ポスターの寄せ集めにすぎなかったのだ。

一九七九年九月下旬、私たちアニメーション科の学生は、上海美術映画製作所で実習していた。そこへ北京の友人から面白いニュースが伝えられた。二十人以上の北京の芸術家が非常に目立つ場所で、無許可の展覧会を決行したという。百五十点以上の油絵、墨絵、素描、木版画、木彫り作品がかけられたのは、中国美術館を囲んでいる四十メートルの長さの鉄柵だったのだ。「星星画会」のメンバーである彼らは、展覧会を「星星美展」と呼んだ。三日目の朝に公安局が警官隊を送り込み展覧会を閉鎖、すべての作品を柵からはずした。正式な開催許可を得ていないというのが理由だ。

『森』、1977年。『艾青選集』表紙

『上海のスケッチ』、1979年

数日後の十月一日朝、作品をはずされた芸術家たちは長安街で抗議デモをした。芸術の自由を要求し、熱のこもった演説に数百人の聴衆が集まった。実習から北京に帰ると、当局が折れて「星星画会」に、北海公園にある画舫斎というスタジオでの展示を許可していた。私も誘われて、作品を出した。展覧会の最終日には八千枚ものチケットが売れた。翌年も「星星美展」は開かれ、父の旧友で中国美術家協会の会長になった江豊氏の支援もあって、会場は中国美術館となった。展覧会の序文には、「我々はもう子供ではない。世界に対して、新しい、成熟した伝達手段で取り組むのだ」とあった。入場者数はさらにふくれ上がった。

星星画会の活動は、芸術の世界での変化を求める運動が一定の成果をあげたことを示したが、政府は政治上の反対意見は決して許さなかった。十月十六日、魏京生は裁判にかけられ、たった一日審理されただけで十五年の懲役刑が言いわたされた。罪状は軍事機密の漏えいや反動的論説、反革命の煽動など、でっち上げだった。厳しすぎる判決は、私に深刻な影響をおよぼした。中国政府の本質はシニカルで野蛮であるという考えが深まり、共産党が原則として表現の自由を認めないこともはっきりした。意見交換の場だった西単の「民主の壁」は、魏京生の裁判によってその短い全盛期を終え、今後の見通しは暗かった。チャンスがあればすぐにでも国を出ようと、私は心に誓った。

第十一章　『ニューヨーク・ニューヨーク』

一九八一年、私は電影学院に自費留学の希望を提出した。前代未聞の話で、ただちに却下された。ならば退学するが、それでいいか、と私は返した。大学側が文化部（庁）に助言を求めたところ、出発前に私に「愛国教育」と「秘密厳守の訓練」をすることを条件に、申請が許可された。

アメリカ留学など亡命も同然だと思う人は多かった。一九四九年から、政府派遣以外で海外留学することは事実上不可能だった。中国は西側とは三十年以上、ソ連圏とも二十年以上関係を断ち、孤立していた。やっとアメリカやヨーロッパとの関係が回復し、自費で留学する学生が現れた。私はその最初の波に乗ったのだ。

パスポートを作ることから簡単ではなかった。まずは「単位」（所属する組織のこと。この場合は大学）から承認の署名をもらわなければならない。さらに「単位」からの紹介状を添えて申請書を公安局に送る。書類は私の偽造映画チケット以上の綿密さで調べあげられた。

パスポートを得るのが難しいと言っても、ヴィザよりはましだ。ヴィザを手にして初めて、地元の警察署に行って戸口登記（戸籍・住民登録にあたる）と居民身分証を抹消してもらい、また公安局に戻って、海外への航空券を買うときに必要な出国カードをもらうことができる。

アメリカ大使館のヴィザ担当者は背の高いアフリカ系の青年で、きれいな標準中国語を話した。私がアニメーションを勉強するのだと知ると、ディズニーランドにはぜひ行くといいよと言い、ヴィザを発行してくれた。

　そのころ中国の外貨準備高は限られており、北京では人民元をドルに換金できるのは、王府井（ワンフージン）にある中国銀行本店だけだ。私は窓口でパスポートを出し、ニューヨークからフィラデルフィアにバスで行くために現金が要るのだと説明した。周臨（ジョウ・リン）はすでにペンシルベニア大学に移っていた。担当の女性はアメリカの地図を出すと二つの都市間の距離を注意深く測り、そこから計算して現金三十ドルを渡してくれた。銀行の外に出ると、農民たちが骨董の陶器の壺を自転車の荷台にくくりつけて立っていた。外国人が群がって品定めをし、値段を交渉していた。この光景は私の中にいつまでも残ることになる。

　早く出発したくて仕方がなかった。母に見送られたのは二月十一日のことだ。空港に向かう車中で、私は母を安心させようと平静を保ち、アメリカ行きは「家に帰る」ようなものだと言い、十年もたてば、あなたの息子は第二のピカソになっていると約束した。


　西洋の暮らしにあこがれたからアメリカに行くのではなかった。何より、これ以上北京で暮らすのが耐えられなかったのだ。出発の少し前に父が、自分の時代の留学生は普通、学業を終えればすぐに帰るものだったと釘（くぎ）をさした。もう時代が違うんだと、私は心のなかで思った。

　飛行機はケネディ国際空港へと下降する直前に、ニューヨーク上空を旋回した。眼下に沸きたつ幻覚めいた大都会が広がり、溶けた鉄のように車の列が流れている。それを目にすると、母国で何年もたたきこまれてきたアメリカについての既成概念が、煙のように消えてしまった。

　フィラデルフィアへ向かうバス旅の途中で大雪になった。グレイハウンドバスを降りると、深い雪のなか、目の前に周臨が立っていた。世界の反対側で、また一緒になれたのだ。ペンシルベニア大学のキャンパスまで歩いてすぐのタウンハウスの二階で、私は周臨と一緒に住みはじめた。

まずは英語をみがき、その後、ニューヨークへ出てアートを学ぶ計画だった。周臨に励まされ、まだ時差ボケも解消しないうちに、通りの家の呼び鈴を押して歩いた。ドアを開ける人がいれば、自分は中国から来た学生です、何か仕事はありませんか、何でもします、と辞書を片手につっかえながら話しかけた。すぐにツキが回ってきた。女性が玄関に出てきて、見知らぬ男が立っているのに驚いたものの、すぐに北京動物園でパンダに会ったニクソン夫人みたいにうれしそうな顔になった。

この女性の家を掃除し、庭仕事をするのはちょうどいいアルバイトだった。会話はほとんどしないでいいし、たいした手間でもなかった。問題だったのは、用途別に細かく分かれた山のような掃除用品を正しく使うことくらいだ。これが私の初仕事だった。北京なら数カ月かかるような額が一日で稼げた。小銭がなければ、おつりは要らないと多めにくれた。上乗せされた分で、大きなサイズのアイスクリームが買えた。仕事を終えると、鍵(かぎ)を玄関マットの下に入れて帰ればよかった。

英語教室に入った。世界中から来た学生たちがあらゆる言葉を話していた。私も含め、新生活を熱望している生徒たちだが、文化に融(と)けこもうとするつたない努力は、服装や会話で丸わかりだった。三月下旬のある朝、先生がいつものようにきびきびした足取りで教室に入ってきて、私たちにもわかるようにゆっくりと、「レーガン大統領が撃たれました」と告げた。一瞬アメリカン・ジョークかと思ったが、本当だった。ロナルド・レーガンは就任して三カ月もしないうちに暗殺の標的となったのだ。アメリカ人の銃への執着は、私の考える「公正」の解釈の幅を広げることになった。中国では銃器を手にするのは兵士だけだと思って育ったのだ。

時間があればフィラデルフィア美術館に行った。教会のように静かで、絵の前にはエレガントな装いをした女性が数人、まばらにたたずんでいるだけということもよくあった。新疆（シンジアン）にいた時分、父は引き出しの奥にロダンの彫刻の写真集をしまっていた。それをこっそり見るとき、いつも顔がほてり、心臓が高鳴ったものだ。実物の『接吻（せっぷん）』の前に立ってみると、恋人たちの大理石の肌は硬く冷たく、かつて私が想像したような謎めいた艶（つや）はなかった。

あるギャラリーには、自転車のホイールが木の椅子に載っていた。ひび割れた大きなガラスのパネルが二枚上下に重ねられた作品では、上半分の「花嫁の領域」と下半分の「独身男の機械」の関係について、見る人が首をひねることになった（デュシャン『彼女の独身者たちによって裸にされた花嫁、さえも』）。『一・落ちる水　二・照明用ガス、が与えられたとせよ』（Étant donnés:1° la chute d' eau /2° le gaz d'éclairage）という、二十年の歳月をかけて制作された遺作では、古びた木の扉にのぞき穴があって、のぞくと藁（わら）の上に脚を広げて寝そべった裸体の女性が、石油ランプを手にしていた。私も見覚えのあるランプだ。作品に夢中になって、作者の名前を見るのも忘れていた。このアーティストが自分にとってどれほど重要だったか、気づくまでには少し時間がかかった。

やがて周臨がコンピュータ・サイエンスを勉強するためにバークレーに移ることになり、私もついて行った。西海岸の暮らしはのんびりしていて、太陽は輝き、誰もが気楽そうだった。キャンパスの北端に近い、元女子学生会館だったところが「パックス・ハウス」という学生アパートになっていて、二十名あまりの学生が住んでいた。私はそこで下働きの仕事を得て、小さな屋根裏部屋の家賃に充てた。皿洗い以外に毎週スーパーで食料品を買い、自分よりも背の高い冷蔵庫に入れておくという任務もあった。次に冷蔵庫を開けたときには、まるで魔法のように、まったく何も残っていないことがよくあった。

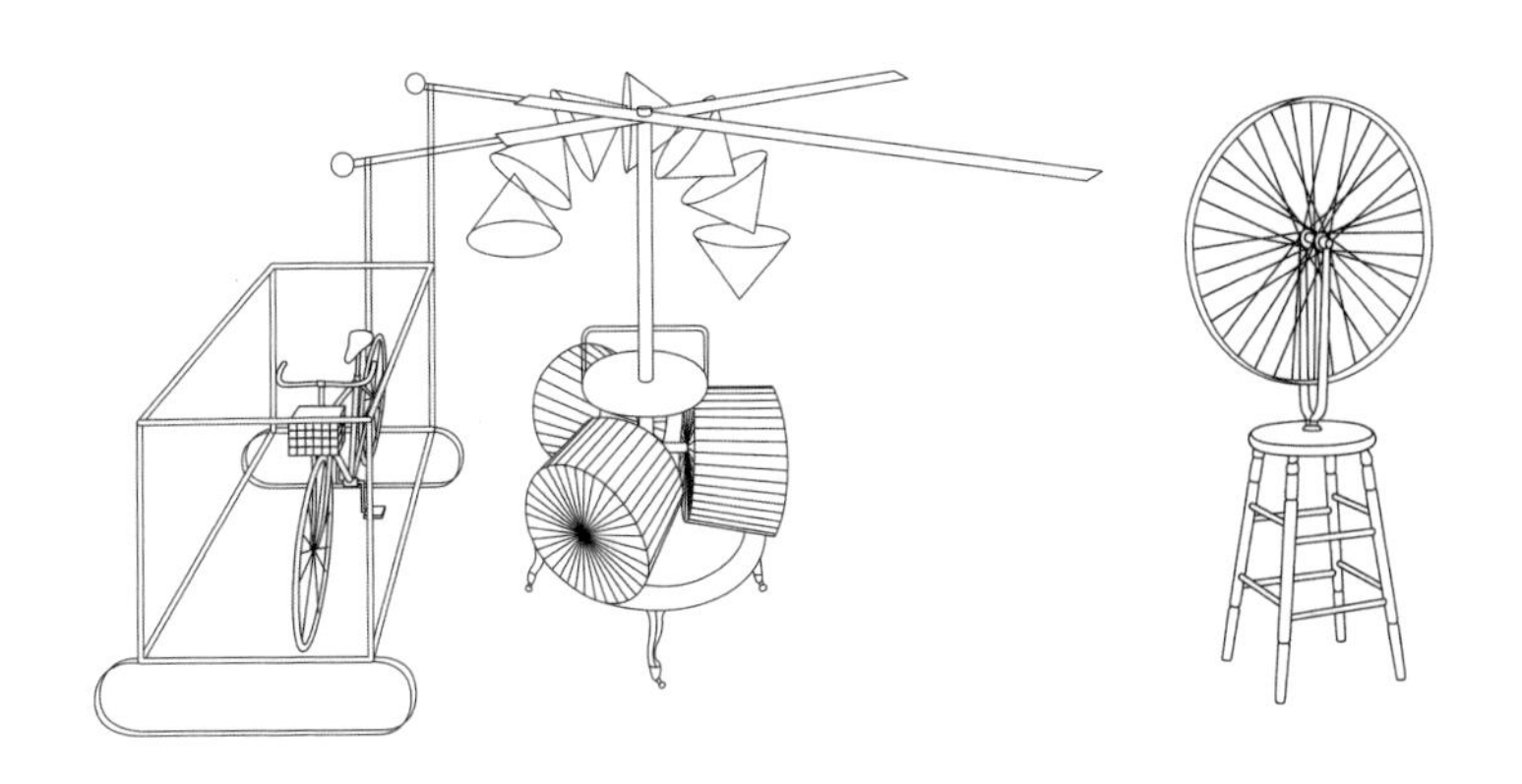

マルセル・デュシャンの『自転車の車輪』のスケッチ／右
デュシャンの『チョコレート磨砕器』部分に艾未未の『自転車』を組み合わせた習作／左

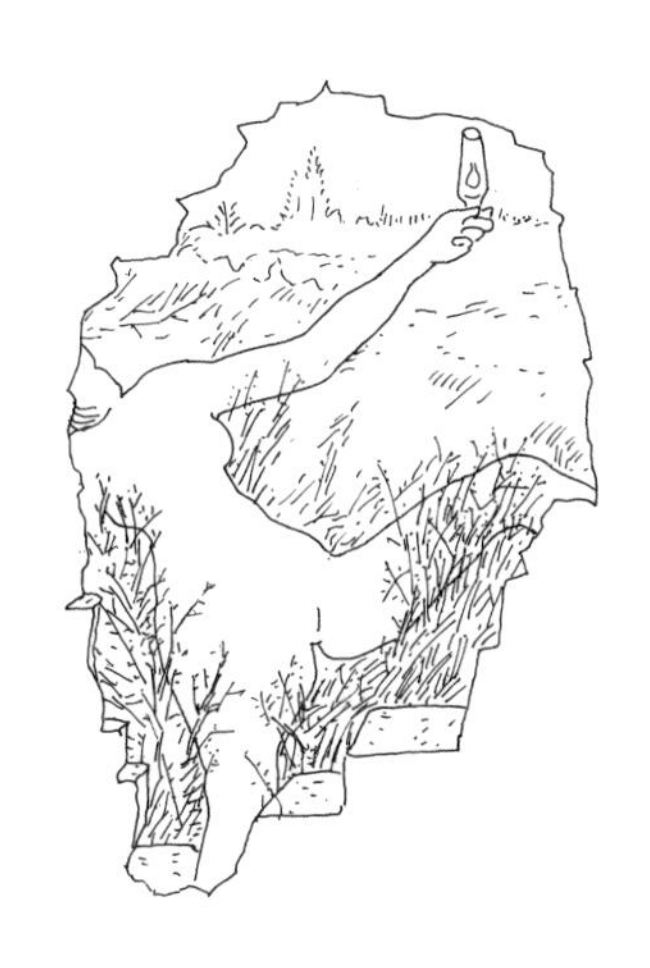

マルセル・デュシャン『一・落ちる水
二・照明用ガス、が与えられたとせよ』のスケッチ

周臨は履修コースの厳しい課題を、きっちり巻かれた時計のような精確さでこなしていき、時間ができれば自転車で寂しい一人暮らしの老人を訪ね、面倒を見ていた。私は庭を掃除し、家の修理をし、何でも屋として忙しくしていた。一年ほどすると、これ以上バークレーにいたら日光に毒されて脳が止まってしまうと感じた。幸運にもパーソンズ美術大学に奨学金付きで入れることになった。周臨もそれを聞いて喜んでくれたが、二人は別々の道を行くということになる。果実が熟して自然に木から落ちるような別れだった。

私が出て行く日、机の上にはがきが置かれていた。「いつかあなたの名前を新聞で見る日が来ると思う」。サインは「パックス・ハウス」の住人の一人で、サッカー好きの一風変わった女子学生だった。ほかの人には見えない私の良さを見つけてくれたのだろう。

ニューヨークに着いたときには、もうクリスマス休暇が始まっていた。ユニオン・スクエアに面した十四丁目の角に立ったとき、早くもこの魅惑の都市の一端を感じた。

私はいつも、父が自由に言葉を操れることをうらやましく思っていた。その才能のために、父は若いころから自分の得意分野を見きわめ、自信をもって進むことができた。私が悔やむのは、どんなに難しい境遇にあっても言葉の力を駆使し、書くことに集中することで慰めを見いだす能力が備わっていなかったことだ。それができたら私の道はもっとすっきりし、生産的だったかもしれない。時間を浪費し、無為に過ごすことはなかったかもしれない。

パーソンズ大では、アイルランド人の画家ショーン・スカリーから絵画の指導を受けた。クラスの初回、私はツイン・ベッドくらいもある大きなわら紙を床に広げ、中国製の筆を使って等身大の人間を苦もなく線描きした。自信たっぷりで器用な私に感心したクラスメートたちが寄ってきて、私を取り囲んで見守った。夢中になっていたので、描き終えたときにやっと、ショーンがすぐ後ろに立っているのに気づいた。彼は冷たく、こんな最低な絵は見たことがないと言った。
　ショーンの作品には、内なる感情が抑制されている。彼は大切にしている言葉をたびたび引用し、詩や警句を好きなようにまぜた。覚えている一例をあげると、唐朝の詩人、王維（おうい）の二行連「大漠孤煙直／長河落日圓」（広い砂漠に煙が一筋立ちのぼり、大河に丸い太陽が沈んでいく）（長詩『使至塞上』の一節）を引用した
　ショーンは、遠くから見ると山は山のように見えないし、水も水のようには見えない、というようなことを語った。中国での教育とは違い、授業では自由に意見が交換される。学生の作品に対しショーンがコメントし、クラスメート同士でお互いの絵を批評した。けなされれば自己弁護に走ってしまうものだ。緊迫した雰囲気になってしまうこともよくあった。

『人体デッサン』、1982 年

　トライベッカにあるショーンのスタジオを訪ねたときの私たちは、よその鳥の巣に入りこんでしまった迷い鳥の群れだった。板張りの床には絵筆や絵具のチューブが散乱して災害現場のようだし、壁には、やがて現代の古典となるショーンの大きな油絵が何枚も立てかけられていた。美術評論家のアーサー・ダントーは、そのころからショーンを「現代の重要な画家のなかでもトップグループに名を連ねる」と言っていた。ショーンは常にウィスキーのタンブラーを胸元に抱え、まるで、いつでもフックを繰り出せるボクサーのようだった。軽々とした筆運び、豊かな持ち色（カラーパレット）はこの上なく

美しかった。しかし、未熟な私たちはただ彼の色の厚みにばかり気をとられ、美の大事なポイントを見逃していた。

私がショーン・スカリーと再会するのはその三十年後になる。彼が中国に来るとは思ってもみなかったが、ある日驚いたことに、北京の私のスタジオを訪ねてくれたのだ。ショーンは少し歩き回ってから、これはドイツにある自分のスタジオと対等だと言った。

パーソンズ美術大学は金のかかる幼稚園のようなものだった。手のつけられない子供たちの行動をまともにすべく、うまくなだめるのだ。だがそこで過ごした時間は私には重要だった。自分がアートの世界の岸辺に立っているのを感じた。目の前には広々と視界がひらけ、頭の中にさまざまな考えがもつれていた。私は心惹かれるコンセプトや表現方法を探しはじめた。

ところがやっと美術学校というものに慣れはじめたころに、退学することになった。美術史の期末試験でしでかしたことのためだ。その日、講堂は学生でいっぱいだった。私は質問をざっと見て、試験の冊子の右上に自分の名前を書くと、部屋を出てしまった。ワシントン・スクエアに立ってみると、別にどこへ行きたいという場所もない。空は高く、雲はまばらだった。すばらしい天気に、かえって途方に暮れた。ニューヨークの気候は北京によく似ている。距離はずいぶん離れているが、二つの都市は緯度が同じなのだ。

私は別に美術史そのものを軽く見たとか、ピカソと愛人たちのエピソードがくだらないと思ったから白紙を提出したのではない。単に気持ちがあやふやだったのだ。自分が何を好きなのか、わかっていなかった。あの行動について教授にきちんと説明する機会がなかったのは残念だ。彼女は私が努力をする気もないと感じたのだろう。とても辛抱強い、熱心な先生だったから、努力さえ認められたら合格にしてくれただろう。しかし、自分の英語力では思ったことを満足いくようには書けないと感じた。最も簡単な解決法が、白紙で提出することだった。その報いは奨学金の打ち切りだった。

パーソンズを去った私は、当時はユダヤ人とヒスパニック系の混じったコミュニティだったブルックリンのウィリアムズバーグに引っ越した。しかし、すぐにまた移ることになった。ある日、私はロウアー・マンハッタンのアルファベット・シティで、アパートの鍵を受けとるために家主を待っていた。東三丁目とアベニューAの角だ。ロウアー・マンハッタンにしては、せわしなさがなく、戦後の東欧を舞台にした映画のセットのように暗く陰気だった。小柄な家主のお婆さんがやって来て私を見上げ、早口のイディッシュ語でまくしたてた。バス・トイレ付きのワンルーム、キチネットに小さな冷蔵庫がついていた。ゴキブリが一匹レンジの上にとまって私を歓迎してくれた。外では小雨が休みなく降っていたが、傘を持たない人々が玄関前の階段にたむろしていて、立ち去る気配もなかった。ドラッグの売人とジャンキーたちは、どこでもおかまいなく寛(くつろ)いでいた。

布団一枚と、公園から運んできた古びた緑色のベンチくらいしか家具はなかった。道端に捨ててあったテレビを拾ってきて、ずっとつけっぱなしにした。のちに私はイラン・コントラ事件のヒアリングのモノクロ画面に張りつくことになる。民主的な司法手続きの表面下でくすぶるスキャンダルに衝撃を受けた。

帰属意識が必要なのは、貧乏人でも金持ちでも変わりない。汚れて腐った無秩序なロウアー・マンハッタンで、私は家にいるように気楽だった。逆にもしパーク・アベニューのマンションをあてがわれたら、すぐにうつ病で死んでしまっただろう。私は年季の入ったニューヨーカーたちの鋭敏さ、隙のなさを真似することを覚えた。地下鉄では人と目を合わせず、歩くときは絶対に足取りを乱さず、まるでいったん止まると再起動するのが難しい機械のようだった。帰宅したらすぐに鍵をかけ、ドアベルには決して応答しなかった。アルバイトが入るとしばらく忙しいが、それ以外の時間には制約もなく、気分しだいで何をしてもよかった。緑色の陸軍の戦闘服か、パッド入り軍用コートを着こんで、私はいつも通りをうろついていた。

自宅周辺も吸血鬼のような血走った目をした人間だらけだが、マンハッタンのダウンタウンを離れるときはさらに緊張した。西五十七丁目にあるアート・スチューデンツ・リーグ・オブ・ニューヨークが提供するクラスに登録した。在留資格を失わないためにはどこかに所属していなければならないからだが、そうでなければ足を踏み入れたくない地域だ。この美術学校には長く優れた歴史と、じつはそれよりも大事な、柔軟な授業料システムがあった。一年分の授業料を一括で払うのではなく、授業ごとに払うことも選べたのだ。パーソンズに比べると校舎はみすぼらしいが、大物を輩出している学校だった。

私の教師はリチャード・パウセット＝ダート、多才なアーティストで当時六十代後半だった。その姿からはジャクソン・ポロックの仲間だったとは想像もつかないのだが、あの聖なるニューヨーク・スクールのなかで今も活躍中のアーティストであり、初期の油絵が一枚、メトロポリタン美術館に展示されていた。歴史の生き証人に接し、私は元気をもらった。パウセット＝ダートはいつでも、私がそのときにしていることを、もっとやれと励ましてくれた。しかし絵画ではキャリアを築く力はないとわかっていた。学校にいたのはただ、もっとふさわしいことを見つけていなかったからにすぎない。

ときおりギャラリーをはしごして、展示された作品がどんなにわけがわからなくても短絡的に判断せず、きちんと評価しようとしてみた。忍耐力と教養を養っていたのだ。別のときには、頭が現実離れした夢想でいっぱいで、時間の使い道に名案もなく、あてもなしに家を出て、でたらめに信号が青の方向へ進んだ。

ある印刷所の夜勤として働きだした。西十三丁目と十番街の交差点近くだ。食肉処理場が集まっていたため、ミートパッキング・ディストリクトと呼ばれる地域で、屠畜場や包装工場は徐々に閉鎖されていたが、まだ血の匂いがただよっていた。歩道には不要になった物流用木製パレットが山のように積まれ、冬になるとホームレスがそれを集めては古い石油缶に放り入れ、火をつける。その周囲に立って暖をとり、炎の明かりで顔を赤くしながら酒を飲んで話し込んでいた。夕方に出勤する私はドーナツの箱を抱え、むしゃむしゃ食べながら、そんなたき火をいくつも通り過ぎた。

ある日、ブロードウェイにあるストランド・ブックストアの地階で隅っこをぶらついていると、アンディ・ウォーホルの『ぼくの哲学』（原題『The Philosophy of Andy Warhol: From A to B and Back Again』）という本に出くわした。見返しに本人のサインがしてあった。これが、隅から隅までむさぼるように読んだ初の英語の本になった。ウォーホルの言葉は、今のツイッターの簡潔なメッセージに似ていた。読む喜びと、理解できたときのうれしさを想像することで楽しくなった。この本に感じた私の愛着は、歩くときも踊るときも杖を手放さないという、ケニア人と杖の関係にちょっと似ていた。私は同じ版、同じ表紙のその本を何冊も買い込んだ。それを読むことは――ところどころしか理解できなかったが――宗教儀式のようなものだった。もしいつか完全に理解するときがきたら、その知識はまたたく間に煙のように消え失せてしまう気がした。

そのうち私はアート・スチューデンツ・リーグからも追い出され、学生の身分を失い、ニューヨーカーの七人に一人と同じ、不法滞在者になった。当初はかなりこたえたが、そのうち楽観的になった。わざと成り行きまかせに進む自分の傾向は自覚していたから、こんなことになるのは予感していた。苦境は自分の自由の代償だと受け入れた。むしろ自由のしるしだ。冷蔵庫に牛乳のパックがある限り大丈夫、と感じた。

大樹に取りついた小さな蟻のような自分にとって、生き延びるのは難しくなかったし、ニューヨークは大樹以上のものだ。深い森であり、目の届く限り続いていた。私はそのなかに、誰にも知られず気づかれず、紛れこんで消えてしまえた。まさにそれが好ましかった。当時は自由というのは単純に、心配や責任から自由ということだった。世界から忘れられていれば、無鉄砲になるのはたやすい。

八〇年代のイースト・ヴィレッジは現代アート・ブームに沸いていた。キース・ヘリングやジャン＝ミシェル・バスキアの過激なグラフィティ・アートが注目されていた。近所の「インターナショナル・ウィズ・モニュメント」ギャラリーでは、三つ並んだ水槽それぞれにバスケットボールが漬かり、スポットライトが当てられていた。とても気に入ったが、値段は私の一年間の家賃の数倍もした。一方では吹きさらしのクーパー・ユニオンの駐車場で、ウールのコートを着た長身の痩せたアーティストが、足元に雪玉を並べて売っていたりもした。

ニューヨークにいる何万人ものアーティストのうち、稼げているのはせいぜい数十人だった。人によっては芸術も投機の対象であり、次のトレンドを探し出す競争の一つにすぎなかった。アートは消費財になりはてて久しく、金持ちの趣味に合わせた装飾品であり、商業的圧力のもとで堕落する運命にあった。作品の金銭的価値が高まるにつれ、精神的な次元は低くなり、投資資産、金融商品にすぎなくなる。

ウエスト・ブロードウェイのメアリー・ブーン・ギャラリーでは、エリック・フィッシュルによるアフリカの女性や少年が海辺で遊んでいる絵や、バーバラ・クルーガーのスローガンのような政治的コメント、それにジュリアン・シュナーベルの巨大なカンバスが展示され、まさに金融都市としてのニューヨークを反映していた。私はそんな作品の芸術性に感嘆し、メアリー・ブーンに直接会う機会もあった。シックで小柄、そして野心あふれる女性だった。ただ、こうした作品群は八〇年代にニューヨークでもてはやされたアートの多くと同じで、私の人生経験とかけ離れすぎていた。

階段を下りる裸体の習作

それからほぼ十年後、北京のスモッグのなかにいた私の電話が鳴り、相手はメアリー・ブーンと名乗った。ギャラリーで私の作品を展示したいと言うのだ。私は何と言っていいかわからず、とにかくその場で承諾した。

再び引っ越しするときが来た。ソーホーの「キッチン」というアート・スペースの掲示板には住まいの広告がたくさん貼られ、この都市に流れてきた人々の情報センターの役目を果たしていた。希望にあふれていても不安に苦しんでいても、人間どこか寝る場所が必要だ。そこで見つけた住所のメモを握りしめ、私はトライベッカのハドソン・アベニュー百十一番にたどり着き、ベルを鳴らした。アジア系の小柄な男性が玄関を開けた。「サム」と名乗ったが謝徳慶（シエ・ドーチン）という中国名もある、台湾出身のパフォーマンス・アーティストだった。数年前に彼は縦三・五メートル、横二・七メートル、高さ二・四メートルの木製のかごを組み立て、なかに閉じこもって一年を過ごした。期間中は誰とも話さず、読むことも書くこともしない。毎日友人が食事を運んできて、排泄（はいせつ）物を回収する、それだけだった。私と出会った時点で、この「一年間のパフォーマンス」をすでに三度もおこなっていたが、数を重ねても簡単になるものではなかった。

謝徳慶は別の仕事を準備中だった。もう一人のパフォーマンス・アーティスト、リンダ・モンターノと、二・四メートルのロープで体をつないで一年を過ごそうという企画だ。このプロジェクトにエネルギーを全部取られている徳慶は、仕事場の一部を又貸ししようと考え、そこに私が現れたというわけだ。

謝徳慶は頭が切れ、意志が強かった。冷静沈着なのはニューヨーク的でもあったが、台湾人らしい自然な自制心もあった。彼の仕事場は、以前は重機の修理工場だったところで、板張りの床の状態は良くなかった。油がしみ込み、きつい臭いがした。窓を開け閉めすると、嫌なきしみ音を立てて抵抗した。ドアには水平に金属のさし錠がかかっている。紫禁城のかんぬき並みに頑丈で、どんな力でも壊すことはできそうにない代物だった。

屋根裏は巨大で何もなく、私の足音だけがうつろに響いた。ところが最初の夜、私はいきなり目を覚まされた。すぐ下がディスコだったのだ。床は「ガールズ・ジャスト・ワナ・ハヴ・ファン」のけたたましいコーラスと共に揺れていた。最初は普通の時間に眠るのをあきらめて、夜になると、当時は人通りもなかったトライベッカの倉庫街を中国製の安いローファーを履いてさまよった。しかし、しばらくするとやかましさに慣れてしまい、とうとう私の耳には騒音が静寂の一形態として聞こえるようになった。その後、静かな場所に移ったときは、しばらく慣れなくて大変だったほどだ。

徳慶の部屋にはシングルベッドが二つ、九十センチほど離して平行に置かれていた。彼とリンダはロープでつながれたあとは今までどおりに暮らした。徳慶はデザインの仕事をし、リンダはプロジェクトについてインタビューに答えたり、瞑想（めいそう）したりした。違っているのは二人が常に至近距離にいなければならないことだけだ。リンダが瞑想で至福を味わっているあいだ、徳慶のほうはぼうっと壁の時計を眺めていた。どちらかが何かをすると、どんな行動だろうと相手には苦痛になる。二人は毎日写真を撮って、つながれた日々の記録を残した。

アートは徳慶の暮らしのすべてを占めていて、さらに拡大できないことに彼は焦燥を覚えていた。けれど、また別のテーマで「人生のステージ」を実現するには、詳細な準備が欠かせない。それが、のちにこうしたパフォーマンスを続けるのは困難だと考えた理由かもしれない。アートはどういう見方をしても、常に一つのイベントだ。そして始まりと終わりがあるものだ。

徳慶は黒いチベタン・マスティフを飼っていた。この犬種としては小柄なほうだった。私は犬の名前を覚えることができず、そいつのことも徳慶（ドーチン）と呼んでいた。犬はしょっちゅう私の部屋にやってきた。仕切りのドアをつけなかったせいだ。その冬、徳慶（犬のほう）が重ねてあった私のスケッチの束にたっぷりと小便をかけ、それが固まって結晶のようにきらめいていた。私は腹も立てなかった。むしろ犬が、そろそろ絵画はやめろとはっきり教えてくれたのだと感じた。別の日には、床に落ちていた紙片を拾うと、「未未（ウェイウェイ）、完璧をめざさないで。この世の中に完璧なものなどないから」と書いてあり、リンダのサインがあった。ある意味、私も彼らのプロジェクトの一部だったのだ。

　年末、大勢の人を前に、リンダと徳慶（人間のほう）は自転車泥棒が使うようなボルトカッターを手にし、カメラのフラッシュのなか、自分たちをつないでいたロープを切断した。みんながこのイベントを祝福していたが、私はただほっとした。二人がこのアートのために苦行していたのを見ていたからだ。リンダはその後すぐに出ていき、それからは一度も会っていない。

　リンダと徳慶がアートのビジョンに深くコミットする姿は私のお手本であり、二人と一緒にいると孤独を感じることはなかった。徳慶はカフカの小説の登場人物のようだった。彼がしていることを誰も理解できず、気にとめる人もごくわずかだった。彼は精緻（せいち）な植物標本のようで、自分の中に没入していた。徳慶と私は会えばアーティストの生き方について考えを語り合った。彼はボクサーのようにいつでもパンチを繰り出せ、サンドバッグになるのが私だった。

　すべては始まったばかりだった。この都市を去るつもりはまったくなかった。巨大なニューヨークは世界を、いやたくさんの世界を包含しているかもしれない。そこで生涯を送るつもりだった。自分で選択できない状況にぶち当たれば、人生が決めることに従えばいい。私の仕事はただ、ルーティンの断片や繰り返しをこなすにあたって心の平衡を保つこと、その日がどう始まろうと、最初から最後まで手慣れたやり方で過ごしていくことだった。

あらゆる面で私の状況は間に合わせだった。不法滞在、転々とする住所、不安定なアルバイトの収入。しかし通常の道、つまり資産を増やし、学位を取り、アメリカのパスポートを取得することには、まったく食指が動かなかった。自分のやり方を変える気はさらさらなく、とにかく放っておいてほしかった。この時点で私は究極のニヒリズムを身につけていて、人生の混乱そのものに存在意識を感じたのだ。それでも可能性だけは残り、人生は幻滅や無法状態を含む余地のある、すばらしいアート作品だとわかっていた。

一九八四年十二月下旬、セント・マークス教会でおこなわれた詩の会で、濃いひげをたくわえ、ダークスーツを着たアレン・ギンズバーグが演壇で作品を朗読、聴衆は熱心に聴き入った。彼は中国に行ってきたばかりで、その旅の話をした。

> 中国で知ったことがある。大躍進政策によって何百万もの家族が飢えたこと、「鼻もちならぬ」ブルジョアに対する反右派闘争のために、革命詩人が辺境の新疆に流され便所掃除をさせられたこと、さらにその十年後の文化大革命によって数えきれないほど多くの読者が北西部の田舎の冷え切った小屋に追いやられ、飢えたこと。

ギンズバーグは熱した赤い炭火のように暖かく、冬の夜に集まった人々を惹きつけた。話が終わると私は彼に近づいて、あなたが話した革命詩人の息子だと自己紹介した。彼は大きく目を見開いて私をじっと見つめ、中国でのいちばん温かい記憶は私の父にハグしてもらったことだ、と言った。私たちは教会を出て、「キーウ」という近所のウクライナ料理の食堂に入った。コーヒーは飲まないと私が言うと、エッグクリームを注文してくれた。

当時、彼は五十代後半、母親が遺(のこ)した東十二丁目のアパートメントに住んでいた。本棚は本の重みでたわみ、床はところどころすり減っていた。寝室の隅には小さな仏壇のようなものがあって、その上に彼の導師(グル)が書いたという聖なる言葉が掲げられていた。彼は急に私のほうを見て、長々と「ア〜〜」という声を出した。悟りにいたるマントラだそうだ。

アレンは小さなオリンパスのカメラを片時も放さず、過ぎていく瞬間を静かに記録していた。暗がりでも決してフラッシュを使わない。写真は粒子が荒くても、陰影が豊かだった。キッチンの窓から見える人々の舞台裏を、飽くことなくフィルムに収めていた。

一九八七年のクリスマスの夜、アレンは自作の長い詩「白いかたびら（White Shroud）」を私の地下室で朗読してくれた。母親のために書いたものだ。ラディカルな活動家だった母親は早くからアレンに政治を教え、家ではよく裸のまま歩き回っていたそうだ。アレンを見ていると父を思い出した。二人とも大人になりきれない少年だった。彼らにとって、この世界は自分の意識のなかに聖域を見るものであり、自分が死ねばその部分も消えるのだ。

ある日、クーパー・ユニオンの外で立ち話をしていると、白髪まじりの女性が駆けよってきてアレンに挨拶(あいさつ)した。スーザン・ソンタグだと紹介してくれたが、私のことは中国の哲学者だと紹介した。実際はスケッチブックを抱えて、グリニッジ・ヴィレッジに観光客の似顔絵を描きに行く途中だったのだが。

アレンがいつもそんなお世辞めいたことを言ってくれるとはかぎらなかった。一度などは私の作品のポートフォリオをひととおり見て、「中国のアーティストに誰が興味を持つかね、見当がつかないよ」と言った。昨日のことのように覚えている。アレンをアメリカの詩人と思ったことはない。正真正銘のアメリカ人なのは疑いないが、ほかの人はアメリカ人の立場で物ごとを見ているのに、アレまう。ンにはグローバルな視点があった。アメリカは自分たちを多様なものを混ぜるるつぼと思いたがるが、本当のところは硫酸を満たした桶みたいなものだ。さまざまな違いをためらいもなく溶かしてしまう。

あるとき、アレンは私が話す父の話、追放先の暮らしのことを、陶然として聞き入っていた。そして、ぶ厚い眼鏡の奥から私を見つめて、彼は言うのだ。「記憶を書きとめなければいけない。最初に思ったことがいちばんの考えだ」。自分の思い出に愛着がない私は、その意味がわからなかった。私の記憶は私のものではない。いちばん印象深いできごとでは、私の存在は無だった。そんなことを書き記しても、風が吹きすさぶなかで砂を撒くようなものだ。記憶に実体を与えられるようになるには数十年かかるだろう。

あるときアレンの家に行くと、彼のベッドで若い男が熟睡していた。人生この時期になると、与えることはできないんだ、奪うだけなんだと、悲しそうに語った。しかし私には、アレンはいつでも若く、無私の心で自分を人に与えているように思えた。ニューヨークを去るとき、別れの挨拶をしなかった。その後知ったのだが、重病に伏していた人生最期の日々に、彼は私の電話番号を探していたそうだ。

マーティン・ウォンはサンフランシスコ育ちで、母は中国人、父は中国とメキシコのダブルだった。マーティンと私はうまが合い、歩道で立ち話をしながら人間観察をするのが楽しかった。八丁目と二番街の角、雑貨屋の「ラブ・セーヴス・ザ・デイ」のあたりで、彼はよく私のすぐ隣に陣取った。近くには公衆電話が並び、ニュージャージーの連中がいつも電話をかけていた。世の中が平和な時期だったのに、イースト・ヴィレッジのこのあたりはまったくのカオスで、路上で密輸品や盗品を売りさばく者、若い物乞い、歩道で大の字に寝ているジャンキー、ハーレ・クリシュナ信者、強面スキンヘッドたち、詩人、放浪者、ロック・ミュージシャン、それにニューヨーク・パンクの若い日本人ファンが入り乱れ、世界の終わりが近いのかと思うほどだった。マーティンは背が高く、軽い猫背で、いつもカウボーイ・ハットをかぶっていた。つま先が上を向いた赤いブーツ、色あせたリーバイスの上にスエードのジャケットという姿は『真夜中のカーボーイ』（一九六九年のアメリカ映画）そのものだった。

マーティンが口を開くたびに、またあの質問が来るなとわかった。いつも同じことを聞くのだ。おまえ本当に社会主義リアリズムを勉強したの？　それは芸術の表現方法の一つで、最初にソ連で、続いて中国で推奨された。絵画なら、精神を鼓舞するような革命的シーンを写実的に描く。マーティンを満足させるため、毛沢東の肖像画なんて得意だよと短く答えた。期待に沿えず悪かったが、本当は何も描く気が起こらなくなって久しかった。彼と同じ神を信じているとも私は言った。ただ教会に一度も足を踏み入れていないだけだ。マーティンは壁に寄りかかって低く笑った。彼にとって共産主義の国から来た人間と話すことは格別な楽しみだった。私たちの困難や悲惨さから、空想の翼を広げることができるからだ。

マーティンの絵は一風変わっていて、チャイナタウンの赤レンガの壁がテーマだった。ある作品はレンガでハートが組んであり、一つ一つ実直で堅固な筆づかいで描き込まれ、温かく悲しい印象を与えた。彼が作ると言っていたグラフィティ美術館を見ることはなかった。私がニューヨークを去ってから一、二年で、マーティンは亡くなったのだ。彼の作品を一枚持っていてよかったと思う。赤レンガ一個を描いた小さな絵だ。

以上の人たちが私の友人のすべてと言ってよく、私が急死でもしたら、死体を発見するのはおそらく家主のおばさんだっただろう。人がお互いを疑いの目で見ている競争社会では、認められるためには自分の魅力で引きつけ、クールと思ってもらわなければならない。ほかの友達は、空想で補った。あらゆる通りに、すべての窓に、早足で行きかう歩行者に混じって、私の友がいる。まだその人たちを知らないだけだ。ニューヨークは村ではないのだから。

八〇年代初頭、中国では文化大革命で田舎に送られた若者たちが都市に戻ったために失業率が上がるとともに、社会構造に相当なひずみが生じていた。新しい最高指導者の鄧小平(ドン・シアオピン)は個人の権利を軽視し、人道主義を「多数派の人々の安全を守ること」と定義した。政府は迅速で厳しい処罰をもって弾圧に出た。一九八三年から八七年のあいだに、少なくとも百七十万人もの人が刑事処分を受けた。犯した罪につり合わない重い刑罰が下ることもしばしばで、死刑執行の数は大幅に上昇した。なかには「複数人で性交した」というような、しょうもない軽犯罪に死刑が科せられたケースもある。この「厳打」(犯罪行為の厳しい取り締まり)政策は毛沢東(マオ・ツードン)時代の「反革命分子」への弾圧を思わせた。ものごとは何も変わっていなかったのだ。

一九八七年、まだ弾圧が全盛だったころ、艾丹(アイ・ダン)がニューヨークにやって来た。友人が何人も投獄され、中国を出たかったのも無理はない。六年ぶりの再会で、艾丹は二十五歳になっていた。写真の勉強をしに来たのだ。

私の冷蔵庫に入っていた写真のフィルムは二、三本くらいだったから、艾丹はお金を稼ぐ必要があった。彼は電柱に広告を貼り、求人広告をつぶさに読んで、とうとう地元の中国語新聞の配達という仕事を見つけた。朝一番に台車に荷を積み、一日中マンハッタンとクイーンズを行ったり来たりして、地上にも地下にもある売店に新聞を補充する。ニューヨークに来たばかりの彼にとって、きついのに退屈な仕事はじつにつまらない苦役だった。艾丹は夕方帰ってくると座ってビールを飲み、そのうち二人ともだんだん話すことがなくなってきた。兄として弟の面倒を見ることができず、恥ずかしかった。艾丹の存在で、自分の生活がどれほど普通から外れてしまったか自覚することになった。典型的な中国人だったら百ドルの金も持たずにアメリカ合衆国に着いても、社会での地位を立てなおし、アメリカン・ドリームを実現しただろう。まずはレストランで、あるいは大学の研究室で、安定した仕事を確保する。ほとんどの人はもっと上の暮らしを求めるが、私はそうではなかった。

メトロポリタン・オペラの『トゥーランドット』のエキストラ募集広告を見て、二人で応募した。ディレクターのフランコ・ゼフィレッリは人々を見わたして、典型的な中国人顔の私たちが気に入り、すぐに採用した。艾丹はクラシック音楽好きだったから、プラシド・ドミンゴと同じ舞台に立てるなんて夢のようだった。役は死刑執行人の助手で、非暴力が信条の艾丹には気に入らなかった。とはいえ、オペラにすぎない。彼は罪の意識を脇に置いた。私たちは舞台の真ん中に出て、大げさな身振りで斧（おの）を振り回すことになっていた。艾丹はときどきたまらずクスッと笑っていた。最後の場面になりジェームズ・レヴァインが指揮棒を振りおろすと、裏口から劇場を出て、ブロードウェイと七十二丁目の角にある「グレイズ・パパイア」という店でホットドッグとパパイア・ジュースを味わった。

しかし艾丹はニューヨークでのだらしない暮らしにはとうとうなじめず、六カ月後には北京行きの飛行機に乗っていた。帰ると部屋に閉じこもって『ニューヨーク雑記』（原題「紐約札記」）という回想記を書き上げた。もしその当時の私の生活をもっと知りたければ、この本を読むといい。これは艾丹なりの、中国で流行したつまらない浅薄な文学に対する嫌がらせだ。艾丹は人気作家になろうという気はなかった。少数の理解してくれる読者がいれば十分だったし、主流から離れていても満足だった。

一九八七年は私のニューヨーク生活の中間地点だ。私は自分の考えを書きとめ、中国語の詩の雑誌『一行（イーハン）』（星星画会のメンバーだった厳力がニューヨークで創刊した）に発表した。いくつかここに載せてみよう。

アートには独自の言語(ランゲージ)がある。それは醜悪で不合理かもしれない、それでも芸術の言語だ。ネガティブな言動にはポジティブな意味合いがある。才能ある者のことを人は「彼は意義のあることをなしとげた」と語る。未来には、人は才能ある人物を「彼は何もしなかった」と語ることだろう。

アートとは単純にアイデンティティであり、それだけだ。制約から逃れたからといって自由を得たことにはならない。自由は勇気の表現であり、いついかなるところでも常にリスクをとることだ。私は自分の生き方をこれ以上説明する必要を感じない。それは何か分類できるようなものではないし、目的も構造もない生活が果てしなく広がっているだけだ。

その年、アンディ・ウォーホルが亡くなった。ウォーホルは自己製造、自己宣伝の人であり、コミュニケーションは彼の活動の神髄だ。彼は従来のエリート的価値観を否定するリアリティを創りだした。それを明確に表現しているのがウォーホル本人だ。「みんなが機械になればいいと思う、みんながみんなを好きだといいと思う。ぼくは退屈なものが好きだ。ぼくはまったく同じものの永遠の繰り返しが好きだ。ぼくはダメになったことはない、そもそもうまくいったためしがないから」。

死の一週間前にウォーホルは日記に書いている。「とても短い一日。たいして何もない。買い物して用事をすませて帰宅、電話でしゃべる……そう、それだけ。ほんとに。じつに短い一日だった」。

ウォーホルと私は何の関係もなかったが、彼の死によって私の空虚な気分は深くなった。

私はますます絵を描かなくなった。もしこのままいったら、ファン・ゴッホのように、部屋中に売れない絵を抱えて悩む芸術家になってしまうかもしれないと怖れた。それにカンバスを木枠に張る作業が大嫌いだったし、油絵具を溶く油やテレピン油の臭いは昔から好きになれなかった。絵画に我慢できなくなった私は、それに代わるビジュアルの言語を見つけなければいけなかった。

八〇年代半ば、アートの世界はまだドイツの新表現主義が幅を利かせていた。荒い過激な筆づかいで描かれた巨大絵画だ。でも

『Hanging Man』、1985年

私はダダイズムの反体制的傾向に惹かれていた。私はヴァイオリンとスコップを融合させ、中国軍支給のレインコートにコンドームをくっつけた。針金のハンガーを使ってマルセル・デュシャンの横顔のポートレートを作り上げた。アメリカに来て初めて目を奪われたアートがフィラデルフィア美術館のデュシャンの作品だったし、アートはただの視覚的経験ではなく知性に訴えるものだという彼の主張が、私にとって生涯のインスピレーションとなった。またありふれた「レディ・メイド」に対する彼の関心は、いつでも私の創作を刺激した。

この時点で、私は初の個展を開いた。ソーホーのアートウェイブズ（イーサン・コーエン）・ギャラリーで、タイトルは『Old Shoes, Safe Sex（旧鞋・安全性）』（古い靴に安全なセックス）だ。この個展は私にとってはおぼろげながら画期的なできごとだった。反響はアート雑誌『アートスピーク』のレビューが一つだけで、「ネオ・ダダイストの傑作。年上に反抗すること自体が伝統になってしまっている我々西側の人間は、この独創性と芸術性を称賛することしかできない」と書かれた。

同じレビューでさらに「疑いなくデュシャンはこのトリビュートを喜び、艾未未の不敬な才能を認めただろう」と言っていた。好意的な批評に私は大いに気を良くしたが、作品は一つも売れなかった。

同時期に、私の絵が二枚ほどイースト・ヴィレッジのグループ展に出ていた。展覧会が終了すると、絵を自宅に持ち帰らず、ダンプスターに捨ててしまった。ダンプスターとはニューヨークの通りのあちこちにある、金属製の大型ゴミ箱だ。あさってみたら何枚も傑作が掘り出せることだろう。ニューヨークでは十回ほど引っ越したが、そのたびに真っ先に捨てるのが自分の作品だった。作品には当然誇りを持っていたが、制作し終えると作品との友情は終わった。私は作品を所有していないし、作品も私を所有していない。それを見直すのは昔の恋人に出くわすよりも気まずい。もし誰か他人の壁にかけられるのでなければ、まったく何の価値もなかった。

おもにグリニッジ・ヴィレッジのクリストファー・ストリート近く、ときどきはタイムズ・スクエアで、木炭やチョークで似顔絵を描いて稼いだ。地下鉄の出口からあふれ出てくる人々が誰だろうと何をしていようと興味はない。関心があるのはただ、十五分ほどさいて似顔絵を描かせてくれるかどうかだけだ。いったん始めると、私の背後に行列ができ、そうなると何か一口食べることもトイレに行くこともできなかった。いちばん気前がいいのはアメリカ人観光客で、外国人観光客、とりわけイスラエル人やインド人は難しいお客だった。

こんなスケッチに想像力など必要ない。そして私はお客が私の傑作を小脇に抱え、ぶらぶらと去って行くのを見送った。ピカソにはなれないが、こうしていれば少なくとも来月の家賃と光熱費はねん出できた。

トンプキンス・スクエア公園は、私の住まいから二ブロックほど先にあった。ベンチは路上生活者のベッドになり、周辺の空き家には不法占拠者が勝手に住みついていた。この公園では共産主義者の数少ない生き残りが革命のマニフェストを配り、週末にはハーレ・クリシュナ信者の話を聞くと、誰でも甘い米のお菓子がもらえた。ネオナチやスキンヘッド、元ヒッピーたちも活動していた。犬の散歩から麻薬のやりとりまでできるこの公園は、コミュニティの聖地だった。

アート・ギャラリーが雨後の筍のごとく増えて、この地域も高級化しはじめ、低収入の住民はしだいに押し出されていった。何カ月ものあいだ、地域の高級化再開発と警察の暴力に対する抗議デモが毎週末におこなわれ、一九八八年八月にはついに公園とその周辺で暴動にまで発展した。

ある蒸し暑い夕方、当局が公園への夜間立ち入りを禁止すると、イースト・ヴィレッジの住民が激怒し、大騒動となった。暴徒鎮圧用フル装備の警察が、武器を持たないデモ隊に暴力を振るうのを、初めて目撃した。粗暴で残忍、傲慢な警察は、権威にさからう人々の激しい反抗に脅威を感じたのだろう、日が沈むと野蛮な暴力を行使した。騒乱のなかで私は何枚も写真を撮った。おもに棍棒で殴られ、血を流す人々の顔だ。この経験で、社会運動について一度に多くのことを学んだ。資本の力、組織化された権力と個人のあいだにある利害の対立、脅威や暴力に対し権利と自由を守ることの必要性がすんなり理解できた。

私が撮った人のなかにクレイトン・パターソンという男性がいた。彼は無政府主義者で、警察の暴力を数時間にわたってビデオ撮影していた。地方検事からテープを渡すように命令されたが、資本主義の司法制度を信用して不利な証拠を差し出すほどばかじゃない、ときっぱり断った。ニューヨーク市裁判所に入るとき、彼は手のひらを広げて見せてくれた。そこには「コッチよ、去れ」と書かれていた。エド・コッチは当時のニューヨーク市長だ。すかさず私はシャッターを切った。その写真にパワーがあることを確信した私は、走って行って通りでニューヨーク・タイムズ紙を一部つかんだ。公衆電話から新聞社の編集者に連絡すると、タクシーに飛び乗った。編集者が私のカメラからフィルムを取り出して十分後、まるで市場の山積みのトマトから一つを選ぶように確かな手つきで、ネガの一コマを選んだ。

翌朝三時、私はセント・マークス・プレイスの二十四時間営業のコンビニの前に立って、朝刊の配達を待っていた。私の撮った一枚が「ニューヨーク地区」ページの一角に掲載され、小さな活字でクレジットがあった。〈ニューヨーク・タイムズ、艾未未〉それを見ると眠気など吹き飛んでしまった。その写真は秋の落ち葉ほどの、なんということもない一枚だったが、私が味わったのは特別な気持ちだった。第二の故郷と初めて本当のつながりを持てたのだ。もうただの傍観者ではない。

現実の事件がメディア的瞬間へと変化した。その重要性がはっきりわかるまでには、さらに数年かかった。ジャーナリズムが独立し、公平に仕事をしたことに感動した。ニューヨーク・タイムズの「印刷に値するニュースはすべて」読めるというキャッチフレーズは本当だと思った。将来、この経験を生かすことになるとは想像もしなかった。二十年後、地球の裏側の野蛮行為と検閲に直面したとき、写真による記録がいっそう重要になったのだ。

イースト・ヴィレッジの住民と警察の対立は、私がニューヨークで目撃した最後の長時間にわたる暴力的衝突だった。私が撮った、住民を殴る警察の写真は、ニューヨーク自由人権協会（略称NYCLU）が警察の暴力を告訴した際に証拠の一つになった。ある日、ワシントン・スクエアで、NYCLU理事のノーマン・シーゲルが私に名刺をくれて、「もし警察が来たら電話しなさい、夜中でもかまわない」と言ってくれた。

トンプキンス・スクエア公園での暴動から、私はほかの抗議運動にも興味を持つようになった。A

ＩＤＳ関連の予算を増やすよう要求したマンハッタンでのデモでは、医療従事者たちが大通りの交通を止め、逮捕しようとする警官に激しく抵抗した。デモ参加者一人を警官が四人がかりでパトカーに押し込むほどだ。このできごとは当然だがマスメディアに注目された。「ＡＣＴ　ＵＰ」運動で活動するキース・ヘリングがデモ隊の中にいるのも目撃した。湾岸戦争の「砂漠の嵐作戦」に抗議するデモ、警察の横暴への抗議、ゲイの権利、ホームレスの権利を主張するデモなど、そのほかの抗議行動の写真も撮った。ただこれらはあまり大きな動きにならなかったようだ。

一九八九年春、大事件が起きたのは別の国だった。五月下旬、艾丹(アイ・ダン)と電話で話していると、何度か騒音に声がかき消された。軍のヘリコプターが北京の街なかを低空飛行していたのだ。ビラがまかれ、天安門広場で抗議に参加している者はただちに撤退するよう要求していた。

四月十五日、中国共産党の胡耀邦(フー・ヤオバン)前総書記が心臓発作で急死したことから、トップ指導者たちのあいだで権力争いが起きた。政治改革を進めようという派と、必要なのは経済改革のみという派に分かれた。胡耀邦を追悼する大学生による天安門(ティエンアンメン)広場への行進は、やがて、政府に対しインフレ、失業、汚職への対策、メディアの自由、民主的司法制度、集会の自由を要求するデモに発展した。五月半ばには、学生のグループがハンガーストライキを始め、四百以上の都市で賛同する動きが起こった。政府は早々に学生たちとの対話を放棄し、党中央軍事委員会主席の鄧小平に率いられた強硬派が、武力によるデモの鎮圧を決めた。五月二十日、北京に戒厳令がしかれ、三十万人の軍隊が配備された。

六月四日早朝、アサルトライフルに実弾を込めた兵士が装甲車と戦車に守られ、広場に向かう主要なルート、長安街(チャンアンジエ)を通りながら発砲、何百人もの罪のない人々の命を奪い、あとには変形した自転車や焼け焦げたバスの残骸(ざんがい)が残された。政策変更を平和的に訴える学生にまさか軍隊が発砲するとは、

北京市民の予想を超えていた。失策につぐ失策により政権の正当性は弱まっていたが、この大虐殺でついに崩れ去った。しかし国家による暴力が支配者の権力を弱めることはなく、逆にますます武器を持つ手に力を込めることになった。

「体制を変えるためには、たくさんの人が命を失うだろう」と北京ではささやかれた。噂によると、弾圧の前夜、鄧小平は側近に「共産主義国家を建てるのに二千万人の命を要した。それを今奪おうというのなら、同じくらいの命を失う覚悟をしてもらおう！」と言ったという。これは軍人で副主席の王震（ワン・ジェン）の発言だという説もある。このような所有者意識・権利意識がその後、数十年にわたる中国の発展の道筋を決めた。

　私は北京での惨事を、CNNで来る日も来る日も取りつかれたように見続けた。ほかに何ができるだろう。マスメディアは世界を知る方法を変えた。人々はニュースをより身近に感じるようになったというより、むしろ今起きていることの一部に、新たな現実の一部になったのだ。目の前の世界は混沌（こんとん）として予想もつかない姿を現し、情報は絶え間なく流される。まるで人生そのもののように、善悪も正誤もないまぜにして。

アーティストの友と一緒に国連前でハンガーストライキをおこない、デモを組織し、中国領事館に抗議の手紙を送った。天安門広場で抗議行動が続いているあいだは学生たちのためのチャリティオークションを何度も開催し、弾圧事件が起きてからは中国の人権保護団体を支援するために、外国人ジャーナリストが撮った抗議活動の写真集を作った。

九月には、六月四日以降に中国を脱出した活動家数人と一緒に、ダライ・ラマの講演を聞くために四十二丁目のグランド・ハイアット・ホテルに出かけた。三十年前、二十三歳でチベットを離れたダライ・ラマは五十代になっていた。栗色の法衣に身を包み、壮健を絵に描いたように元気だった。講演はチベット語でおこなわれ、ところどころ英語や中国語を混ぜつつ、信仰の自由と、チベットにおける真の自治を訴えた。その態度は、中国のプロパガンダで描かれる姿とはかけ離れていた。

当時は多くの人が、六月四日の事件をきっかけにした国際的な制裁措置によって、中国共産党政権は崩壊すると予想していた。しかしダライ・ラマの見解は違った。中国共産党が長年権力を握ってきたことには深い歴史的な理由があり、学生の反対運動くらいでは政権が崩壊することはないと考えていた。国を離れざるを得なかった人間には自制力が必要だ、ばらばらになり腐ってしまうのはたやすい、とダライ・ラマは忠告した。帰りの廊下は、彼のファンでごったがえした。世界ははっきり二つに分かれていた。この部屋の中と外、豊かな精神世界と粗悪な現実世界。私は無力感に呆然(ぼうぜん)としながらタイムズ・スクエアへと歩いた。その日撮った写真はすべてピンボケだった。

日々はただ過ぎ、私はますます自分の状況にうんざりしてきた。縛りもなく心配もない自由は目新しさを失い、戦いから戻った老兵のように、生き続ける意味を探すことだけが残った。みんなが私は中国には絶対帰らないだろうと言ったし、自分でも思っていた。ところがそうではなかったのだ。

一九九一年の夏、アメリカ暮らしも十年が過ぎたころに、ある事件をきっかけとして自分がニューヨークに永住する意味を疑うようになった。

当時、辻強盗に遭うのは珍しくなかった。たとえば、上海から来た某アーティストは自分のアパートのすぐ下でナイフを突きつけられ、持ち物をすべて奪われ、裸で路上に放置された。国立杭州美術大学で学んだ才能ある林林はずっと運が悪かった。ニューヨークに来た多くの若い中国人とは違って楽観的な彼は、アメリカ社会に積極的に入っていった。住まいはハーレムの安アパートだった。ある週末の夜、タイムズ・スクエアに似顔絵を描きに行き、ケンタッキー・フライド・チキンの店の真ん前で若い黒人と口論になった。数分後、男はポケットからピストルを抜くと、林林の胸に発砲した。林林は目を見開いたまま、騒々しく汚い歩道に倒れ、数分のうちに息絶えた。

林林が殺され、私はこの社会の不条理をさらに敏感に感じるようになった。暴力はアメリカ社会に深く根を張っていて、避けようがない。この国の社会構造の基礎部分に組み込まれている大きな欠陥だった。

一九九三年、北京を発ってから十二年が過ぎていた。私がいないあいだに中国経済は飛躍的に成長していた。とはいえ、私は祖国に対して幻想を抱いてはいなかった。本当に変わるべきことは何ら変わっていない、あるいは決して変わらないのかもしれない。しかし、子供のころの恐怖や不安はもう過去のものだ。父がまだ生きているうちに一緒に過ごしたくなった。

ニューヨークは永住の地だと自分に言い聞かせてきたのだが、その誓いを破ることになった。私は手ぶらで、なんの戦利品もなく去った。それでも、表面に出るまでには時間がかかったが、何かが私の心に根づいた。わかっていたのは、これから先、この都市の精神の一部がいつも自分のなかにあるだろうということだ。北京で私を待っていたのは、明確なゴールもない倦怠と野放図な日々、終わりが見えない日々だった。

第十二章　パースペクティブ

一九九三年、北京に帰ると、両親は東四十三条の家に落ち着いていた。アメリカで見ていた住居に比べると狭く感じた。家族はもちろん大歓迎してくれ、外国で何をしていたのか、聞きだそうともしないのがありがたかった。なにしろ、良い返事を持ちあわせなかったから。母には私が変化したとは見えなかったようで、遊びに来るマージャン仲間にちょっと困ったように、「うちの未未(ウェイウェイ)はアメリカに行く前とちっとも変わってないわ」などと語っていた。

八十三歳になった父は車椅子生活になり、入退院を繰り返していた。脳血腫(けっしゅ)に腕の骨折、それに脊椎(せきつい)の圧迫骨折と、不運が続いた。父は家の中庭に座ってモクレンの花を数え、ハトが脚につけた笛を鳴らしながら空中を飛ぶ音に耳を傾けるのが好きだった。

「ここはおまえの家だ。遠慮しないで何でも好きなことをしなさい」と父は言った。私の居心地の悪さを鋭く察知していたのだ。確かに私の家だった。肉親である家族は私の弱点もわかって認め、非現実的なものさしで測ったりしない。私にはとくに心配ごとや後悔もなかった代わりに、将来の構想もなかった。ただ、この家にさほど愛着を感じなかった。水面をさまよう浮き草のような私を、一カ所につなぎ止められるものはなかった。

しばらく休養が必要だった。帰国してからの日々を、過去の棚おろしに費やしていた。立ちはだかったのはいつものジレンマだ。やりたくないことはわかっているのに、何をしたいかがはっきりしない。私は酉(とり)年生まれで、同じ干支(えと)の年にアメリカへ渡った。それから十二年、また酉年がめぐって来て、人生の新たなサイクルが始まっていた。中国では生まれた干支の年が厄年だ。弟の艾丹(アイ・ダン)は私に、気をつけなよ、と念を押した。

　家族の暮らしは変わりないが、北京はがらりと様変わりしていた。巨大な都市に成長した一方で、新しい地下鉄網が街をめぐり、高速道路が空港と都心をつなぎ、郊外を結ぶ第三の環状線が建設されて、街が縮んだようにも感じられた。八〇年代の初頭には私有の車などなかったし、バス以外の車両を見るのも珍しかった。

　車を持っていた艾丹は私が家で退屈するのを心配し、骨董品市場に連れ出してくれた。中国全土のあらゆる時代の物品が山をなしている。店主たちは艾丹を大いに尊敬していた。というのも、弟は骨董鑑定のエキスパートになっていて、彼が本物だと言えば、その瞬間に価値が高騰したからだ。私が気に入った品を見つけると、弟は私にはおよびもつかない値引きの交渉術を披露した。そして「兄貴はまったくアメリカ人だな！」と茶化した。

　北京に住むようになった五〇年代、父はよく琉璃廠(リウリーチャン)の骨董店を見て歩き、店主は「艾先生」と丁寧に話しかけていた。五百年以上も帝国の首都であった北京で、旧体制の生き残りたちは、一九一一年の辛亥革命から数十年は、鳴鳥を育てたり骨董品を集めたりして、優雅な趣味を楽しむ余裕があった。しかし、革命から共産党の世になって私有財産は国家のものになり、五〇年代後半には、文化の遺物に興味を持つ人は珍しくなっていた。文化大革命の混沌(こんとん)のなか、骨董品は「封建的ブルジョア的、修正主義的」文化の遺物とみなされ、ためらうことなく破壊され捨てられた。ところが、市場経済が再生すると同時に、骨董品の売買は驚くほどの復興を見せた。品質は高く、価格は低く、目利きは少なく、まだ偽物が出現する前の話で、収集家にとっては黄金時代だった。

北京郊外の潘家園は「鬼市（幽霊市場）」で知られていた。夜明け前にひそかに骨董品の売買が始まることからこう呼ばれ、まだ暗いうちに買い手が品物を吟味する懐中電灯の光があちこちに揺れていた。石器時代の道具から古代の商王朝や周王朝の儀式用の器、戦国時代から漢時代の翡翠の小物、唐三彩までなんでもあり、もちろん宋、元、明、清各王朝の数えきれないコレクター向けの品があった。わが家の中庭はすぐにさまざまな花瓶や壺でいっぱいになってしまった。

中国の伝統美術にどっぷり浸かった私は、新たな大陸を発見したような気持ちだった。初めて市場に行ったときに、ぱっとしない小さな店の隅っこにまとめて置かれた木製の部品らしきものを見つけ、タダ同然の値で買いとった。組み立ててみると、なんと明朝様式、上等な鶏翅木の、四角い座面の椅子が出現した。緻密な職人わざで姿よく仕上げてある。私は毎日この広大な領域を探検して、物の中に眠る倫理観や美意識にふれた。四千年前に作られた翡翠の斧を手に入れたことがある。途中から二枚に分岐した刃は非常に薄く、どうやってこんなに完璧な形に作れたのか、職人がなぜこのような形にしたのかは、とうとうわからなかった。商王朝（紀元前一六〇〇年ごろ～一〇四六年）の象牙のお守りにも魅せられた。背中に四角い穴が一列にきれいに並んでいる。作り上げるには高い技術を要したことだろう。作った人はその職人人生のかなりの年月をこれに捧げたと思われた。私は毎日何時間もこんな珍しい品物を眺めて過ごし、とうとう母が「私も骨董品になりたいものだわ！」とやきもちを焼いたくらいだ。

骨董を観察し、その歴史に思いをめぐらしたことで、視界が広がった。現状では、中国はまだ文化的に貧しかったが、芸術は私たちを見捨てたわけではない。その根っこは荒れた土壌に深く張られていた。固有の芸術の伝統は根強く生き残っていて、現在の偏狭な独裁国家がどんなにがんばっても、文化の形を歪ませることはできないことを示していた。こうした品々は今の体制よりずっと前からあったし、ずっと後まで残るだろう。このときから、両親と過ごすとき以外、私は骨董の世界に熱中した。骨董商は、流行の好みも買い方の定石もかえりみない私のことを、変なお客だと思ったようだ。私はよくわからない品物を好み、ほとんど価値のないような物を買い込んだ。それぞれの背後にある物語を想像しているうちに、私の飢えた精神に滋養がゆきわたった。遠い昔の遺物をじっくり見て深く考えた結果、自分自身のアートを制作したいという気持ちが高まった。

私のカメラのなかに連写機能のある機種があり、艾丹に教えるため、漢時代の陶器の壺を地面に落とす瞬間を撮影してもらった。十年後に展覧会に出ることになる連写作品だ。思いつきの、意味のない行動だった。こんな突飛なことを私はよくやった。アートというものは、人の意識のなかでも茫洋とした場所にひそんでいるものだ。そして私はよく、人が見落としたところにそれを発見した。私にとっては壊れた陶器の破片と同じくらいリアルで確実なものだ。写真撮影が終わると、さっさと破片を片づけた。母に見られて誤解されたくなかったのだ。幸い、漢時代の壺は市場に行けばいくらでもある。艾丹については心配いらなかった。私の奇行は見慣れていたから。小説を書いていないときは、弟は私のあとからどこにでもついてきて、まるで迷った鳥を群れに戻すように、方向を正そうとしていた。弟のおかげで、無為に過ごすことがなかった。彼は私に名を上げてほしかったのだ。

やがて、漢時代の壺で別のことを思いついた。その壺は古典的で均整のとれた豊かな形をしていたが、何かが足りない。コカ・コーラのロゴを描いてやると、一段とあか抜けた。二年後にスイス人の美術愛好家が訪ねてきて隅っこにそれを発見し、目を疑った。

ちょっとしたいたずら程度の一九九四年のこの行為が、アート制作を再開する出発点となった。私は考え方を変えることで自分らしさを取り戻した。過去を壊して再構成すれば、まったく別の物を生むことができる。物の既存の価値を無視し大きな亀裂(きれつ)を作れば、秩序をひっくり返したその隙間が自由の空間になった。

一九八九年の民主主義運動の弾圧による傷痕は、いたるところで見ることができた。人命が失われたこと以外にも傷は深かった。恐怖と無感覚が人々の骨の髄にまでしみ込んでいた。北京中心街の交差点では、武器を持った憲兵が不審な車を停めては職務質問をしていた。戸籍は厳しく管理され、地方から首都に来た者は身分証明書と居住証を提示しなければならない。身分証明書も居住証も定収入もない者は「三無」とされ、市の外に送られて肉体労働をさせられる。列車の切符代が貯まるまで働いたら、出身地に帰された。

このころ、北京のアートシーンは閑散としたものだった。現代アートが当局から疑いの目で見られていたからだ。国のあちこちから集まった若いアーティストは、北京の北西にある円明園(ユエンミンユエン)の廃墟(はいきょ)近辺に住みつき、人知れず苦闘していた。艾丹と私はよく彼らを訪ねた。

彼らの作品は二つのカテゴリーに分けられる。一つは暗く重苦しい色調で憂鬱(ゆううつ)な暴力的テーマを扱い、もう一つは反対にカラフルで猥雑(わいざつ)、いわゆるポリティカル・ポップアートで、たとえばピンクのはげ頭の男と色っぽい美女に、文化大革命のイメージを重ねたりしていた。どちらの作風も、自嘲(じちょう)や退廃、不条理と皮肉の度合いに差はあっても、無意味で不自然な現実の一部を切りとっていた。あるとき詩人が住む日干しレンガの小屋に行ってみると、彼は片手で鼻血を受け止めては、洞窟(どうくつ)絵画でも描いているような激しさで壁に血を塗りたくっていた。しかし、これは芸術的衝動とは無関係で、生活が厳しく、ティッシュがなかっただけなのだ。

半世紀ものあいだ苛烈(かれつ)な政治に支配されていた中国は、西側から受け入れられることを望んでいた。西洋人に評価されれば、生活はきっと向上するだろうと思われた。私のニューヨークでの冒険はちょっと有名になっていたから、若いアーティストがよく相談に来た。私は漢方医のように彼らの脈をとり、処方箋(せん)を出した。私のアドバイスは毎回同じだ。他人を喜ばせようとしてはいけない、自分のエネルギーは大事に温存せよ。従来の文化に対して、アートは目に刺さる釘(くぎ)であり、肉をうがつ杭(くい)であり、靴の中の砂利であるべきだ。芸術がなぜ無視できないか、それは安定し確かだと思われるものをぐらつかせるからだ。変化は客観的な事実であり、好むと好まざるとにかかわらず、困難に挑むことによってのみ、自分には精神を燃やし続ける薪(まき)があると確信できる。他人の夢を夢見ようと思わないこと、とも言った。自分のどん底に直面し、正直に、思うがままに立ち向かわなくてはいけない。アーティストの美への情熱と、現実世界からの無関心のあいだには、大きなへだたりがある。

こうした貧乏アーティストたちは、よく新しい名前を付けて、小さなグループの中にこもって暮らしていた。彼らの個人的な美学は、中国の現実とつながっていないものも多く、西側への興味も自分をブランド化して成功したいという気持ちから出ていた。北京には現代アートのための展覧会用スペースがないため、たまに来る香港のアートディーラーが自分の作品を選んでくれることを願うのがせいぜいだった。しかし、他人がどう見るかで自分のアイデンティティを決めるようでは、自己は常に混乱することになる。いくら金欠でも、利益だけのための仕事に手を染めるには誇り高すぎるこうした若いアーティストは、創作に集中できなかった。毎日、どうやって飯を食うかを考えなければならないためだ。彼らと話していると自分がニューヨークにいたころを思い出した。

この時代、北京の環状道路「三環路」の外側はまだ都市開発が進んでいなかった。二十人あまりの若いアーティストやロック・ミュージシャンが安い家賃に惹(ひ)かれ、郊外の荒廃した集落に住みついた。彼らはそこを北京のイースト・ヴィレッジと呼び、私に「ゴッドファーザー」という、しゃれた称号をくれた。河南(ホーナン)省出身の張洹(ジャン・ホワン)というアーティストが私に、自分のパフォーマンスを監修してくれと頼んできた。タイトルは『十二平方メートル』という。焼けつくように暑い夏の午後、彼は「イースト・ヴィレッジ」の端の公衆便所ですっ裸になると、鯉のはらわたを全身にぬりたくった。当然、ものの数秒で全身ハエにたかられた。私の父が新疆(シンジアン)で便所掃除をした話からこの作品のヒントを得たそうだ。このようなアンダーグラウンド・アートには比較的自由があった。誰にも見られなくても良かったからだ。重要なのはただ記録しておくということだけ、そのために真の意味でパブリックアートとは見なされなかった。このときの写真はその後、私の最初の本『黒皮書(ヘイピーシュー)』におさまった。

抽象画家の路青(ルー・チン)に出会ったのは、当時北京でいちばん便利な交通手段だった面的(ミエンドー)という粗末な乗り合いタクシーの中だった。混んだ小さな黄色いバンに乗り込むと、すり切れたシートからは鉄のスプリングが飛び出していた。路青とその友達が、当時の北京では珍しかった「バー」で飲まないかと私を誘った。二人は中央美術学院卒業生で、将来どうするかで迷っていた。もう国に仕事をあてがってもらえないからだ。路青はヨーゼフ・ボイスの作品についてどう思うかと聞いてきたが、彼についてはほとんど知らないと答えた。路青の興味が別のことにあったのは明らかで、彼女はそれきり一言も発しなかった。

次に路青に会ったのは私の実家だ。夜遅くまで話し込み、とうとう泊まってもらった。それ以後、私たちはカップルとして暮らすことになった。母にも認めてもらったが、多少がっかりはされた。母に言わせれば、家の中に無職の人間がもう一人増えたのだ。

路青はほぼ一年を費やして、九メートル以上もある長い絹の巻き物を、小さな四角形で埋めるという作業をしていた。毎日、作品の一パーセントだけを仕上げる。まるで呼吸をするように急がず、淡々とこなしていく。その巻き物が灰色に長く広がっているのを眺めるのは、季節を過ぎゆく川の流れを見るようだった。路青の二次元作品には権威へのあからさまな抵抗も、混乱も、不安も見られない。私たちの経験はそれぞれ違ったが、二人とも自分の方法で、暴力に反対していた。権力がどれほど強くても、個性を押さえ込んだり、自由を抑圧したり、無知に対する侮辱を避けたりすることはできない。

路青のクラスメートが自由の女神を模してデザイン・制作した「民主の女神」は、かつて天安門（ティエンアンメン）広場に飾られていた。もちろん八九年の弾圧以前のことだ。戦車が広場に乗り込み、中央美術学院の寮に身を隠した路青たちは、安い酒で悲しみをまぎらわすしかなかった。なみなみとついだ火酒を飲み干し、路青は絶望の叫びを上げた。「私たちの負けよ！」そして泥酔してぶっ倒れた。

当局は蛮行の痕跡（こんせき）を隠すために、新しい花こう岩の敷石を長安街（チャンアンジエ）と天安門広場に敷いた。血の痕（あと）は消えたかもしれないが、ここで起きた犯罪を忘れることはあり得ない。何度も何度も、強い力に引き寄せられるように、私たち二人は天安門広場に戻った。できごとに対する私たちの視点（パースペクティブ）をもう一度主張する方法を見つけなければなかったが、感情そのものを雄たけびとすることもできる。

ある日、天安門前の旗竿（はたざお）からそう遠くないところで、路青はスカートをたくし上げて挑発的に下着を見せつけ、私はカメラのシャッターを切った。彼女の無の表情は、周囲の人たちの何も考えていない顔つきとよくマッチしていた。この構図のばからしさが、何も起こらなかったのだという話が主流をなしてきている真の悲劇を際立たせた。一九九四年六月四日、民主主義運動が抑圧された五周年の記念日、国旗はスモッグに包まれていた。

せいぜい二十歳にしか見えない衛兵が硬直して持ち場に立っていた。遠くから望遠レンズでその衛兵を撮影した。頭のてっぺんからつま先まで合計七ショット、最後の一枚では靴ひもがゆるんでいるのをとらえた。天安門広場に行くたびに感じるのは、無力感と屈辱が混じった気持ちだ。私はこんな目立たない行為によって、自分というものの存在を主張した。ニューヨークから帰ったことに後悔がないと気づいた。むしろその逆で、私は失っていた感覚を取り戻したのだ。

ついに九五年の冬、私は天安門広場の西側、人民大会堂の前に立ち、天安門に向け左手の中指を立てて写真におさまった。その日は鉛色の面白みのない空の下、わずかばかりの観光客が広場に散在しているだけだった。古い天安門の姿は変わらず、毛沢東（マオ・ゾードン）の肖像写真が薄ぼんやりと見えた。明らかな侮辱のしぐさは私なりに自分の存在を主張したもので、誤解の余地はない。私には何もなく、使える手段は態度だけだった。忘れないこと、許さないこと、捨てないことを通して、北京に戻ったのは幸運だと気づいた。とうとう家に帰ったという気持ちになれた。この写真は即興で、芸術作品でも何かの宣言でもないが、苦労の果てに得たものだ。中指写真はのちに『遠近法の研究（パースペクティブ）』としてシリーズ化する。

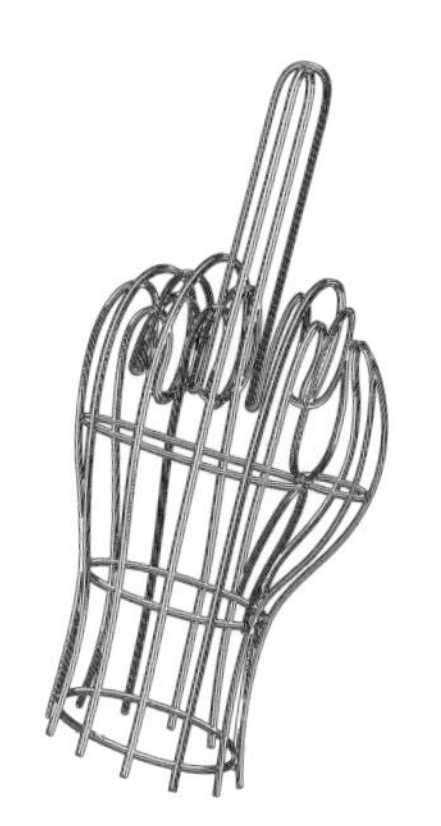

『竹の指』、2015 年

今日の中国の若い人たちは、一九八九年に天安門広場で学生が抗議運動をしたことをまるで知らない。知っていたとしても気にしないかもしれない。疑問を抱けるようになる前に、思い込みに疑問を投げかけることができるようになる前に、服従を学んでしまったからだ。

私はアーティストとして、そして批評家として、活動する時期が来たと感じた。アートに対しての自分の見解を明らかにし、自らの言葉で新たなリアリティを構築するのだ。そして九四年の夏、本を出すことにした。地下にアートが生きられる空間を作り、将来の読者に今の人の考えを伝えたかった。この点では、二十六歳のとき初詩集を自費出版した父にならっていた。

私はニューヨークの徐冰（シュー・ビン）とボストンの曾小俊（ゾン・シアオジュン）に連絡して協力をたのんだ。徐冰とはマンハッタンでよく会っており、私が帰国してからは、彼は私が借りていたイースト・ヴィレッジの地階アパートに住んでいた。徐がふさわしい西洋の文献を集めることになった。曾は資金を集め、当時北京の中国美術家協会にいた馮博一（フォン・ボーイー）が急いで参加者を募ることになった。

『黒皮書』は写真と文章で中国のアートと共に外国のアートも紹介する本だ。私は謝徳慶（シェ・ドーチン）にインタビューし、マルセル・デュシャンとアンディ・ウォーホルの言葉を中国語に訳した。写真作品の中には全身にハエがたかった張洹の姿もあった。コンセプトは方法論ではなく、それ自体が芸術なのだと主張したかった。

中国では出版物はすべて国の検閲を受け、管理される。一ページでもコピーを取るときは警察の記録に残さねばならなかった。プロジェクトの安全と品質を守るため、編集と印刷は深圳（シェンジェン）でおこなうことにした。ここは香港の隣の経済特区で、検閲が多少ゆるかったためだ。

深圳のホテルにチェックインし、馮博一と路青と私は原稿全部と、定規と裁断機、接着剤をベッドに広げ、本のレイアウトにとりかかった。私がデザインした表紙は検閲への無言の抗議だった。真っ黒でタイトルもなく、出版日と場所が一行、小さな文字で書かれているだけだ。

試し刷り段階で、ローラーについたゴミのためにモノクロ写真に白いすじができてしまうことが判明した。やはり香港で印刷し、後でこっそり中国に運び込むしかない。何かを実現するのが難しいかどうかは、その重要性と密接な関係があると知った。やすやすとできるものなら、する価値もない。『黒皮書』を北京に戻す前から、中国美術家協会に公安局員が訪れた。馮博一が「政治的事件」に関わったと言う。脅しに近い告発は、本の扉に登場するパフォーマンス・アート、馬六明（マー・リウミン）のヌードを問題にしていた。

若いアーティストの馬六明は細身で長髪、イヤリングもつけ、女性っぽい見かけだった。その彼が友人を招き内輪のパーティを開いた。そして中庭で服を脱いで裸になり、中華鍋（なべ）でジャガイモを料理した。どういうわけか警察がイベントを嗅（か）ぎつけ、こんな無邪気で無害な行為を「わいせつなパフォーマンス」として彼を連行したのだ。あとで刑務所での体験を尋ねると、奇妙で意味のない煉獄（れんごく）にはまったかのようだった、と馬は語った。そこで自分の一部がゆっくりと去っていき、別の部分がゆっくりと覚醒（かくせい）したという。彼は二カ月も投獄されていた。

徐冰がアメリカから電話してきて、『黒皮書』の出版をストップしてくれと言った。本が出回れば馮博一に迷惑がかかると危惧（きぐ）したのだ。また、徐冰は帰国して中国でやっていこうと考えており、自分の身に面倒が起こるのも心配だった。私はまだ実際に危機が来たわけでもないのにプロジェクトを中止するのは嫌だと答えた。じつを言うと、多少の波風が立てばいいと思っていた。今まで話に聞くだけだった政府の横暴を直接体験するいい機会だ。また、本に掲載するアーティストたちの努力も無駄にはできない。本の流通を止めたら、自己検閲になってしまう。私が折れないでいると、徐冰と馮博一はプロジェクトから降りてしまった。

やがて三千部の『黒皮書』が世に出た。砂漠に泉が湧いたように感じられた。その後も数年かけて、私は二冊の続編、『白皮書（バイピーシュー）』と『灰皮書（フイピーシュー）』を編集した。警察の目にはとまったが口頭で警告されただけで、直接の干渉はなかった。『灰皮書』の序文に、「今日我々は西洋から科学技術やライフスタイルを輸入しているのに、精神的な覚醒や正義の力、魂の問題を受け入れることができていない。これは悲痛な事実だ」と書いた。意識的に考えた結果でなく、父が若いころにしたのと同じような行動で、私は政治にかかわることになった。

一九九六年五月五日午前四時、父の鼓動が止まり、心臓モニターの波形が一直線になった。集中治療室の医師や看護師はマスクをはずし、部屋から出ていった。非常用装置も片づけられた。家族は安置所まで遺体に付き添った。

ステンレスの引き出しが閉じられ遺体が中におさまると、自分の一部が失われた気がした一方で、ある種の解放感もあった。生涯にわたって不運につきまとわれた父だが、悔恨は多くとも、やっと試練とは無縁になったのだ。私たちが病院から出たのは早朝で、小雨がしとしと降っていた。

父に最後の別れをつげたのは八宝山（バーバオシャン）の墓地だ。私が葬儀場の準備を引き受けて、再生紙の造花の花輪は片づけ、生花に替えてもらった。父の遺体は飾り気のない白いベッドに寝かされ、周囲を白い花で埋めた。

ところが不愉快なことが起きた。作家協会が、父は共産党員だったのだから遺体は共産党の赤旗で包むべきだと主張したのだ。すでになんの意味もない「栄光」を父に授けようとするふざけた申し出には、心の底から嫌悪を感じた。政府はただ父を政治的なお飾り、トロフィーにしたいのだ。倫理的におかしいし、父が望むはずもないことだ。私は強硬に反論したが、「艾青（アイ・チン）さんは家族だけのものではない」と、押し切られてしまった。

中国ではどんなに反対しようとも、ものごとは決められたとおりにおこなわれる。個人には権威にたてつく権利がなく、屈辱はときとして、光栄に思えと言わんばかりに、名誉の形で与えられた。常に権力が個人の考えと感情を抹消してしまう。こうして、参列者が列を作って父に最後の別れを告げたときには、黄色い鎌と槌の描かれた共産党の党旗が父の胸を覆っていた。

表面上は、父の私への影響は大きくない。直接助言をくれたことはわずかだった。しかし、それはただ私が助言を求めなかったということも大きい。もし相談していれば、きっと返事をくれただろう。父は私の決めることに口をはさもうとはしなかったし、何も要求しなかったが、夜空の星や野に立つ一本の樹のように、いつでも羅針盤としてそこにいた。父は静かで神秘的な方法で、私が一人で行く道を決められるよう導いてくれた。明らかな指導がなかったからこそ、父とのあいだには精神的な絆ができた。父は父なりの方法で私を守ったのだ。

九〇年代なかば、『黒皮書』とその続編の制作に携わっていたとき、ハンス・ファン・ダイクという背の高い、ひょろりとしたオランダ人と知り合いになった。内気そうな目が、ときどきひょうきんな輝きを見せるハンスは、いつでも良い友人だった。国にたてついた『黒皮書』には感心してくれたが、彼自身はモンドリアン派で、バランスと秩序を大事にした。熱心にアート関係の文献を収集し、数年にわたり何度か展覧会を開いていた。数カ月ごとにヴィザ更新のために中国から出なければいけなかったが、ハンスはそれほど面倒とも思っていなかった。香港で上等なアイスクリームを食べるいい機会だったから。ハンスとその友人のフランク、そして私で「中国芸術文献倉庫」（China Art Archives and Warehouse。略してCAAW）というアート・スペースを立ち上げた。中国の首都に初めてできた、オルタナティブ・アート専用スペースだ。

九五年の夏には、ウリ・シグと偶然出会って人生の転機が来た。シグは当時の在中国スイス大使で、中国と西側を結ぶジョイントベンチャーの草分けだった。彼のおかげで、この不毛の地に国際資本が注ぎ込まれた。幅広い話題で縦横に会話ができ、ほとんどなんでも知っているような彼は、あふれる好奇心と豊かな経験、それに劣らぬ並外れたエネルギーも持ちあわせていた。シグと話すのはいつも楽しかった。会話は苦もなく未知の領域まで入り込み、ちょうど彼の運転する車に乗っているのと同じ感覚だった。曲がり角でもスピードを落とさず、そのまますんなりと方向を変え、車も道路も彼の延長のようなのだ。あるときシグは運転中に「鹿がいる」と丘の斜面を指さしたが、私がそちらを見たときにはもう何もいなかった。谷に落ちていく小石の音だけが聞こえた。

シグは中国美術に魅了され、収集を始めたところだった。中国はアートを軽視し理解できていない、後になってから最上の現代アートを失ったことに気づくだろうと、彼は確信していた。私は未来がシグの言うとおりになることを心配していなかったし、そうなったとしてもかまわなかった。

シグはアーティストのスタジオを訪ねて歩いたが、みんな英語はできず、標準中国語すら話せない者もいたが、誰もが彼の訪問を心待ちにしていた。認められれば成功が約束されるのだから。しかし、中国現代アート振興への彼の尽力がきちんと理解されるには、まだ何年もかかるかもしれない。当時はなおさら、彼は楽観的すぎるように見えた。

一九九七年、大使館での任期が終わるというころ、シグは「中国現代芸術賞」を設立した。私も最初の数年間、審査員の一人を務めた。彼はまた北京アート界に影響力のある大物ゲートキーパーを重要な芸術祭に招いた。たとえばハラルド・ゼーマンやハンス・ウルリッヒ・オブリスト、クリス・デルコンなどの面々だ。その後ゼーマンが私の作品を二点、九九年のヴェネツィア・ビエンナーレに選出した。私ははるばる会場まで出かけた。美しい歴史ある都市の中心地、水辺からは涼しいそよ風が吹いてくる。しかし観光地というものが気にさわる私は、すぐにうんざりしてしまった。オープニングの日、私はサン・マルコ寺院の前に立って、またもや中指を立てた写真を撮り、さっさと退散した。

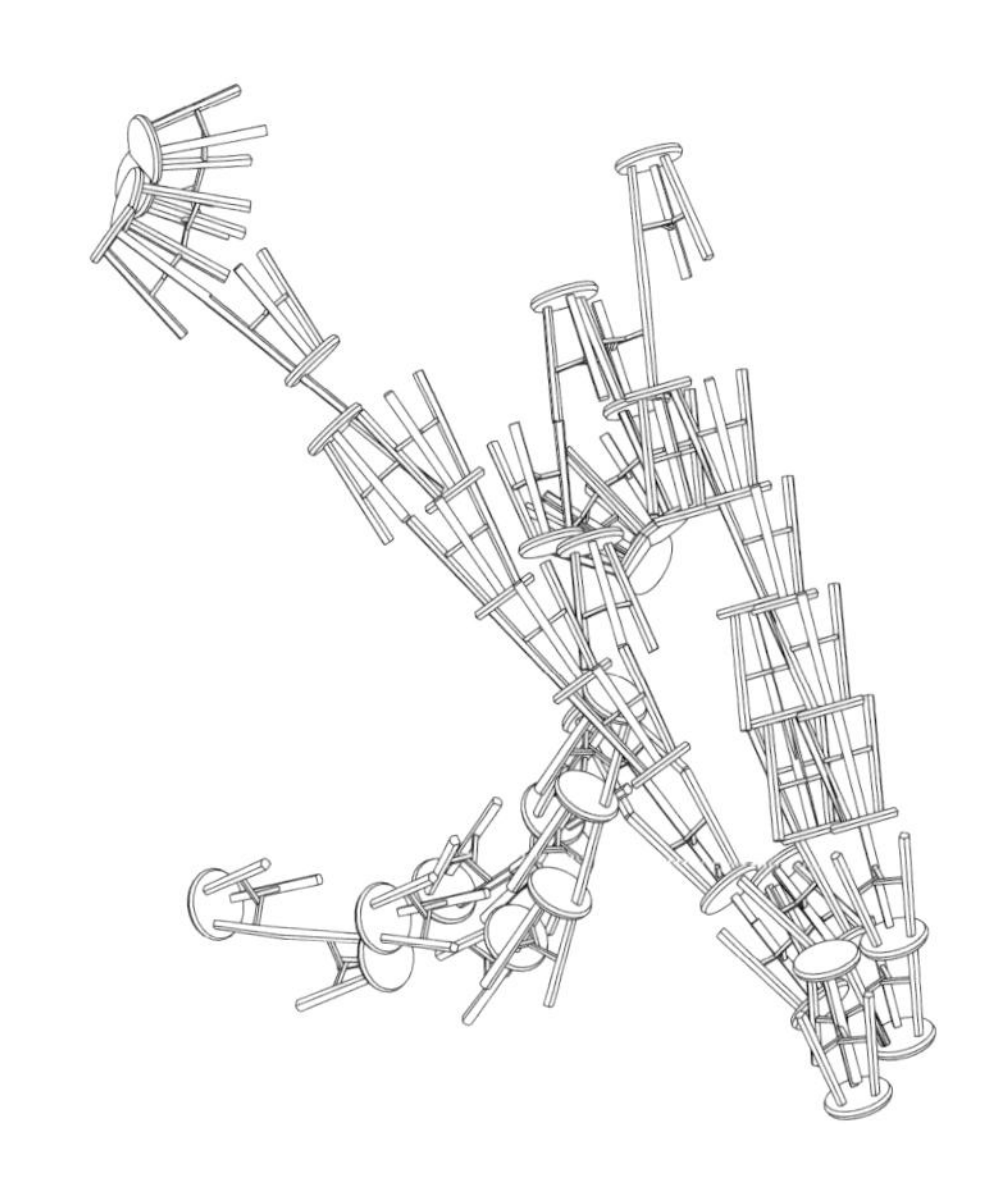

『Bang』、2013年

これ以上一分でもそこにいれば、もう自分でなくなってしまうとわかっていたからだ。子供っぽいと言われても仕方ないが、そのときの私は(今もかもしれない)、直感的に文化的権威というものに抵抗する精神を備えていたようだ。

父の死後、再び中国の伝統美術品を使った実験に戻った。北京南東の郊外にある龍爪樹の村で古い印刷所を借り、「芸術文献倉庫」のためのスペースにした。その建物の外の通りにはゴミが散らばり、文化的なものは一つもなかった。しかしいったん中に入れば、中国美術館よりも広い立派な空間だ。雇った大工が来て、昔の家具を使ったプロジェクトが始まった。清代の四角いブナ材のテーブルがあった。それを真っ二つに切って、半分を九十度の角度に持ち上げ、伝統のほぞ継ぎ手法を用いて固定した。それ以外のデザインや艶のある風格はそのままだから、もともとそんなふうに作られていたように見える。二本の脚が床につき、もう二本が壁につくように設置し、そのまま数年放置していた。たまに来る客人もさして注目しなかった。

　家具の機能性を変えるのはアイデンティティを変えることであり、物の性質を不安定にする。私は壊して再構成することで別の意味がいくつも現れるのを経験した。人が気づかない鉱脈を見つけたのだ。伝統を理解し、自信をもってさらに深く掘り下げることもできた。

　作業する大工たちにとっては何をなんのために作っているのか、不明なままのこともよくあった。しかし彼らは予想をはずしてくる私のやり方に慣れ、私も理由を説明しないで済んだ。大工はただ私のアイデアを受け入れ、役目を果たした。八年後の二〇〇四年、スイスで展覧会を開いたとき、古典的な秩序と倫理の分解がテーマの一つとなった。

　二〇〇〇年、ある友人が上海の中心に借りた場所での展覧会の企画を依頼してきた。その場所というのが中国の半植民地的過去の遺物だった。一九二〇年代にさかのぼる、蘇州（スージョウ）河岸の元港湾倉庫だ。グローバリゼーションのさなか、資本の力に迎合した上海は、無分別で強欲で、熱にうかされた巨大都市に変身しており、文化の破壊的性質を正しく評価もできなかった。父が春地画会を企画してから七十年、現代アートはいまだに有害なものとされ、以前より数段ひどくなった独裁政権と対立していた。この展覧会を私の回答にしようと思った。

　展覧会『ＦＵＣＫ　ＯＦＦ』、中国語で「不合作方式（プーホーズオファンシー）」（非協力的な態度）は、『黒皮書』のコンセプトの延長で、やはり馮博一とのコラボレーションだ。四十人以上のアーティストから作品を募り、九〇年代からの中国のアンダーグラウンド写真や絵画、インスタレーション、パフォーマンス・アートなどがひととおり見られる展示となった。十一月四日に展覧会が始まると、挑戦的な姿勢は当然ながら当局を敵に回した。聞いたところによると中央政府の高官が怒り狂い、展覧会のカタログを振り回しながら「最近の芸術がどうなったか見ろ！」と叫んだそうだ。確かに作品の中には直視しがたいものもあった。たとえばある写真ではアーティストが人間の胎児の手足を口に入れていた。だがこうした作品は現実に正面から挑戦しているのだ。中国は二十年間も一人っ子政策を実施してきた。少なくとも一億人の胎児が中絶されたことになる。その事実をはっきり見せたからといって、誰がアートを責められるだろう。

私のインスピレーションや大胆さは嫌悪と憤りから、また、ニューヨークでつちかわれた立ち直りの早さ、そして父の世代のおとなしさに対する苛立ち(いらだ)から来たものだ。もうためらいはなかった。私は現状に盾つくことを堂々と表明した。非協力的な行為を通して、私の責任は批評する立場をとることだと、再び主張したわけだ。

『ＦＵＣＫ　ＯＦＦ』は死に際の願いのようなものだった。ユニークな作品群を見せる行為そのものが、自らの死の宣告だ。オープンしてすぐに、上海公安局は展覧会を閉鎖した。この展覧会があまりにも評判になったため、文化部（庁）が通知を出さねばならなくなった。「残酷で野蛮な、あるいは卑猥な作品のパフォーマンスや展示は禁止される。人間の性器やいかがわしいパフォーマンスなど、社会に害を与える展示は禁止される」。国家と同等の立場で盾ついたことで、『ＦＵＣＫ　ＯＦＦ』は結果的に、政治自体を「レディ・メイド」、つまり既製品として扱う実験となった。

セルゲイ・エイゼンシュテインの古典映画『十月』は一九一七年のロシア革命へのトリビュートだ。軍艦（巡洋艦オーロラ号）が氷の浮くネヴァ川を、冬宮殿めざしてゆっくりと進む。大砲がとどろき、革命軍の激しい攻撃に、宮殿のクリスタルのシャンデリアがゆらゆらと動揺する。古い体制が崩壊しようとしているイメージだ。私はそれに似せた作品を、第一回広州（グアンジョウ）トリエンナーレのために制作した。七メートルの高さのあるシャンデリアだ。巨大な幾何学的シャンデリアは床につきそうなほど低く垂れさがる。その重さを支えるのが、錆（さ）びてまだらになった鉄製の大きな足場だ。シャンデリアと足場は二つの別々の世界、権力と貧しさが共存していることを示す。

　展示会を組織したり、本のプロジェクトで働いたりした後でまたアートの制作に戻るのはうれしかったが、頭が空っぽのまま仕事をしているという気分につきまとわれた。数年後にようやく、理想的プラットフォームが見つかった。

第十三章　フェイク・デザイン

もし母が私たちの暮らしぶりに愛想をつかさなければ、私は路青とあのままずっと実家に居座ったかもしれない。しかし母の我慢も限界だった。とくに、ヒゲ面で長髪のアーティストたちが入れかわり立ちかわり家に立ち寄り、みんな私と同じくらい目標が定まっていないのにうんざりしていた。自分のスタジオを建てる場所がほしいという夢は昔からあったから、艾丹に協力をたのんだ。このころすでに、弟は何冊か都会の生活を皮肉な目で見た小説を書いていた。仲間と飲んでいる以外の時間で勉強し、古い翡翠の装飾品についていっぱしの専門家にもなっていた。うらやましかったのは弟の文才よりも、美術品のコレクションのほうだったが。

北京は紫禁城を中心に置いて、その周囲に碁盤の目のように近代都市が広がっている。地図で見ると、空港につながる高速道路が北東に斜めに走っているのがひときわ目立つ。「草場地」という村は、都心から十五キロあまり離れた郊外にあり、この高速道路に近かった。村の北にはモンゴルの首都ウランバートルへと続く鉄道の駅があり、列車が警笛を鳴らしながら通り過ぎた。歴史的には宮廷馬のための牧草地だったところだ。付近に高層の建物は見あたらず、商店街もない。空港に向かう旧道があるが、もうほとんど使われず、路上でタクシーを捕まえようと思ったら長いこと待たされる。いつか艾丹とドライブに行ったとき、この村に目をつけていたのだ。荒れた様子もなくきれいな場所だし、高速道路に近く、会いたければ母の家まですぐに行ける。

草場地村の党書記は五十代初めで、艾丹と私を村はずれの放置された畑に案内してくれた。土地は彼が管理しており、貸し出せば定期収入になった。広さは五畝、ほぼ四千平方メートルだ。三十年間の借地契約をすれば、毎年六千米ドルが確実に入ることになる。スタジオを建てるという本当の目的を隠し、農業開発研究所と呼ぶといい、と書記は知恵をつけてくれた。彼はよくある草の根レベルの管理者で、ずるがしこく、不誠実で計算高かった。何よりも大事なのは金だった。別れ際に、もっと大胆に考えるといい、と助言もくれた。「もっと大胆」とは何のことなのかわからなかった。思い出すのは何十年も前に流行(はや)ったスローガン、「もっと大胆になれば、土地はもっと豊かになる」というものだ。

八〇年代以前の中国に不動産市場というものは存在しなかった。そのため都市部で一人当たりの平均居住スペースはわずか七平方メートルしかなく、ほとんどの家庭は低水準の家に住んでいた。経済の「改革開放」政策のもと、都市行政にとって不動産売買は主要な収入源となった。理論上、土地は私のような人間も含めたすべての人民のものだ。しかし政府はそれを私物化し、市場を独占した。一九七八年からの二十年間で、賃貸契約による収入は百倍を超える成長を見せ、一九九九年から二〇一五年までの十七年間では不動産収入は二十七兆二千九百億元に達した。

土地がらみで強奪された富は、それ以外の方法で蓄積された額をはるかに上回った。しくみはこうだ。地方政府が農民から土地の使用権を安値で強制的に買い戻し、その土地を開発業者に高値で売りつける。土地さえあれば開発業者は簡単に銀行融資が受けられ、着工もしないうちから、設計図しかない住宅を売りだす。こんな手品のような話なら、誰でも大歓迎だろう。左手から右手に渡すように、現金が簡単に入ってくる。中国経済の改革はすべての毛穴が詐欺と腐敗で詰まっている。そんな不正

天安門広場。北京、1995年

1994年、モノクロ写真

『漢時代の壺を落とす』、モノクロ写真３枚組。1995年

艾未未と艾青、北京、東四十三条の自宅にて。1995年

『コカ・コーラのロゴを描いた漢時代の壺』。1993年
―― 前漢時代（紀元前206～24年）の壺と絵の具、25×28×28cm ――

建設中の艾未未のスタジオ。北京・草場地村、1999年

北京国家体育場（「鳥の巣」スタジアム）の建設現場に立つジャック・ヘルツォーク、艾未未、ピエール・ド・ムーロン。2007年

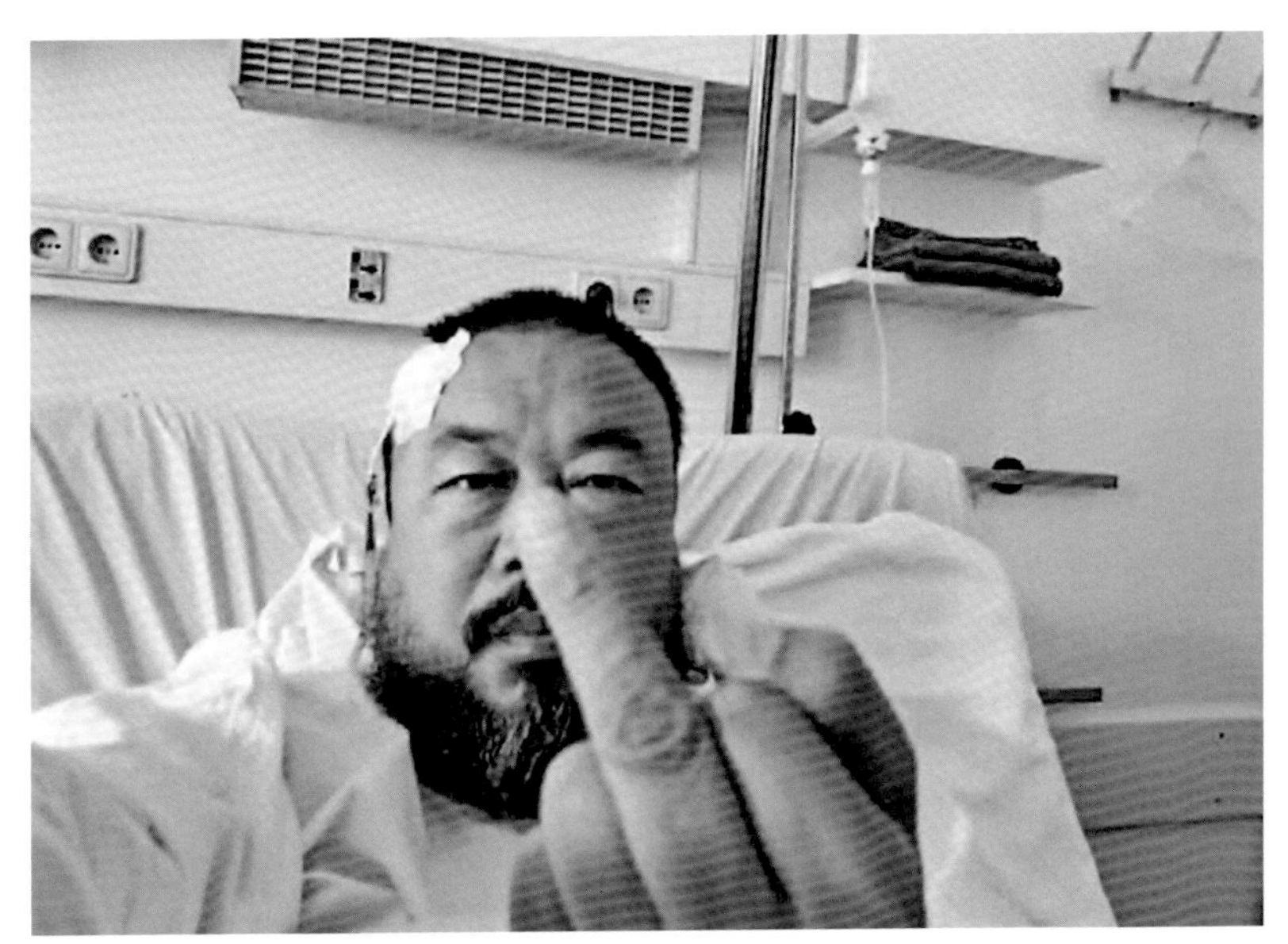

ミュンヘンの大学病院に入院中の艾未未。ドイツ・ミュンヘン、2009年9月

テート・モダンでひまわりの種の上を歩く艾老。イギリス・ロンドン、2010年

『動物の輪／十二支の頭』のひとつを示す艾未未。2010年
──「犬」、ブロンズ、302.3×134.6×172.7cm──

『Straight（ストレート）』（2008～2012年）、600cm×2500。『名簿』（2008～2011年）、四川大地震で犠牲になった5196人の生徒の名前のモノクロプリント。ニューヨーク・ブルックリン美術館のインスタレーション、2014年

再会を果たした艾未未と王分、艾老。ドイツ・ミュンヘン、2015年7月30日

レスボス島の海岸に立つ艾未未。ギリシャ、2016年

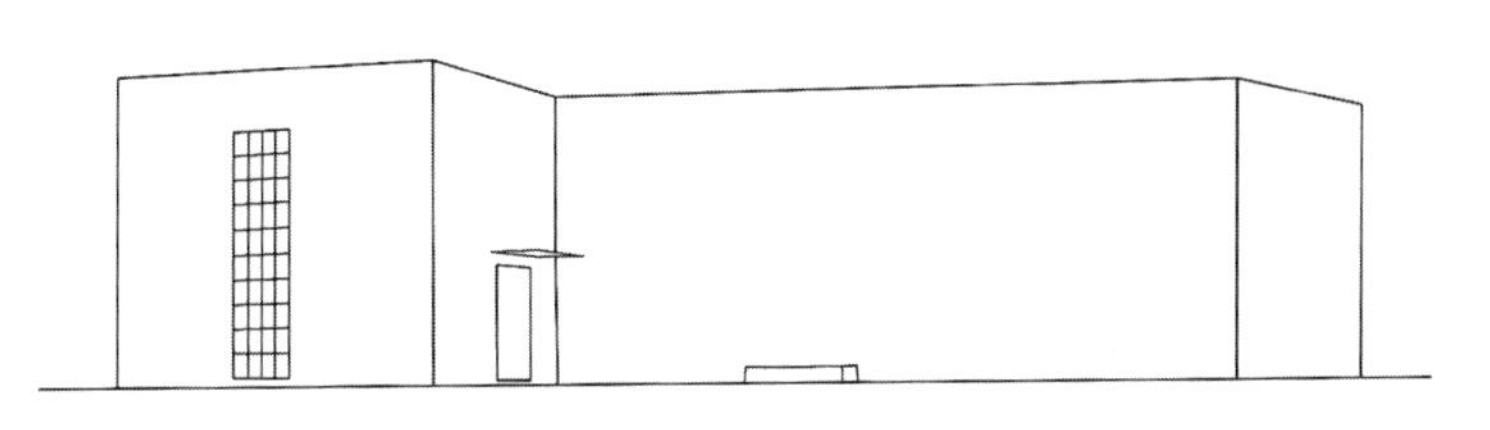

草場地フェイク通り二百五十八番

の一例にすぎない。

ある日、午後いっぱいを費やして簡単なスタジオの設計をスケッチした。思い浮かべたのは伝統的な灰色レンガを使った、きっちりと四角い箱形の建物だ。南の壁に一つだけ大きな窓を開け、ドアは東の壁の隅、灰色レンガの三十メートルほどの小道が門へと続く。門はターコイズ・グリーンに塗るつもりだった。スケッチはまるで子供の絵のように下手くそだった。

私はすでに建築家になっていた。これはルートヴィヒ・ウィトゲンシュタインが姉のためにウィーンの家を設計したという話を本で読んだときに芽生えた考えだ。それに、物づくりにかけては経験豊富だ。子供のころから、ストーブからベッド、籠（かご）、手押し車まで自分で作った。だから建築というものの根本概念にそれほど疎いわけではなかった。それに、難しいことに取り組むほど、前進する意欲がわいてくるのが常だ。

父からは飾り気のないスタイルを受けついでいた。父は質素を好み、感情を豊かに表すことを歓（よろこ）びとした。私にとっては無駄のなさは効率でもあった。必要でないところは手をつけずにおくのは理にかなっている。穴蔵の家の壁に、小さな石油ランプだけを置くくぼみを掘ったのと同じことだ。

二月下旬、凍った土がゆるみはじめたころに業者が工事を開始し、基礎を築きはじめた。艾丹と私は毎日工事現場に進捗（しんちょく）具合を見に行った。スタジオ建設には十三万個のレンガと八十トンのセメント、七トン半の鉄筋、四十六立方メートルの砂を要した。

壁は毎日九十センチずつ成長して数週間で完成、雨が多くなる前に屋根もふき終えた。施工の作業をしたのは周囲の丘に住む農民たちで、仕事ぶりは雑だ。でも私のデザインはシンプルすぎて、大きな間違いは起こりようがなかった。

建物が大まかに完成しても、インテリアはまったくの裸状態だった。レンガの壁はむき出しで、外と変わりない。当時流行の、あれこれと洋風に飾りたてるインテリアに逆らおうと決めた。

「ここでやめるって言うんですか？」。業者はあぜんとした。

いちいち説明するのが面倒くさかったので、金がなくなったと言っておいた。

私の設計は型破りで、あらゆる点で標準から逸脱していた。レンガの壁がレンガの床とそのままつながっていて、軒もコンクリートのエプロンもない。このため外観に統一感が出て、独特な風貌（ふうぼう）になった。中央スペースの壁には窓がなく、天窓から自然光が入って室内は均等に明るかった。階段に手すりもない。二階のトイレは一部が開け放たれ、外から中が見えた。自由と開放性というスローガンを真面目に実行したのだ。この建物は建築の決まりを破りまくっていて、そこにいちばんの魅力があった。建物は無計画で無認可、慣例を無視している。雑草のように勝手に生えるのが、自由の本質だ。

着工から百日後、私はスタジオに入居し、すぐさま完全になじんだ。ついに自分自身のスペースが手に入ったのだ、これで何か仕事を仕上げることができる。訪ねて来た日本人の建築家は、「中国にはこれ以上の建築家はいない。艾未未（アイ・ウェイウェイ）がベストだ」と言って帰った。

商務部（省）に新会社を登録に行き、中国語の社名の候補を三つ提示した。担当者は厳粛に「発課」を選択した。二つの漢字は並べても意味がなく罪もない。しかし発音をピンインで表せば「FAKE」となる。もちろんフェイク、偽物ということだ。その上、標準中国語の発音だと「ファック」に近い。要するに、私のことを真面目な人間だと思うと痛い目をみるという警告だ。

FUCK

さて、スタジオもでき、草場地は北京の現代アートの安息の地となった。十一月にはハンス・ファン・ダイクと私、そしてベルギー人の友人フランク・ウィッテルハーゲンは、アート・スペース「中国芸術文献倉庫（CAAW）」を草場地に移した。年間十回の展覧会を開き、多くの若いアーティストがキャリアを築く足がかりになった。

ハンスと私は、展覧会は一緒に企画しようと話していた。だがハンスの献身ぶりを見て、すべて任せることにした。私たちのアートに対しての意見は、完全には一致しない。彼のやりたいように計画してもらった。私が主導権を握ればギャラリーは数日で閉鎖されてしまうだろう、というのも一因だ。

二〇〇二年三月の深夜、電話が鳴った。ハンスだったが、声が弱々しい。ほとんどたばことビールとコーヒーだけで生きているような彼は、よく中庭の陽だまりに一人で静かに座っていたものだ。ところが自宅で転倒し、起き上がれなくなった。たった一カ月のうちにハンスは亡くなってしまった。こんなに早くとは、誰も予想していなかった。ハンスが逝って、私はすばらしいパートナーを失った。彼は意志が強く、極上のユーモアのセンスを持つ男だった。追悼会では、彼の遺した百枚以上のポラロイド写真を展示した。被写体はハンス自身のように穏やかで風変わり、かつ捉えどころがなく、はかないものだった。

私はすっかり多忙になり、やっと母の心配もおさまった。その後の何年かで、私は設計から建築計画、リノベーションから造園まで、大小の建築プロジェクトを六十近く引き受けた。依頼は個人からのこともあれば政府関連機関のこともあった。この時点では、当局との関係はそれほど緊迫していなかった。

依頼された仕事のなかには、私のスタジオ近くの集合住宅も数件含まれていた。すべて同じ設計で、違うのはレンガの色がグレーか赤かだけにした。そのうち建設現場に行く必要も感じなくなった。すべてミニマリスト形式で、工事中の失敗も改善もありそうもなかったからだ。私の建築に対する実際的な態度は、建築の美についての論争を巻き起こした。中国では今までほぼ無視されてきた分野だ。私の基本的な考え方は、建築というのは生活必要品であり、さまざまな解釈ができるが、究極的には美と哲学にかかわる、というものだ。年々、政治がクリエイティブな仕事の邪魔者であることがはっきりしてきたが、良い建築のための前提条件は、より自由で市民を中心にすえた、科学的で民主的な社会なのだ。

しばらくのあいだ、私は自分のエネルギーをすべて、退屈なことも多い現実世界の設計と建築の問題に注いでおり、開発業者と建設チームとのあいだを行き来していた。何度もぶち当たった困難は、今生きている世界の病んだ部分だ。これについては長年にわたる私の経験と考察（父と過ごした子供時代も含め）のお陰で、無意識のうちに準備はできていた。だが建築というのは公の生活の一端であり、そこでは自分を完全に表現することは考えられない。当局が意味を決定するとき、独立した個人の考えは存在せず、すべてが権力側の考えの延長となる。

父の死後、いくつもの記念事業がおこなわれた。二〇〇二年に金華（ジンホワ）市庁が、「艾青（アイ・チン）文化公園」を金華の街なか近くに設計してくれないかと依頼してきた。最初は父にふさわしいほどの敬意を表現するのは無理だと思ったが、とうとう母の説得に折れることになった。あなたがやらなかったら、ほかの誰かがすることになるでしょう、あなたは気に入らないと思うよ、と母は言ったのだ。

父の生まれ故郷を訪ねたが、気のめいる体験だった。文革の混乱と破壊行為が終わったころには、古い秩序はきれいさっぱり消えていた。父の詩にあるような牧歌的な美など少しも見つけられなかった。見たのはただ粗雑に建てられた家や、途中で投げだされた建築プロジェクトだけだ。淡水真珠がとれるイケチョウ貝が生息する澄んだ清い流れはペットボトルで詰まり、道路は建設車両やモーター・スクーターで渋滞していた。父の子供時代がますます自分から遠く感じられた。

　父の生まれた畈田蔣（ファンティエンジアン）の村を訪ねると、例の古い二本のクスノキがまだ残っているのを発見した。村の党書記がくまなく案内してくれ、蔣（ジアン）家の屋敷が父の時代から改装されたことなどを説明してくれた。大葉荷（ダーイエホー）の家も訪ね、彼女のいちばん下の息子が今では痩（や）せてしわだらけの老人になっているのを知った。祖父の墓は畑の中の小さな土饅頭（どまんじゅう）だった。すべてがなじみのないもので、故郷に帰ったようには思えなかった。

　義烏（イーウー）川の岸辺に、艾青文化公園のために確保された土地があった。その川というのが氾濫（はんらん）防止のためにコンクリートで固められ、どちらの岸にも自然な草地もなければ川沿いの小道などもない。プロジェクトを成功させるには出入りしやすいことが肝心だと私が力説した結果、市は片側だけでなく両岸をふくむ設計に同意した。メインの公園は、川の南岸に沿ってたっぷり一・五キロ以上の長さになる。私は三十六本の石柱群をデザインし、広場に迷路のような空間を作った。また土手には地元の石材で斜行する階段を作り、川へと下りていくようにした。石と水とが接することで、父の詩が思い起こされる。

波が一つ、また一つ。
たえまなく寄せてくる
しかし岩は変わらずそこに立つ
笑みを浮かべ、海を見つめて……

（原題：『礁石』、一九五四年、抜粋）

十月のある日、ウリ・シグが電話をくれた。スイスの建築事務所が北京オリンピックのスタジアム設計コンペに参加することになったという。ヘルツォーク&ド・ムーロンのチームが中国側の共同制作者を探していて、シグが私を推薦したのだ。二人の高名な建築家のことはほとんど知らなかったが、不可能はない。その場で承諾した。

二〇〇三年の旧正月の時期、中国ではSARSの流行がピークに達しており、人々はピリピリしていた。ジャック・ヘルツォークとピエール・ド・ムーロンに会うために私が北京を発った日、北京首都国際空港に旅客の姿はまばらで、飛行機の座席もガラガラだった。バーゼルでは、私がウイルスを運んでくるかもしれないからガラスの覆いか何かで隔離したほうがいいと、ヘルツォークは助言されたそうだ。

SARSが中国南部で初めて確認されたのは二〇〇二年の終わり近くだった。医療従事者が感染し、たちまち国じゅうに広がり、その速さはまるでホラー映画だった。続いて起きたことは中国の典型的な災害の流れだ。政府は正確な報告を出さず、衛生部（保健省）の役人が伝染病は効果的に抑えられているとテレビで言ったため、世界保健機関は北京を感染地域のリストから外した。しかし二〇〇三年の四月八日になって、ある軍医が外国メディアに、本当は流行が深刻であることを暴露した。彼の病院だけでも六十人の患者が出て、七人が亡くなっていた。ほぼその年いっぱい、謎の伝染病の力が中国の不透明な体制と張りあい、北京はほぼ麻痺状態、人々はお互いを疑いの目で見た。十七年後、武漢市から始まった新型コロナウイルスの危機もまた、そっくりのパターンをたどることになる。

外国の建築事務所では、慣れない中国の文化や政治を理解するためのアドバイスが必要だった。どんなベテラン登山家も、難しい山頂をめざすときは安全なアンカー・ポイントに頼るのと同じだ。「私はどういう役を果たせばいいと思う？」と、シグの運転する車でバーゼルのヘルツォーク＆ド・ムーロン事務所に向かう途中、私は聞いた。彼が言うには、もうある程度の準備作業は済んでいて、私の意見を聞くのを待つ段階だった。それなら大丈夫だ。意見を言うことは簡単だし、ここでは自由に話すことができる。

事務所のオフィスには八十人以上の建築家が働いていた。図面や縮尺モデルがあふれる大小のオフィスを通り過ぎ、ヘルツォークとド・ムーロン、それに数人の建築家と会議室で会った。話題は政治や文化の問題から、スタジアムの機能性と環境、構造と外見、技術的問題、たとえば屋根を格納するメカニズムにまでおよんだ。

コンセプトづくりの初期段階は、子供が生まれるのを待つのに似ている。みんなが用心深く、緊張して、手を貸すべき適切なタイミングをはかっている。議論を詰めるうちに、構造も外観も、大胆でドラマティックなものにすべきだ、と意見は一致した。鉛筆で紙にスケッチし、紙をはさみで切って大まかな模型を作るうちに、SARSのことなどすっかり忘れてしまった。シグは自分の席に座り、まったく口をはさまなかった。

スタジアムの構想ができはじめた。高さ七十メートル、長さ三百三十メートル。窓の下を流れるライン川の幅をはるかに超えた巨大さだ。鳥の巣のような外殻が構造と一体化している。フレームが網の目のように錯綜して、実際は巨大で重いのだが、明るい空気感を作る。綿密な議論を十時間たたかわせたあと、構想が明確になり、まとまってきた。

翌朝また会ったとき、ヘルツォークが私のほうを見た。「なあ未未、この設計、勝てるよ」と言った。彼が予測したとおり、競合者の案のほとんどは同じようなもので、コンセプトも形の上でも、我々の設計は際立っていた。その日、飛行機が上昇し、厚い雲を抜けて巡航高度に達するまでに高揚感が私を包み、北京までずっと消えなかった。決定的設計ができた手応えに満足だった。スタジアムは統一がとれて、そのバランスもオープンさも、中国の政治がそうであってほしい姿だった。北京は世界に自分を示す機会を得た。オリンピックはかつての謎めいて閉鎖的な社会を公に検分してもらう場になるだろう。このスタジアムが世界に通用する価値観を表現し、開放と理解にいたる道を見つける出発点を示してほしかった。三カ月後、我々のチームが契約を獲得した。

十月、私は清華大学に招かれて建築学部の教室で教えることになった。バスをレンタルし、十六人の学生をバスの中で教えることにした。急速に変化している首都をリサーチするのに、それ以上の方法を思いつかなかった。ビデオカメラを前の座席に設置して、十六日間、北京の街をバスで走り回りながら、通ったすべての道をカメラで記録した。結果的に百五十時間の映像となり、オリンピック前の北京の視覚的な記録ができた。千年の歴史のあるこの都市は、中華人民共和国の最初の五十年ですでに大部分が破壊されてしまった。一九四九年にはまだ建っていた歴史的建造物のうち、残ったのは四分の一以下だ。かつて住宅街を縦横に走っていた三千以上の路地も、残っているのはわずか四百本ほどだけだ。

二〇〇四年の冬、私はアシスタントの趙趙（ジャオジャオ）とともに、長安街（チャンアンジエ）の撮影を完了した。北京で最も重要な東西の軸のドキュメンタリー記録だ。長安街は全長四十三・五キロある。五十ヤード（約四十六メートル）ごとに一分間の映像として撮った。すべてのクリップをつなげると、十時間十三分の長尺ビデオが完成した。

その後、私たちは二本の続編を作った。『北京：二環路』と『北京：三環路』だ。最初の一本と合わせて、国家資本主義の高潮期における都市の変化を観察したドキュメンタリー三部作だ。
一方「鳥の巣」の建設のほうは円滑とはほど遠く、北京の保守派の反対で、危うくプロジェクト自体がなくなりかけた。建築学者が数人で中央政府に手紙を出し、この設計は「植民地主義の建築」であると非難したのだ。中国は外国建築家の試験場にされていると言い、このスタジアムは「鋼鉄を無駄に使いすぎる」であろう、「安全性への問題もある」と警告した。声高な批判のせいで、しばらくのあいだ工事は休止せざるを得なかった。一年後に再開したとき、格納できる屋根は設計からはずされていた。ハイテク・オリンピックは、金をケチるオリンピックに道を譲ってしまった。競技開催のためにどうしても納期までに竣工(しゅんこう)する必要がなければ、このプロジェクトはおそらくお蔵入りになったことだろう。

建築にたずさわったことで、都市機能について理解が深まったが、同時にわが政府がいかに信用ならず美的に無能であるか、強く意識することになった。艾丹がしょっちゅう、あまりものごとに深入りするなと注意してくれたが、「鳥の巣」プロジェクトのあと、私はもう建築に無駄な時間を使うのが嫌になった。

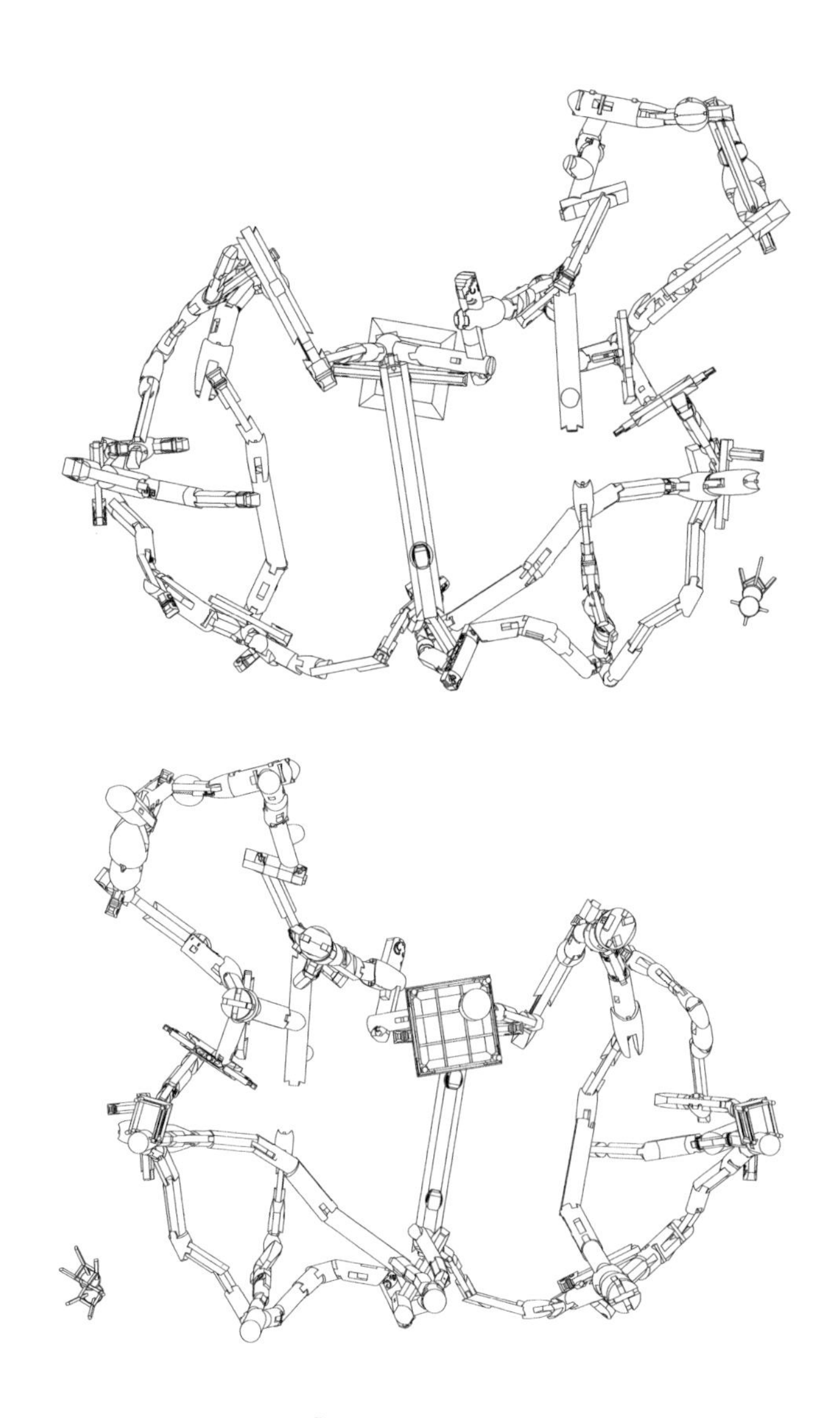

『Fragments』、2005 年

第十四章　童話

インターネットが初めて中国に導入されたのは一九九四年、サービス総合デジタル網（ＩＳＤＮ）の速度が毎秒六十四キロビットだった。十年後、中国のインターネット・ユーザーは一億一千万人と、全世界の「ネット市民」の十パーセント以上を占めるようになった。長年、簡単なメールのやりとりに使っていたが、そのほかの可能性については探ってみたこともなかった。やっと二〇〇五年の秋、私は初めてブログ記事を書いた。のろのろと打ち込んだのは「自分を表現するには理由が必要だが、自分を表現することそのものが理由になる」という言葉だった。そのときは自分でも、また中国のネット検閲組織も、この行動が私にとってどれほどの転機となるか、想像できなかった。私は公衆の視界に、銃弾なみの威力で突入したのだ。

こんな形で書くことは、父には想像もつかなかっただろう。父の時代の出版は時間がかかり、しかも厳しい門番がいて、中国の読者へのアクセスを好きなだけ制限できた。中国でのオンライン著作の黎明期に、まだそのような制約はなかった。直感的でスピードがあり、スリルに満ちていた。オンライン上に書くことは、艾丹のように小説を書くこととは違う。すみずみまで想像された物理的・精神的世界を構築する必要はなかった。

ブログが魅力的だったのは、身の回りの社会の亀裂や混乱を、すぐに取り上げられる点だ。それからは、朝起きてまずパソコンを起動するようになった。ブログのアクセス数と読者からの投稿数はたちまち増えて、まるで、ある日わずかな種をまいたら、次の日には畑いっぱいに作物が実ったようだった。ブログで私のものの見方はずいぶん広まった。一人の読者に返事を書けば、別の知らない人、今後会うこともないだろう人がそのやりとりを読み、また別の視点で書き込む。人とのダイレクトで正直なコミュニケーションは空想の産物ではなくなり、愛の告白と同じくらいリアルに感じられた。オンライン上でいくつでも異なる存在が作れ、それぞれ無限の可能性を持つことや、断片的で取るにたらない、はかない一瞬の感情や、その関わりを楽しんだ。打つ文字一つ一つが、これまでにない種類の自由を象徴した。インターネットは主流以外の声を可能にすることで独裁政治の力を弱らせ、個人をさまたげる障害物を取り除いた。

自由になれば当然、表現したくなる。すぐに読者は私を、親兄弟よりもよく理解してくれるようになった。ネット上では社会的抑圧は効かない。個人は一種の無重力状態を獲得し、権力構造に従わなくてよくなる。願いごとや熱意を分かちあえば世論が形づくられ、ときには革命の兆しが見えることもあった。普通の人々が社会の現実をどうとらえるかが根元から変化したのだ。時空の制約を超え、見えることも見えないこともひっくるめて、呼吸するのと同じくらい自然に。

市民社会は独裁政治に挑戦するものだから、支配者にとっては恐怖だ。したがって中国政府は個人のスペースを消し去ろうとし、自由な表現を抑圧し、私たちの記憶をゆがめようとする。すでに二〇〇三年九月、公安局の情報収集プログラム「金盾（ジンドゥン）プロジェクト」が始まり、音声認識や盗聴、遠隔監視、顔認証技術など、インターネットの監視ツールが用いられた。しだいにプログラムの監視は拡大し、個人のネット上の行動のトラッキングや遮断、リセット、検閲に加え、電話やブルートゥースで

『Leg Gun』、2014年

のやりとりや無線通信の盗聴も含むようになった。アクセス制限ソフトも導入され、ユーザーのデスクトップやファイルに直接侵入した。ソフトウェア会社は、ソーシャルメディア上のコミュニケーションやスキャンされた文書の記録をいつでも出せるようにしなければならない。

ネット上の表現に大きく制限がかかった結果、人々はいっそうコントロールに抵抗するようになった。当局も一時にあらゆる場所にいることはできない。太陽だってすべての水滴を蒸発させられないのだ。私は敵が恐れていることを察知し、自由な表現ができるすばらしい国が地平線上にあるのを垣間見た。

インターネットが私にどのくらい影響を与えたか測ることは難しいが、わかるのは、私はクラゲみたいなもので、インターネットは私の大海になったことだ。人生がただ一方的に引きずられていくものではなく、数えきれないほどの瞬間と点のつながりとして見えはじめた。たとえば写真や動画の投稿、この感情の表現や落胆のため息、私の書く一文、光ファイバーを介して送ったパルスなど。どの瞬間も完全な世界として示され、予測できず、繰り返せず、古い意味や目標などをかき消す。混乱ではなく力を与えるものだ。歴史や記憶をごまかそうとする独裁政治のもとで、自分たちのストーリーを語る新たな方法だ。

私はさっそくこの新しい表現手段を試し、すぐに一日八時間、十二時間、下手をすると二十四時間をオンラインでの交流に費やすようになった。二〇〇三年、大学を卒業した孫志剛（スン・ジーガン）という青年が広州（グアンジョウ）市で身柄を拘束された。「暫住証」という臨時の居住証を携帯していなかったためだ。その後、彼はホームレスなどを収容する「拘束施設」で殴られたことが原因で亡くなった。司法管轄外の収容制度は何年も前からあり、暴力がはびこっていた。今回のように死にいたる場合も多かった。孫の死は、政府がいわゆる「収容遣送制度」を廃止して代わりに作った「拘束施設」へのごうごうたる非難を呼んだ。政府は制度の廃止に踏み切ることになった。

孫の死から三年後、新たなできごとをきっかけに、再びオンラインで社会正義に関する議論が起こった。二〇〇六年五月、広州市で、中国の医療関係者のスポークスパーソンである鍾南山（ジョン・ナンシャン）がラップトップを盗まれた。鍾は激怒して、以前の収容制度を復活させよと主張した。「法的制度を作るなら、どういう人間を優先すべきだろうか？　悪人でなく、良い人が利益を得るようにすべきだ。敵に寛大になれば、普通の人々がひどい目に遭うことになる」。

このおかしな主張を受け、私は収容制度についての議論を再燃させた。鍾のような知識人は、この非人間的なシステムを擁護するほうに回り、道義を捨てて権力の側に立っている。昔からよくあることだ。私はブログで問いかけた。「もしある社会が事実を否定して間違いを隠蔽（いんぺい）するならば、社会は改善される見込みはあるだろうか？　どういう基礎の上に今日の政治生活は建てられているのだろうか？」。この言葉が読まれ、数時間のうちに何十万ものリブログが投稿されたとき、私が痛いところを突いたのが確信できた。当時は知らなかったが、鍾南山は二〇二〇年に再び話題にのぼる。武漢（ウーハン）での新型コロナウイルス感染症の大流行を隠蔽するのに関わったとして告発されたのだ。

経済成長の犠牲になる人命のことも憂慮すべきだった。広東省（グアンドン）の珠江（ジュージアン）デルタは、世界で最も加工プラントが密集している。その工場では毎年四万人以上の労働者が事故で指を失い、全国では毎年一万五千人が労働災害で亡くなっている。ここ三十年間というもの、中国は豊かになることを夢見てきたが、富の増大は肉体的・精神的健康を損ねるという代償をともなった。広東省の工場では、単純な反復作業・機械的な労働のために大量の出かせぎ労働者が雇われた。外国との貿易が低迷して事業に損失が出れば突然解雇され、なんの補償もなく路上に放り出される人たちだ。

私は問いかけた。「この三十年間、誰が必死に富を貯めてきた？　富はどこから来た？　いつになったら労働者は個人としての権利を守る組合や社会福祉が得られるのか？　いつになったら国家はこれほど多くの人の手足が不自由になったことを恥じるのか？　いつになったら政府は経営の無責任に対して補償するのか？　いつになったら社会は浪費と豪華を誇示するのをやめて、公平と正義へ進もうとするのか？」。

私のブログは仮想空間の戦場となり、両サイドからの議論が活発にやりとりされた。椅子に座る私の目の前で、率直な、妥協をゆるさぬ論議がスクリーン上で発光していた。私のブログが人々を無感覚・無関心から目覚めさせたようだった。現実と個人の表現をへだてていた境界線は、心奪うデジタル上の世界ではかき消されてしまう。

同時に私は、もう一つの好きな媒体である写真も大いに活用した。この数年で何十万枚という写真を撮り、見たものを二次元に記録してきたはずだ。写真はデジタルプログラムによって、小さな情報のかけらから信頼できる一枚に変化し、それ自体で一つの世界を作った。

二〇〇八年の北京オリンピックまでの三年間、「鳥の巣」スタジアムと北京首都国際空港の巨大な第三ターミナルの建設を、映画のフィルムとスチール写真の両方で記録した。数日おきに、アシスタントの趙趙は艾丹の車を借り、これも借りもののメディア用許可証をフロントガラスに貼って建設現場に出入りし、工事の進捗状況を記録した。動機は単純だ。もし自分で記録しなければ、誰もやらないからだ。人が見るのは結果としての建物だけになってしまい、そこにいたるまでの苦労は忘れ去られてしまう。シンプルな視覚的記録は人間の記憶の一部になり、抑圧しようとしてもずっと消えないものだ。こうしたランドマークを完成させるために働いた出かせぎ労働者たちの辛い労役を、後々まで残す証拠を撮ろうと思ったのだ。

また、都市化にともなう取り壊し、絶え間ない激変と破壊も記録していた。醜い現実を前にして、美は無力のように見えた。建物の破壊はすでに五〇年代初めから始まっていたが、古い都市の完全な変貌が本格化したのは、経済が急成長して都市化が進んだ九〇年代になってからだ。政府の主要な利益は土地の取引から来ていたから、首都は周囲の農地を手当たりしだいに飲み込んでいった。私はこの記録活動を、アーティストとしてだけではなく、市民として必須の記録であると考えはじめた。

北京オリンピックの開催に向けて、西側アート界の著名な人々が中国を訪れ、私のスタジオを旅程に組み入れることが多くなっていた。あまりの盛況ぶりに、自分が万里の長城か兵馬俑にでもなった気がした。訪問客は歓迎したが、親睦会は開かなかった。経験も物の見方も、彼らとはまったく違うと深く意識していたからだ。

ギャップを最も強く感じたのが、二〇〇六年五月二十三日、うららかな春の日だった。二台の大型バスがスタジオの外に停まった。ニューヨーク近代美術館（ＭｏＭＡ）が企画した、コレクターや美術館理事などからなる、七十人以上の多国籍コンサルタントの一行だ。中国の現代アートの視察にやって来て、私のところに立ち寄ったのだ。洗練された服装、言葉も上品な訪問客たちは、悠然と芝生の上を歩き回った。彼らは知らなかったが、中庭の片隅にカメラが四台隠してあり、遠慮ない訪問者の様子をさまざまな角度から録画していた。中国は今や、文化的なグローバリゼーションの一部になった。いったん欧米のパワーを受け入れれば、それがあっという間に広まるだろう。

　一行の代表が日の当たる場所に立ち、この日の快晴は重要な意味を持つと述べ、中国のアートが国際的な視界に入ってきているとほのめかした。偶然にもこの日は六十四年前に、父も含めた百人の作家たちが延安（イエンアン）文芸座談会で毛沢東（マオ・ツォードン）の講話を聞くために集まった日だった。毛は、文芸の第一の仕事は農民と兵士に仕えることであると強調し、共産党支配の地域では党が芸術をコントロールすると宣言したのだ。以来、文芸は単なる安っぽい、実用目的のプロパガンダの道具となり、いまだに見通しは暗かった。そして二十一世紀となり、「外国の影響」は再び中国に大手を振って入ってきている。今度はマルクス主義ではなく、新たな文化の帝国主義と、資本主義的占有という形で。

　一九二九年に設立されたＭｏＭＡは、十万点以上の美術作品を抱える欧米最大の現代アート美術館だ。グローバリゼーションと情報化時代の到来によって、オリンピック前夜にＭｏＭＡと北京がつながった。中国に注目すべきときが来たとＭｏＭＡは判断したのだ。以前は草場地に観光客の姿などなかった。この村の質素な家に出入りするのは、出かせぎ労働者くらいだった。

　ニューヨークでかつて私はこう書いた。「もしＭｏＭＡに行って羞恥心（しゅうち）に打ちのめされなければ、その人は美的感覚にどこかおかしいところがあるか、まったくのろくでなしだ。ここで見るもののすべてが先入観、俗物根性、虚栄だ」。当時私は若く、自信過剰だった。しかし二十年後にＭｏＭＡの代表が草場地に来たとき、私はやはり、この美術館の無頓着（むとんちゃく）なエリート志向に反発を覚えた。アートは評価されるべき、それは当然だ。しかし高価なコレクションの一つとしてＭｏＭＡの倉庫にしまわれ、カビを生やすという形であってはいけない。それでは単なる空費だ。私の現代アートに対するビジョンはまったく違う。私にとってアートは現実と、生きる方法と生への姿勢とのダイナミックな関係であり、切り離された場所におくべきでない。現実から距離を置こうとするアートには興味がなかった。

オンラインでは、私が取り上げる問題の範囲は着々と拡大していた。私はブログを公正で人間的な社会をもたらすための手段と見ていた。しだいに私は、何かひどいこと、不当なことがあった場合に最初に助けを求める人物と思われるようになった。二〇〇七年二月十一日の早朝、私は天津(ティエンジン)の小動物保護協会の女性から緊急のメッセージをもらった。一行は高速の料金所で、四百匹から五百匹の猫を積んだトラックを止めたという(「龍虎斗(ロンフードウ)」という猫肉と蛇肉の煮込みは、広東の名物料理だ)。私は二十代初めの若者たちを助けに現場に駆けつけた。大人にはない思いやりと良識を、その人たちに感じたからだ。

到着したときには、北京郊外の倉庫に猫たちの一時避難所が見つかっていた。屋外に金網のおりが積み重ねられ、それぞれに二十四の猫が押し込まれていた。倉庫に入ると、多数のおびえた猫たちが隅っこや垂木など、隠れられる場所を探してもぐりこんでいるのを見てショックを受けた。捕獲され運ばれる途中でけがをした猫もいたし、全員が腹をすかし、脱水状態だった。

中国のように抑圧された環境にいると、うっかりすると共感する力をなくし、その結果、他者に苦痛を与えていることがある。そのことを思って私は『三花(サンホワ)』というタイトルのドキュメンタリーを作った。猫肉と猫を売買する産業、対して猫を虐待から守ろうとする人たちの記録だ。それをオンラインで見られるようにした。ざっくばらんな議論から、人々の無知と冷淡さに対して有効な答えが出ればいいと思った。

救った猫のうち四十匹を引き取ることにした。人間にしいたげられた猫たちへのおわびだ。何十匹もの猫が草場地のスタジオに落ち着いた。猫は個性的で、一匹ずつ魅力が違う。三花はゆったり構えて芝生をぶらつくが、来来（ライライ）は私の机の上、とくにキーボードの横で寝そべるのが好きだ。私がインタビューで質問に答えているあいだ、気持ちよさそうにいびきをかいている。

二〇〇六年八月、私はドイツのカッセルに旅立った。この町で、現代アート界では重要な「ドクメンタ」という、五年に一度の芸術祭が開かれる。十二回目の「ドクメンタ12」まで十カ月、参加を打診されたのだ。会場を見せてもらってから私はスイス北部に足をのばし、そこでシグに会って一緒にハイキングに出た。そう高い山でもなかったが、しょっちゅう休憩してはシグの持参したソーセージやバナナをつまんだ。頭の中ではずっと、展覧会に出すコンセプトを弄（もてあそ）んでいたが、名案が浮かばず迷っていた。ありきたりの作品に堕して、せっかくの機会を無駄にするのだけは嫌だった。

左右に青い野花が咲く山道を歩き、ちょっと一息ついていると、何組かの家族連れとすれ違った。男性は子供を肩車し、その妻が同行の老人の世話をやいている。服装や言葉で、地元のスイス人ではなく、イタリアから来たのだとわかった。

この外国人ハイカーの姿に心が動かされた。八〇年代初めには中国人が国を離れる機会はめったになかった。それでもニューヨークにいたころ、中国からアメリカに来た人が私のところに寄ることもあった。服装と身の運び方で、すぐに中国人だとわかったものだ。平均的な中国人は長距離の旅に慣れていない。家から遠く離れれば、まるで玉から引きはがされたニンニクの一かけのように寂しくなってしまう。中国人が外国に来て何より好むのは、知った人間と一緒になることだ。たとえ嫌いなやつでも、一人きりになるよりましなのだ。一人になると不安になる原因は、中国社会に基本的保証が

『山海経』の習作

欠けていることだ。身を守るために頼りになるのは親族関係と愛情による絆だ。だから家を離れればまごつくし、落ち着かなくなり、何か頼れるものがないかと周囲をきょろきょろ見回すことになる。

このとき、そんな不安を抱えた中国人をまとめて海外旅行に連れていこう、というアイデアがわいた。考えを詰めていくと、コンセプトがくっきりしてきた。中国の政治や文化面で植えつけられた不安な気持ちを克服できる、勇気ある人に参加してほしいと思った。家から遠く離れても、心細くなる必要はないと学んでほしかった。ドイツにいるあいだに、その人たちは見聞きしたものについて考えるだろうし、身についた文化や政治のシステムから離れるという難しい挑戦もあるだろう。スケールを小さくした社会運動になってほしいと私は願った。

作品は、カッセルの「ドクメンタ12」と「千一人の中国人観光客」という、二つの一見関係のないことが合体したものになる。千人は集団として十分な規模を、プラス一人は個人を示す。シグがなんと言うか知りたくて、このアイデアを話してみた。彼は丁寧に支持してくれた。私のアイデアがどんなにばからしくても、水を差すようなことは決してしないのだ。

このアイデアが浮かんだのが標高二千メートルという空気の薄い高みだったのは偶然ではないだろう。私の頭は忙しく回転し、エネルギーがあり余って、その夜は眠れなかった。構想はさらに大きくなった。このプロジェクトは中国と世界との関係を、物理的に実演することになる。しかしその実演がどんなかたちになるかは、始めてみなければわからない。

私のコンセプトは、ロジャー・M・ビュルゲルとルート・ノアク夫妻のキュレーター・チームに承認された。友人がスイスの二つの私立財団を紹介してくれ、そこが資金を提供してくれることになった。このプロジェクトは『童話』と名づけられた。カッセルはグリム兄弟が長年住んだ土地でもあり、これほどふさわしい名はない。

資金を得ることより難しいのが、千一人の中国市民にドイツのヴィザを取ることだった。念のため、シグは北京のドイツ大使館にフォルカー・シュタンツェル大使を訪ねるときに同行してくれた。私が自分の構想の概略を話し、待ち受ける困難を説明するあいだ、大使は真剣に聞いてくれた。ありがたいことに全面的に協力してくれるという。申請した人が全員ヴィザを取れるようにしよう、と言ってくれた。しかし実際どうなるか、多少心もとない気はした。予想される参加者の多くは、通常なら資金不足でヴィザを断られる人々だと思われたし、万が一、一人でも不法滞在になれば、外交事件になりかねない。それでも大使館を出たときには、自分の幸運を感じ、もう頭はこの先の道のりのことへと切り替わっていた。

二〇〇七年二月二十六日、私はブログで正式に『童話』の構想を紹介した。同時に参加者も募った。共に旅しようという人たちに、はっきりさせておくべきことがあった。参加すれば、私の作品の媒体になってもらうことになる。何より、これは真面目な企画であって、インターネット詐欺のようなものではないと伝えなければならない。信頼してもらえると自信たっぷりだったわけではない。なにしろ、企画の目的を説明するのが難しかった。目的は、旅という行為、未知の場所へ行くということで、初めて明らかになるからだ。これが投稿した文章だ。

『童話』、二〇〇七年
千一人の中国人が
カッセルへ旅する

『童話』は艾未未(アイ・ウェイウェイ)によるアート作品である。第十二回カッセル・ドクメンタで発表される。艾未未が千一人の中国人とともにドイツ中部のカッセルへ旅する。カッセルへ千一人の中国人が旅をすることが、この作品の基本的要素だ。

日程は二〇〇七年六月十二日から七月十四日まで。主催者側が参加者グループの出発から帰国まで、責任をもって管理する。

手順：主催者は二〇〇七年三月一日までに申込書を配布、四月一日までに応募者を検討し選択する。採用の知らせを受けた参加者は主催者へ、パスポートと身分証明カードのコピーを五月一日までに到着するよう送付する。主催者は遅くとも五月一日にはヴィザの手続きを始め、参加者全員が決められた日時・場所に集まり、ドイツへ旅立つ。

三日間で三千以上の申し込みがあった。これ以上増えると手に負えなくなるため、オンラインでの募集を早めに締め切った。参加希望者にはじっくり考えた合計九十九個もの質問をした。たとえば、「ドイツに行ったことはありますか？」「西側の人に何を話したいですか」「童話とはなんですか」「アートは世界を変えられますか」「進化を信じますか」など。参加希望者がどんな人か知りたかったし、私が真剣であることもわかってもらいたかった。この質問で、彼らが未来に何を期待するか、今の状況をどうとらえているか、母国の文化に対してはどんな態度なのかを確認したのだ。

二〇〇七年当時、中国ではネット使用はほぼ大都市に限られていた。そこで、田舎に親戚のいる友人に頼んで口コミで話を広めてもらった。参加したいのに、知る機会もない人のためだ。これで参加者が多様化し、もう十分申し込みが来ている北京や上海のテクノロジー通の都会人以外の人も拾える。中国北西部の農家の男性は、質問すべてに「わかりません」と答えた。それでも申込書の最後には自分の名をサインし、旅行団に加わりたいという意志を示した。

応募者がすみやかに、ルールに沿った対応をしてくれるのを見て、バーチャル空間を通して情熱とエネルギーがわき上がるのをはっきり感じた。招待状を送るときに、私はコメントを付けた。「申し込んでくれたことで、あなたはすでに奇跡を経験しています。あなたは今、世界を新たな目で見て、新しい考え方を得たのです」。人々が見知らぬものに直面し、未知の場所に入ることが、このプロジェクトの有機的な部分となるはずだ。中国のあらゆる県、大都市、自治区（台湾とチベット自治区は除くが）からの応募者たちの熱心さに、私は心打たれた。これも北西部の農民が言うには、二十数軒しかない小さな村の全員がドイツに行きたがったそうだ。一人だけ応募しなかった人は、豚と牛をそんな長いあいだ放っておけないと、泣く泣くあきらめたそうだ。

ジャーナリストで歌手でもある呉虹飛（ウー・ホンフェイ）は、南西部のさらに辺境の村で、このプロジェクトの話を親戚に届けてくれた。生まれた広西（グアンシー）チワン族自治区から出たこともなく、農民の年収がたった約六百五十人民元（一万三千円ほど）という村の住民、侗（ドン）族の女性たちだ。彼女たちの言語には「芸術家」という言葉も「童話」という言葉もなく、ドイツまで旅するなど、月に行くほどありえないことだった。呉虹飛は行き先をうまく説明できなかった。精いっぱい考えて、「ドイツは天安門（ティエンアンメン）と同じくらいすばらしいのよ」としか言えなかったそうだ。少なくとも天安門は聞いたことがあったようだ。

パスポート用の写真を撮り、パスポートを申請するために、彼女たちは大きな町まで二度、足を運んだ。お役所の手続きは、静まり返った暮らしに慣れた彼女たちには目が回るほど複雑だった。もう五十代になっていたが、自分の名前がなかった。結婚すると夫の姓になり、住民記録には「だれそれの母」とだけ書かれるのだ。ところが、パスポートを得るためには正確な個人情報を書かなければならない。そこで即席で下の名をこしらえた。ある女性は自分の名を「呉奶保正（ウーナイ・バオチェン）」とした。「呉」は夫の姓、「保正」が長男の名、そして「奶」が侗語で母を意味する。

応募者の職業はさまざまだった。バー経営者から詩人、画家、教師、学生、歌手、作家、茶葉商人、安全検査官、無職の移住者、山奥の村から出てきた農民まで。応募者全員を検討し、さらなる質問を送って情報を集めてから、二歳から七十歳までの千人以上の参加者を選んだ。

『童話』は壁にかけたり、台の上に置いたりする種類の作品ではない。私の人生と考えに根ざしているとはいえ、この作品は生き物であり、進行中のもの、一人一人の願いを社会的理想の実験に託すものだ。さらに、ごく小規模の社会運動でもあり、参加者それぞれの人生に長く影響が残るはずだった。私は『童話』で社会学的な媒体と形式を発見した。一見、現代アートになんら関係ないような中国の大衆のなかから、一人一人の意識のめざめ（アウエアネス）自体が作品となる。人に何を見せたいのかと問われれば、それは私の意図ではないと答えた。私の目標は、何も見せないことだった。

ヴィザ申請の段階になると、私の机の上にパスポートが山をなした。学生とボランティアで五つのチームを作り、千一人を二百人ほどずつに分けて各チームに割り当て、全員の航空券や旅行保険を手配した。六月十日から七月十一日のあいだに時間差をつけて、グループごとにドイツへ飛び立った。ルフトハンザか中国国際航空の飛行機で、北京か上海からフランクフルトまたはミュンヘンへ行き、そこからはバスでカッセルに向かって一週間滞在した。

カッセル大学のキャンパスに空いた倉庫を見つけていた。その中に、いくつもの魅力的なテントを建て、キッチンとトイレも作った。全長十二メートルのコンテナ十台に中華鍋（なべ）やボウルやおたま、皿、調理器、蒸し器その他の道具、それにキャンプ用ベッドやシーツ、布団など、必要な物を詰めて運び込んだ。カルチャーショックが大きすぎないよう、四人の料理人が毎日、朝昼晩と中国料理を作った。もし一度でも食事に腹が不満を覚えれば、その腹の持ち主は故郷を恋しがるだろう。また、ソーセージやシュバイネハクセなど、ドイツ名物も入れることを忘れなかった。

手続きの仕事量は膨大だった。パスポートにヴィザ、健康保険、航空券など、ほとんど気がおかしくなりそうで、これがアートの展覧会だということを忘れそうになったくらいだ。今回の私の役割は、マネージャーやツアーガイドに似ていた。物流から広報、メディア、安全対策、その他のあらゆる管理業務を扱った。同時に、私は美的な面を自分が決めることは最小限におさえた。作品の可能性を多方面で最大にしたかったのだ。また『童話』が芸術くさい、陳腐でありふれたものの再利用になってしまうのを防ぎたかった。

千一脚の清朝時代のアンティークの椅子も『童話』の一部となった。これは動かないが同じくらい文化により形づくられ、記憶の詰まった、やって来る千一人の人々と同等の存在だ。椅子はみんながよく知っているもの、家具というだけでなく、伝統的で、規範にもとづいた家族と社会に組み込まれ、付随した存在だ。用意した椅子は中国人参加者の思い出の一部であり、展示はされないが、みんなが休憩するのにいい場所になった。

『童話』により強調された要素は、のちに「ドクメンタ12」に続いて起きたグローバルな観光産業の爆発や難民危機などと共鳴するものがあった。『南ドイツ新聞』が、「中国人がやって来た」と題する記事を載せた。そこには「ホストから見れば、千一人の中国人は地球の大規模な人口増加への強力なメタファーであり、文化の損失や、物質所有のはかなさをも象徴する」とあった。

参加の中国人がフランクフルト空港に着き、税関を通って少しずつ現れるのを見たときは感無量だった。この人たちは現代アートについてほとんど知らず、たぶん最後まで私の意図を理解することはないかもしれない。しかし、インターネットが新たな現実を教えてくれ、今、異国の地で飛行機から降りた彼らは、経験の幅を広げようとしていた。私にとって他者の人生と交流することは日常茶飯事ではない。世界を探索するのは人間が生来持っている権利であり、この旅行者たちは生まれて初めてその権利を行使しているのだ。
『童話』の仮住まいはドイツのメディアに「野戦病院」などと呼ばれたが、二階建てで階を男女で分け、各階が白い木綿のカーテンによって十の部屋に仕切られて、各部屋に十台のベッドが置かれた。全員に「f1001」のロゴ付きのTシャツと、展覧会場にフリーパスで入れるUSBのブレスレットが配られた。住まいの入り口にある掲示板には、その日のスケジュール、保険の説明、インターネットや電話の使い方、活動に参加するための申し込み用紙など、あらゆる連絡事項が貼りだされた。また、カッセル市民が、滞在中乗ってほしいと、何十台もの自転車を寄付してくれた。USBブレスレットは市内の路面電車やバス、食事などが無料で利用でき、「未来の中国人」たちの通行証となった。

　中国は西洋とはいろいろな面で根本的に違っている。別のレベル、別の背景で機能し、正反対の方向へと動くこともある。千一人の中国人がカッセルを歩き回ると、東と西、おたがいの想像と混乱が、ドイツの街に波紋を起こし、異国の童話のように、私が希望したとおりの事態になった。イベントの前から大勢のクルーが千時間以上のフィルム撮影をし、『童話』参加者の生活を丹念に記録した。たとえば故郷での単調な生活、心配ごとや夢、それに大変だったことなど。編集して、『童話』の構想と実行の、時系列に沿ったドキュメンタリーができた。

　カールスアウエ公園の十八世紀の宮殿前に広がる緑の芝生に、もう一つの作品『テンプレート』を設置した。山西省（シャンシー）で取り壊されることになった古い建物からもらってきた千枚以上の木製のドアと窓を使用していた。それらを集めて現代的環境に置いて、過去と未来を同時に反映した寺院のような、混合しつつ分裂する、矛盾したコンテクストで作りあげた。『テンプレート』がどのように定義されるかは気にしなかった。あるインタビューでは、別にこれに雷が落ちてもかまわないとまで答えた。私はバーチャルリアリティによって自然に生ずる、つかみどころのない充足の感覚に真の歓（よろこ）びを見つ

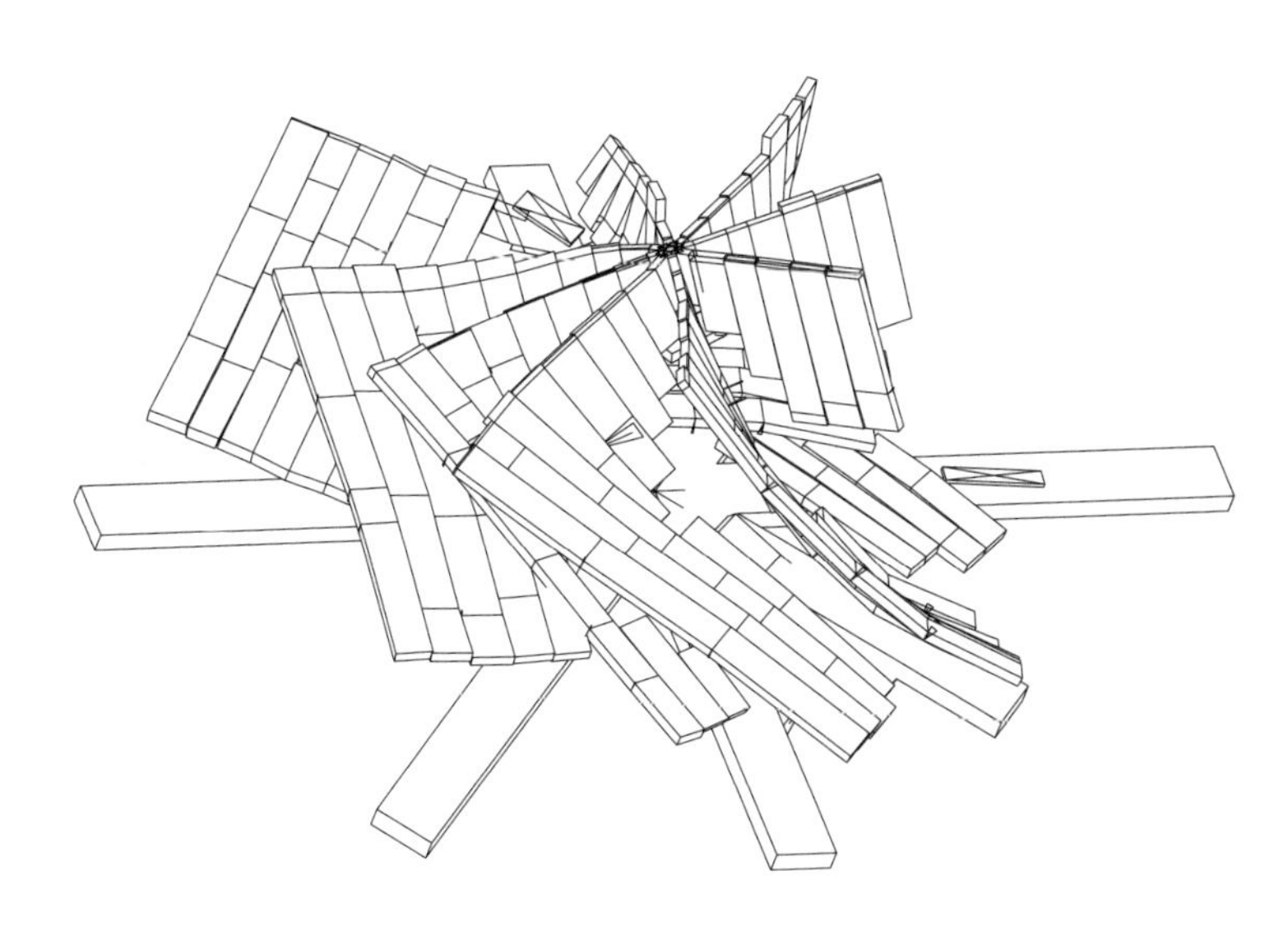

『テンプレート』、2007年

けた。元からあるアイデアや枠組みには満足できなかった。もはや、メディア（あるいはMoMAでもいいが——）による、現代アートのあるべき姿の期待に応えるつもりはまったくなかった。

　ところが、ドクメンタ開幕からわずか二日後の六月二十一日、突然の雷雨で『テンプレート』は倒壊してしまった。その知らせはひどいショックで、何か凶運の前触れのような不気味な感じがした。しかし太陽が照りだして壊れた残骸を点検してみると、まったく新しい光景に感嘆せずにいられなかった。大きな努力の末建てられた巨大なインスタレーションは、円を描きながらねじれて倒れているが、完全に平らにはなっていなかった。その構造が頑固に破壊的な力に逆らったのだ。以前よりいっそう生命力を持っているようだった。力が廃墟から突き出していた。アートは決して終わらない、と私に告げていた。『童話』はさまざまな議論を引き起こし、予想以上に複雑な、思ってもいなかった結果をもたらした。のちにある批評家が「『童話』は艾未未のアーティストとしての転機だ。ここから彼はさらにラディカルな形式を用いて社会問題を考察することになる」と書いている。私は秩序というものを賛美しない。それが東洋風だろうと西洋風だろうと、いつでも疑う心がわいてくる。人間性への制約も、秩序が押し付けてくる選択の制限も嫌いだ。押し付けられた意味から決別するとき、人は周囲と緊張した関係に入り、そして居心地が悪いときにこそ、人は最も冴(さ)えているのだ。

私はよく混乱するが、そんな混乱の状態から前進する。『童話』は社会との関わりという意味で、これから来るものの兆しであり、私のアートは、政治と現実のあいだの入り組んだつながりにますますフォーカスするようになる。新たに生まれたアートが私のなかで、根っこを四方八方に伸ばしながら育っていた。

王分(ワン・フェン)に出会ったのは、この創造力にあふれていた時期だ。若い映画編集者の彼女は『童話』のドキュメンタリー制作チームの一員だった。私たちはしだいに親密になっていった。一九九八年にニューヨークを訪れたとき、私は路青(ルー・チン)と結婚していた。十年後の現在も草場地で同居してはいるが、寝室は別だった。あるとき路青は苦しげに、まだ草場地に住んでいるのはペットの犬と猫のためでしかないと言った。彼女がこれほど直接的に感情を出すことはまれで、私はひそかに涙した。人生で好ましいものはいつも決まって愛するものよりもリアルで、手がとどきやすい。路青は優しく思いやりのある性格だ。彼女が大らかだったからこそ、私はとほうもなく広い空間で好きなことができた。共に暮らした年月のなかで路青は少しも変わっていなかった。変わったのは私のほうだ。

育っていく新たな愛に、つい童話のような要素を見つけたくなるが、現実は決して童話ではない。人生は私にいくつもの心の絆(きずな)を手放すことを教えた。この新たな絆がどのくらい続くものか、知るすべはなかった。

第十五章　公民調査

ぽつんと立った旗竿(はたざお)の先で、中国国旗がはためいていた。私は廃墟(はいきょ)のただなかで呆然(ぼうぜん)として震え、死の臭いに打ちのめされた。足元にはさまざまなものが散乱していた。衣服、雨にぬれた教科書、定規、小さな手鏡、リュックサック。白い化学防護服を着た兵士が黒い遺体袋をいくつもまとめて運び、今は動いていない掘削機の横を過ぎていった。二週間前、七百四十人の子供たちが校舎の倒壊によって亡くなっていた。

二〇〇八年五月十二日、中国南西部の四川(スーチュワン)省をマグニチュード八・〇の地震が襲った。震源地は人口十一万人の汶川(ウエンチュワン)県だ。非常に規模が大きく、千五百キロ離れた北京でも数分後に揺れが観測されたほどだ。大惨事のニュースが広がると、国じゅうが深い喪に服した。

ただブログを書き続けるだけでは、いたたまれなかった。私がアシスタントの趙趙(ジャオジャオ)をともなって四川省の省都、成都(チョンドゥー)に着いたのは五月二十九日だ。ただちに震源地に近く、甚大な被害があった都江堰(ドゥージアンイエン)という町をめざした。そこで見たのは、レンガとコンクリートの破片、むき出しの鉄筋の山となった聚源(ジューユエン)中学校の無残な姿だった。この学校だけで、二百八十四人の生徒が亡くなった。私たちは車を停め、外に出た。

がれきのなかで、四十代の夫婦に出会った。夫はタクシー運転手、その妻は娘の小さな眼鏡と乳歯を一本入れたピンク色のペンケースを握っていた。娘は私たちのすべてでした、と妻は言った。なんでこんなお粗末な校舎を建てたんでしょうか、誰が手抜き工事の責任をとるんでしょうか。決して答えの得られない質問だった。全体で七万人以上が亡くなり、その多くがこの人たちの娘のように、崩れた校舎の下敷きになった子供たちだった。

その後、ブログで亡くなった子供たちの追悼を始めると、北川(ベイチュワン)県で被害にあった児童の母親がこんなコメントをくれた。「娘の名前があなたのリストにあるのを見ました。楊小丸(ヤン・シアオワン)、七歳、曲山(チューシャン)小学校一年生、と」。そして、「もっと多くの人に娘のことを知ってほしい。それだけが望みです。娘は七年間、この世で幸せに暮らしました。みなさんに娘の名前を覚えていてほしい。亡くなったすべての人たちの名前を覚えていてほしいのです」。

地震がなかったとしても、二〇〇八年というのは特殊な年だった。近づく北京オリンピックが楽しみな一方で、人々は多くの天災や人災に心を痛めた。いずれも政府の対応のまずさで、さらに被害が増していた。一月下旬から二月上旬にかけては例年にない猛吹雪が続き、何日も交通が麻痺(まひ)した。二月にチベット亡命政府が抗議行動を始め、続いて三月には、チベット自治区の中心都市ラサ市などで中国支配に反対するデモが起こり、中国当局による弾圧が始まった。ブログを書いても悲劇を元に戻すことはできないが、少なくとも私の読者には、この抗議がなぜ起きたのか、気づいてもらうことはできた。私はすぐに、さらなる行動に出る。

オリンピック開催までわずか六週間というときに、上海北部の郊外、閘北(ジャーベイ)区の警察署で凄惨(せいさん)な大量殺人事件が起きた。公式発表によると、覆面をした男が警察署の構内に侵入し、守衛一人と十人ほどの警察官を刃物で刺したのちに取り押さえられたという。このうち六人の警察官が死亡した。国家機関への襲撃という重大な事件であり、犯人の楊佳(ヤン・ジア)に対する裁判は最初から緊迫し、さかんに臆測(おくそく)が飛んでいた。私はこの事件についてドキュメンタリーを撮ろうと決めた。

楊佳は、北京で労働者階級の母親と二人で暮らしていた。二〇〇七年十月、国慶節の休日に上海へ遊びに出かけ、レンタル自転車に乗っていると、道で警察に停められて職務質問を受けた。自転車泥棒に間違われたのだ。言い返した楊佳は連行され、尋問を受けた。夜中の二時にやっと釈放された楊佳は、一一〇番(警察の緊急番号)に電話をかけ、母親にも長距離電話で、警察署内で暴行を受けたことを訴えた。

その後、楊佳は警察に対し苦情を申し立てるが、時間がたつうちに問題に白黒をつけるのがいっそう難しくなった。逮捕されたときの楊佳の最初の言葉は、「こんな最低な扱いを受けて一生我慢するくらいなら、無法者になったほうがましだ。何をするにしても、まともな説明をすべきだ。もししないのなら、こっちが教えてやる」。

裁判は不正だらけだった。被告側の国選弁護士は重要な証人を呼ぶこともせず、事件の原因究明もせず、裁判を進展させるようなことは何もしなかった。楊佳は法廷で弁護士に、ただ公平に正直に、はっきりと話してほしいとだけ要求した。楊佳は復讐(ふくしゅう)行為に走るきっかけとなった事件を話題にするために、再三にわたって「警察は私を殴ったのか、殴らなかったのか」と答えを求めて問いかけた。楊佳に死刑が宣告されてからも、上海当局は彼の精神鑑定を拒んだため、精神疾患の申し立てはできず、死刑は逃れようがなくなった。

行政権に制限がかからず、司法が監視もされず、情報が世間に出ないように操作されれば、社会は正義も道徳もなしに回っていくことになる。司法の腐敗は、国が倫理的に破綻(はたん)していることをはっきり示すものであり、私たちの生きる時代を損なう大きな傷だ。

控訴裁判所も死刑を支持し、ブログでこの件をずっと追ってきた私は、もう語る言葉を思いつかなかった。たった一カ月後に死刑は執行された。母親の王静梅（ワン・ジンメイ）に知らされたのは執行後だ。息子の弁護のために発言する権利を一貫して拒否されていた。息子が逮捕された日には北京警察に拘束され、「医学的治療」をおこなうということで、偽名で精神科病院に入れられたのだ。

中国は群をぬいて死刑の多い国で、世界の死刑の半数以上は中国でおこなわれている。この不公平な社会の犠牲者は死者ばかりではない。楊が死刑になった翌日、私は燃えるろうそくの動画を投稿し、その後、ドキュメンタリーも投稿した。楊佳がなぜ警察を攻撃したか動機を探り、また司法手続きが正しかったのか疑問視し、多くの問題を提起した。ドキュメンタリーのタイトルは『ある孤独な男』とした。

一方、世界の目は別のところに向いていた。八月八日、第二十九回オリンピックが北京で開会した。それから二週間、世界は小さくなった。それでも権力と資本を持つ者にはまだたっぷり空間があったが、それ以外の人たち、とくに中国のメディアに「重要でない人」とされた市民にとって、残された余地は少なかった。出かせぎ労働者は北京から追い出され、多くの店は閉店させられた。普通の人々の毎日の楽しみは、当局の気まぐれのために中止された。

「鳥の巣」の設計は、自由は可能だというメッセージを伝えるはずだった。外観と、むき出しになった構造をあわせて、民主主義や透明性、公平性について大切なことを凝縮していた。その主張を守るため、私自身はオリンピックから距離を置くことにした。もはや国家主義的な自画自賛のプロパガンダになり下がっていたからだ。自由があってこその平等であり、自由がなければ競技などまがい物だ。

王分（ワン・フェン）は妊娠初期だった。開会式の当日に妊婦健診をしたあと、私たちは彼女の住まいに近いコーヒー店で座っていた。私は父親になろうとしていた。人生の一大事であり、人生のほかの大事なできごとと同じく、突然やって来て、有無を言わせなかった。妊娠ほど不意打ちなものはなく、父親になること以上に狼狽するものはなかった。しかし、一つだけは確かだった。子供は王分と私を永続的に結びつける存在になるだろう。

　開会式が始まり、壁掛けテレビの画面に次々と花火が開くなか、私は自分の気持ちを王分の健診報告の裏面に走り書きした。「この世界のすべてには政治的な側面があるが、私たちは今、ものごとを政治化してはいけないと言われている。これは単なるスポーツの大会で、歴史からも思想や価値観からも切り離されていると。いや、人間の本質からも切り離されている。政治を考えれば、誰が二つの別々な世界を、まったく違う二つの夢を作ったのかを、常に思うことになる。否定すべきものは多いが、まずは独裁政治に別れを告げよう。どんなかたちだろうと、どんなに正当化されようと、結果はいつも同じだ。平等は否定され、正義は悪用され、幸福はゆがめられる」。

　四川大地震から百日、オリンピックでの中国の金メダル獲得数はアメリカを大きく上回り、国は世界に向けて作り笑いを見せていた。オリンピックは中国の三十年間にわたる成長と改革の仕上げだった。中国の変貌を世界に知らしめる、国家的お披露目の舞台だったのだ。しかし私に言わせれば、国家の本質はまるで変わっていないと証明するようなものだった。信念とイデオロギーは、もはや本当の戦場ではなくなった。真の戦場は、資本主義パワーのグローバリゼーションという夢に踊らされ、地域や複合企業、国を超えて広がる利益、露骨な儲けだ。中国の政権は、自国と世界の民主主義国とをへだてるイデオロギーの差などないようなふりをしている。その現象を公然と批判することで、私は異端者となり、政敵となり、潜在的な脅威となった。

その年の夏、中国で販売されている乳児用粉ミルクをはじめとした乳製品に「メラミン」が混入しているのが発覚した。腎臓結石の原因となり、腎臓機能の低下を引き起こす可能性のある化学物質だ。ところが、政府はメラミンに汚染された大量の乳児用粉ミルクが市場に出回っていることを知りながらもみ消し、事実が表に出たのは、オリンピックが終わってからだった。そのころには、すでに三千万人もの乳児が不純な粉ミルクによって悪影響を受けていた。

私は大晦日に、多大な被害をもたらした元凶の「三鹿粉ミルク」の一袋にサインし、オンライン・オークションに出した。最低価格は二十元に設定していたが、結局千六百元で売れた。そのお金で暖かい冬用の衣服を買い、地方から出てきて北京の橋の下に寝泊まりしながら裁判を待っている陳情者たちに配った。

この年、私は今までになく時事問題に注目し、追いかけていた。年始の壊滅的な大雪で多くの働く人々が立ち往生したこと、チベットの暴動に関する数々の報告が抑え込まれたこと、グロテスクなお祭り騒ぎだったオリンピックなど、中国社会にますます深刻化する毒のカクテルは、乳児用粉ミルクに混ざったメラミンのように悪質だった。一九七八年（鄧小平の改革開放政策）以来、中国がたどってきた道がいかに常軌を逸した悲惨なものであったか、また、それがどれほど苦い実をもたらしたかを、目の当たりにしたのだ。

秋口くらいから、当局は私のブログを閉鎖しようとやっきになっていた。ある日、コメント機能が使えなくなった。ブログ自体が止められてしまうのも時間の問題だと思い、無力感にとらわれた。「私を買いかぶらないように」というのが二〇〇八年最後の私の公的発言だ。

年末、私はチームのメンバーに頼んで、四川での復旧活動の映像を集める手はずを整えた。地震のドキュメンタリーを作るためだ。北川の親たちの、崩れた学校の完全な調査と、亡くなった子供たち

泰逢（『山海経』に登場する山の神）、2015年

を偲（しの）んでほしいという願いを忘れてはいなかった。自分が責任を持って、犠牲になった児童生徒の名簿を作ろうと思った。汶川県では百人以上の父母にインタビューをし、惨事や救出作業の話、その後の「安定性の維持」方策、つまり、政府がこうした学校の手抜き工事について問い合わせをした人々を黙らせた話を聞いた。要するに、政府は建物の品質についての調査をまともにやりとげず、亡くなった児童生徒たちの名簿はいまだに発表されていなかった。

二〇〇九年三月、草場地（ツァオチャンディー）のスタジオから、四川省の学校や政府関連機関に百本以上の電話をかけた。省、市、県の教育局、民政局、公安局の管理者に話を聞き、さらに被災したすべての学校にも、亡くなった子供たちの名前を出してくれと要求した。対応は不気味なほど似ていた。

まず、そんなリストはないと言う。それから、リストがあるのは認め、でも見せられないと言う。公開できるところまではすべて公開している、発表されていない部分は国家機密だと。もちろんそんな説明はばかげている。それを指摘すると、電話の人物は、あなたは誰ですかと聞いてくる。私のことを外国の反中国勢力から資金を得ている敵だと考えたのだ。なかには、あなたはスパイか、ＣＩＡの回し者かと直接聞いてくる人もいた。「そんなことをするのは親御さんたちの傷口に塩を塗ることだ」と苛立って言うのだ。「あなたが黙っていれば、親はもう忘れているだろう」と。しかし、私は毎日、親からのメッセージを受けとっていた。唯一の望みは子供たちが忘れ去られないこと。学校建設工事の質について話すことはタブーだった。マスメディアの地震ニュースは、党がいかにすばらしく指導力を発揮し、災害から復興に導いたかに終始した。

　私は地震で亡くなった子供たちの名前を調べはじめると宣言した、それを「公民調査」と呼んだ。私は読者に向けて、次のように書いた。

> 公民調査
>
> 真実。責任。権利。
>
> 　十カ月前、私は地震で最も大きな被害の出た四川省を訪ね、想像を絶する苦痛と恐怖を目の当たりにした。今日、私たちはいまだに地震で亡くなった子供たちの名前を知らず、なぜ犠牲になったのかも知らない。
>
> 　当局は、子供たちの死は自分たちにはまったく関係ないと言った。死は必然であり、避けられなかった、専門家がそう言っていると。腐敗については話にのぼらず、「おから建築」（脆弱な建材を使った手抜き工事をこう呼んだ）は禁句だ。不愉快な証拠は隠蔽された。「安定性の維持」という名のもとに、当局は問い合わせをする親を脅し、拘束し、暴力を用い、憲法と基本的人権に違反している。
>
> 　忘れることを拒否し、嘘を拒否し、「公民調査」を開始する。亡くなった人を覚えておくため、そして生きている人を思いやるために、すべての子供の名前を探し出し、責任をもって記録する。覚えておい

てほしい。私たちが見捨てなければ、亡くなった子供たちは永遠に消え去ることはない。これは我々の生きる意味の一部であり、この仕事をあきらめることはしない。

「公民調査」に協力してもらえる方は、連絡先をお知らせください。あなたの行動によって、あなたの世界は創られるのです。

百人近い人たちが協力を申し出てくれた。二、三人で小さなチームを作り、被災地を訪ねた。第一次調査に参加した三十一人のボランティアは、四川省で四カ月間調査をおこない、大きな被害の出た十七県四十五の町、八十七の学校を訪ねた。第二次では、十一人のボランティアがさらなる疑問を解決するため、四十日をかけて三十一の町、五十四の学校を訪ねた。子供たちの名前がショートメッセージや電話、メールで北京に送られてきた。私はコンピュータにはりついてデータをまとめ、オンラインで発表していった。

墓地に新しく作られた墓には名前がなく、ただ番号があるだけだった。地方政府は情報を共有することを厳しく取り締まり、インタビューを禁止し、親がよそ者と接触するのを禁じ、何より名前の公表を禁止した。親たちは何かしらの嫌がらせを受けた。拘束されたり、脅迫されたり、殴られたり、そして最終的に、これ以上手抜き工事の追及をしないという契約書に無理矢理サインさせられた。それを破れば子供の死亡補償金も住宅手当も得られなくなる。このため、簡単な情報さえ出してくれない人も多かった。

またボランティアたちも、たびたび警察に拘束され、尋問を受け、罵倒（ばとう）された。あるとき、二人の若いボランティアが四川省西部で捕まった。警官がビデオカメラで撮影しながら、二人の乗ったタクシーのトランクを開け、敷物の下から拳銃（けんじゅう）を一丁引っぱりだした。ボランティアは二人とも銃を見たことなど生まれて初めてで、それが運転手のものなのか、警察が仕込んだものなのか見当がつかなかった。二人は恐怖で身がすくんだ。中国では銃を所有することは重罪だ。二人は壁を向いて両手を頭に置き、地面にしゃがまされた。「艾未未（アイ・ウェイウェイ）というのは何者だ」と警官が問いつめた。なぜ子供の名前を集めているのか？　どういう組織が背後にあるのかと。

度重なる逮捕や記録の没収、録音テープやビデオテープの消去などの妨害に遭いながら、チームの六カ月におよぶ努力で、とうとう調査が完了した。学校の残骸（ざんがい）からコンクリートと鉄筋を集め、いくつかの建物では設計図も調べ、その結果、重大な欠陥の証拠を見つけた。「公民調査」は、地震で被害を受けた十七におよぶ地区、都市、県、村のデータを集め、亡くなった五千百九十六人の生徒たちの名前、年齢、性別、学校、クラス、さらに両親の情報も確認できた。子供を亡くした何百という両親のインタビューに助けられ、ドキュメンタリー『子供の汚れた顔』（花脸巴儿）が完成した。

調査後、私たちは中央政府と四川省政府に百八十三件の嘆願書を送った。地震の救援政策、被害の検証、死亡者をめぐる状況、建物の評価、救済のための寄付金がどのように使われたかの詳細、地震からの復興の取り組みなどに関する情報公開を求めたものだった。合計すると何千にもなる質問を送ったが、どれ一つとして直接の回答はなかった。突き詰めると私がいちばんショックだったのは、多数の子供たちの悲劇的な死はもちろんだが、人々の事件に対する無関心が日に日に増していったことだ。信念を失い、忘れ、黙ってしまう。あの大惨事には自分は関係ないとでもいうように。

私はアーティストから社会運動家に変身したようだった。社会運動家になるなど簡単だ。国家の未来に関して心配しはじめるやいなや、すでに刑務所に直結する道を歩みだしているのだから。だがある意味で、私が直面しているのは脆弱な政権だ。その邪悪さをあばくために行動を起こせ、ということなのだと思った。目の前にあるのは「レディ・メイド」、デュシャンの便器と同じだ。現実は私のアートにとってさらなる可能性を生みだした。これに気づいたことが、私の自信の源だ。

インターネットによって、個人の表現を集団の利益に一致させることが可能になった。人々は、政治に関心などないと思っていても、何があったかを自分の目で見れば、やはり「こんなことではいけない」と思うだろう。しかし、意見を出し合うそんな機会は、思ったより長く続かなかった。ときにはわずか数秒で終わった。私が送った情報は、検閲に消されるまでの命だった。同時に、私が得られた機会を生かせなければ、中国のインターネット上にあるものはすべて、ありふれたもの、偽善になってしまう。それは人間の知性への侮辱だ。

人権に関する議論はすべてが政治的な話題となるから、私は自然と政治家にもなった。別に悪いことではない。今の時代を生きていれば、現実と対立しなければならないのだ。もしアートが現実に関われないのなら、アートに未来はない。

第十六章　老媽蹄花（ラオマーティーホワ）

二〇〇九年は嵐のようで、生き抜くことができたのは幸運だった。二月九日の元宵節（小正月）、北京の宵に昇った月はことのほか大きく丸々として見えた。八時を少し回ったころ、北京東三環のすぐ北側、国営テレビ局の「中国中央電視台」新本社に隣接するサテライトビルから出火した。火はたちまち広がり、炎が空をあかあかと照らしだした。目撃者が写真を撮ってブログに投稿、数時間のうちに三十七万人が見た。独裁政権のスピーカー局が燃え上がるという珍しい見世物は、しばらくのあいだ中国のネットで大人気だった。炎が虚栄のビルを食いつくしていくのを見ながら、全部燃えてしまえ、プロパガンダ・マシンも一緒に崩れ落ちろと思っていた。

「公民調査」が着実に進むなか、私は新たなチャンスを得て、新たな障害にも立ち向かうことになった。私はネット上でのフォロワー、アート界、それに中国の一般市民などが重なりあったコミュニティでの自分の役割に手応（てごた）えを感じるようになり、同時に敵である国側もまた、私が脅威であると確信するようになった。満月の下で見たあの火災はすべての前奏曲にふさわしく、チャンスと危機と、ドラマが混じりあったものだった。

二週間後の夜更け、北京美中宜和婦児医院（アムケア）の産科病棟では、第八十一回アカデミー賞授賞式の中継が流れていた。ロバート・デ・ニーロに応援スピーチをしてもらったショーン・ペンが主演男優賞のオスカー像を獲得したシーンで、「私たちにも、ちょっとした賞があったわね」と王分（ワン・フェン）が言った。お産はとても順調に進み、十二分しかかからなかった。看護師が赤子をさかさまにして二回ほど足の裏を軽くたたいてやると、元気な産声があがった。ベッドに横たわる王分は静かに落ち着き、疲れてはいたが、ほっとしていた。

　息子を艾老（アイ・ラオ）と名づけた。父がよく、そう呼ばれていた。「老」は歳をとった人を敬う呼びかけで、艾老は父とほぼ百年という年月をおいて生まれている。この世に子孫を残そうと、とくに意識したことはなかった。家庭に落ち着くという考えも私には目新しく、この小さな子がゆっくり、しっかり成長し、私に似た、また母親にも似た大人になることを思うと、当初は深刻な不安におそわれた。

　子供が生まれて最初の数週間は、父親にできることはあまりない。その月、メディアは、動物の頭部をかたどった十八世紀の二つの青銅彫刻をめぐって大騒ぎしていた。それが息子とその母親から私の注意を多少そらしてくれ、新たな作品へのインスピレーションとなった。

　青銅の頭部は、もともとは十二支の動物がそろっていたもので、イタリア人のイエズス会士ジュゼッペ・カスティリオーネがデザインし、北京郊外の円明園（ユエンミンユエン）の噴水を飾っていた。一八六〇年、アロー戦争で北京を攻撃した英仏の派遣軍は、園内に突入して略奪行為を始め、十二支の動物たちはすべて姿を消してしまった。その後、一部が西洋のコレクターの手に渡り、パリで故イヴ・サン＝ローラン所有の美術品オークションが開かれたとき、クリスティーズがその中の「兎」と「鼠」の像の頭部を出品したのだ。

　北京オリンピックが始まる前から、中国では多くの人が民族主義的な熱狂に包まれていたが、まだその高揚が収まらない時期だった。中国の関係当局は二つの頭部のオークションを激しく非難し、クリスティーズへの報復をほのめかしてゆさぶりをかけた。中国のある入札者は愛国心の強さを示そうと、この彫刻を国に戻そうと呼びかけ、彫刻を「国の宝」だとほめたたえた。そんなことはすべて、ばかばかしいレベルの大ぼらだった。皮肉なことに、そもそもこの青銅の頭部は、十七世紀に中国を征服した満州人支配者の気晴らしのために作られたものだ。当時、漢民族は臣民扱いだった。私はブログで問いかけた。「かつて自分に当てられた鞭（むち）を愛する奴隷がいるものか？」。私は学生時代、円明園で多くの時間を過ごしたものだ。英仏による略奪・破壊行為だけを責めることに、偽善の臭いを嗅（か）ぎとった。「円明園の荒廃は西洋の侵略者のせいだけではない。八〇年代まで、宮殿の大理石は農民が運び出して、豚小屋の建材になっていた」と私は指摘した。

そこで私は、新しい十二支の頭部を、元のサイズより大きく作り直そうと考えた。現存する七つの頭部がデザインのモデルになりそうだが、いくつも変えたところがある。たとえばオリジナルの「虎」はどう見てもクマだった（カスティリオーネは本物のトラを見たことがなかったのだろう）。それに失われてしまった五頭の動物については、まったく想像力に頼るしかなかった。のちにある評論家が指摘するように、このプロジェクトは、文化的遺産を本来の国に帰すことと共有すること、それにアートへの現代的な考え方など、複雑な議論に発展していく。

青銅の頭部が完成したらニューヨークの公共の場に展示するつもりだった。さまざまな人たちに見てほしかった。彫刻には長い時間がかかったが、友人のラリー・ウォルシュの助けもあり、彫刻家の李占洋（リー・ジャンヤン）と私は、ついに『動物の輪／十二支の頭』を完成させた。五十九丁目と五番街の交わるプラザホテル前の池に、十二の動物の頭が弧を描くように設置された。二〇一一年五月二日の初公開では、雨のなか、マイケル・ブルームバーグ市長が胸を打つスピーチをし、数人のアーティストが私のブログの抜粋を朗読して、私を解放するようアピールした。このとき私は北京市内のどこかで、もう一カ

『動物の輪／十二支の頭』の習作

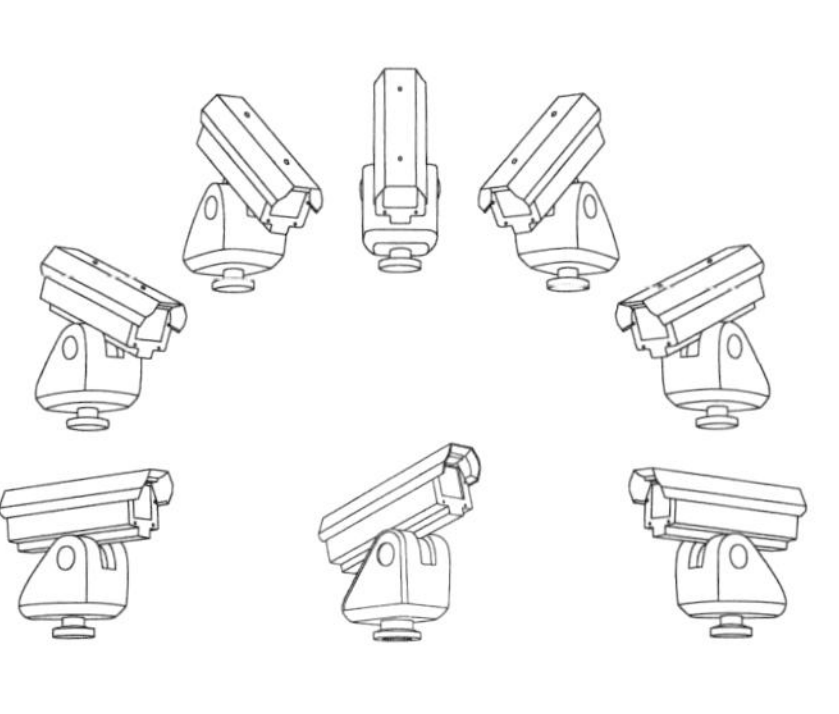

月も勾留されていたのだ。

二〇〇九年三月に「公民調査」を始めると、私のスタジオの周囲では、いたるところから監視カメラがわいて出た。日中は私服警官が交代で外に立ち、夜になると覆面パトカーらしき白いセダンの車内で張り込んでいた。見たところ、せいぜい空を旋回しているノスリ程度の怖さだったから、そのうち監視されているのにも慣れてしまった。隠すものは何もなく、恐ろしいこともない。すべて開けっ広げな状態で活動するのも平気だった。透明にしておけば私にとって有利だろう。しかし、彼らはそこでとどまらなかった。そのうち直接、接触してくるようになった。

北京の朝陽区東方東路に、大企業の本社のような雑な機能主義スタイルのビル群が建ち、セキュリティを張りめぐらしている。アメリカ大使館だ。五月末、下院議員のナンシー・ペロシが北京を訪れたとき、大使館は彼女を歓迎して多くの人を招き、私も招待客の名簿に名を連ねていた。

ペロシ議員は気軽に意見を述べた。大使館は中国の伝統をとてもうまくとらえた設計ですね、と冗談もとばした。一九八九年に起きた学生運動弾圧事件の二十周年まで一週間しかなかったが、人権のことにもチベットのことにも一切触れず、ただ環境と気候の話ばかりしていた。市場崩壊とオバマ大統領就任ののち、中国に来る西側の政治家たちは、金融危機の解決に中国の援助を期待するために、デリケートな話題をあからさまに避けていた。グローバリゼーションや経済成長が優先、人権問題はないがしろにされ、東洋西洋に限らず、問題なのは金だと思い知らされた。良い傾向ではない。欧米が直面していた困難は、中国を味方につけても消えはしない。それどころか、むしろ本当に厄介なことが始まろうとしていた。

私はそのパーティを早々に辞し、来たことを後悔した。大使館の多くのセキュリティの非常線を通り過ぎ、車に戻って携帯電話を見ると、母から何度も着信が入っていた。すぐに電話した。母が声をひそめて言うには、公安局の人が何人かやって来て、東四十三条の実家で私を待っているという。

「すぐ行く」と私は答えた。

いずれこんなことがあるだろうと覚悟はしていたが、実家の母の前に現れるとまでは予測していなかった。その後のことは、下手くそな不条理小説の一場面のようだった。母の家の中庭に、見知らぬ三人の男がいた。二人は警官の制服を着て、もう一人は私服、髪は北京スタイルのスポーツ刈りで、バッグをななめがけにしていた。その男が何の説明もなしに、どこに住んでいるのか、と聞いてきた。私は礼儀正しく、しかし毅然と、身分証明書を見せるよう要求した。これは予期しない反応だったようで、私服は不意をつかれた。「今は持っていない」と答え、何やら言い訳をした。口論するつもりはなかったから、男がそのまま居座ると、私は電話をとって警察に電話し、こういう人物が家に侵入したと報告した。警官は身分証明書を携帯する義務があり、問われればいつでも見せなければいけない。もっとも多くの中国人は見せろと口に出せなかったが。

私のそばに心配そうに立っていた母は、もっと協力的な態度をとりなさいとうながした。「言葉に気をつけて。強情はらないで」と言った。しかし、実家まで私を追ってきたのなら、正しい手続きをとるべきだ。母の目の前でただおとなしく降参するわけにはいかない。私服は困って電話で上長と相談していた。

やがて呼び鈴が鳴り、さらに二人の警官がやって来た。私の緊急電話に応えてやってきたのだ。新たに来た二人に身分証明書を要求すると、彼らもやはり署に置いてきたという。私が譲らないため、二人は仕方なく警察署に取りに戻った。その後、私たちは全員で署に行き、私は書面で抗議した。そのころにはスポーツ刈りの私服警官は、苛立(いらだ)ちのあまり正気を失いそうになっていた。彼らが思ったようにはことが運ばなかったようだ。ただ最終的に、警察は私の居住場所を聞きだした。後になって気づいたが、基本情報の詳細は、将来、私を告発した場合の管轄に影響することだったのだ。夜になり、警察署を出るときに「次に私に用事があるときは、手錠を忘れないでくださいよ」と言いのこした。

その後、私はブログにこのてんまつを書いた。

「気をつけて！」と読者が心配し、注意してくれた。「逮捕されちゃいますよ」。

「その覚悟はできているよ、とくに覚悟もいらないがね」と私は答えた。

「私は一人の個人にすぎず、私が差し出せるのは艾未未(アイ・ウェイウェイ)という人間だけ、彼らが得られるのもそこまでだ」

私のオンラインでの活動が標的となったわけだが、もう引っ込むわけにはいかなかった。父親となって失いたくないものも増えたかわりに、中国の子供たちを守れるような、もっとましな未来のために闘う理由も増えていた。

「冷笑主義はやめよう、協力を拒否しよう、脅迫にひるむな、〈お茶を飲む〉のを断ろう」という言葉を、五月二十八日にあわただしく書きあげた。自分の立場を明らかにする最後のチャンスになるかもしれないと感じた。反体制派を「お茶でも」と言って誘うのは、秘密警察の警告で、人をおびえさせ、抵抗できないようにするものだ。だが自己検閲は自分をおとしめるし、臆病（おくびょう）は絶望にいたる道だ。「よくあんなことをブログに書けましたね」と言われた。私の答えはこうだ。もし言わなければ、もっと危険な状態に追い込まれるだろう。でも言えば、ひょっとしたら変化が起きるかもしれない。発言することは話さないことより良い。もし、みんなが話せば、この社会はとっくに変化していたはずだ。一人一人の市民が言いたいことを言うときに変化は起こる。一人の沈黙が、誰かを危険にさらす。

　しばらくして、作家協会の共産党幹部が電話をしてきた。一九八九年六月四日の天安門（ティエンアンメン）事件の二十周年が終わるまでの数日間は、おとなしくしているようにというのだ。そんな保証はできないと答えた。電話が終わるやいなや、自分が中国のサイバースペースから消えたことを知った。自分のブログにログインできない。三年と七カ月のあいだに書いた三千の記事も、アップロードした一万枚の写真も消えていた。「艾未未」を検索しても、何も出てこない。私の名前はタブーになったのだ。

　私が社会から注目をあびたのはアーティストとしてではなく、オンライン上の存在としてだった。コンピュータ音痴で一本の指だけでタイプするところから始めた私はベテラン・ブロガーになり、一日五編もの記事を投稿していた。いつも消されてしまうコンテンツを投稿し続けていることを、シーシュポスのように意味のない永遠の重労働をしていると見る人もいた。ブログが消えうせた瞬間は、自分の体が引き裂かれたように感じた。これは「公民調査」の終わりを意味する。政府がなぜ異なる声を封じるのか、そして、なぜその声の持ち主を視界から消したいのか、理由は単純だ。権力者たちは知っていたのだ。考えを自由にやりとりできるようになったら、自分たちはもうおしまいだということを。

　ブログが閉鎖された翌日の五月二十九日、私は中国のプラットフォーム「飯否網（ファンフォウワン）」にミニブログを開設し、国外の読者にも読んでもらえるよう、ツイッターにもサインアップした。飯否網のミニブログは即座にコメントできるすばらしいスペースだった。フォーマットが単純で、シリアスな話題でもあまり重く感じないため、しばらくのあいだは政府の目を避けることができた。投稿やコメント、チャットやまったく意味のない会話も、短く収めるならすべて自由だった。私がジョークっぽく「国家の安全保障問題に関係しないので、アーティストの艾未未は本日拉致（らち）も尋問もされなかった」と投稿したとき、すぐさま同じくらいふざけた、私の言葉をいじった何十ものレスポンスがあった。たとえば「安全問題が関係するので、艾未未は本日尋問のために国家を連れ去った」とか、「国家が艾未未の安全と関わったため、問題は警察により取り去られた」「艾未未が国家安全の保護にかかわったため、安全は国家により尋問のため取り去られた」などなど。

椅子に座って見ていると、スクリーンは不思議なタコのように、無数の触手をネット世界のすみずみにまで伸ばしていた。左右の中指だけを使ってキーボードをたたきながら、この行為でどうやって気の抜けた、退廃的な世界を変えられるかと思いめぐらしていると、一種の無重力感を味わった。ミニブログではすべての投稿は短い。大洋というより、小川のせせらぎに導かれているようで、私はその終わりのない流れに乗って、絶え間なくアップデートし、領域を広げていた。

ブログが閉鎖され、ミニブログが立ち上がってから一日が過ぎた。その日のうちに落胆はたちまちうれしい期待感に変わった。やがてはインターネット検閲がミニブログも閉鎖したが、ファンが複数の新しいアカウントを作ってくれた。名前はたとえば「未未未（ウェイウェイウェイ）」とか、「未未艾（ウェイウェイアイ）」、「未艾艾（ウェイアイアイ）」、「艾未来（アイウェイライ）」などなど。しばらく大混乱して、どのミニブログが本当の私のものか、あるいは全部なのか、検閲システムはすっかりまごついた。私は心を打たれ、「当局に指を立ててやれ、その指が切り落とされる前に」と読者にはっぱをかけた。パワーはまさに自然発生的な、はかない交流のなかにあ

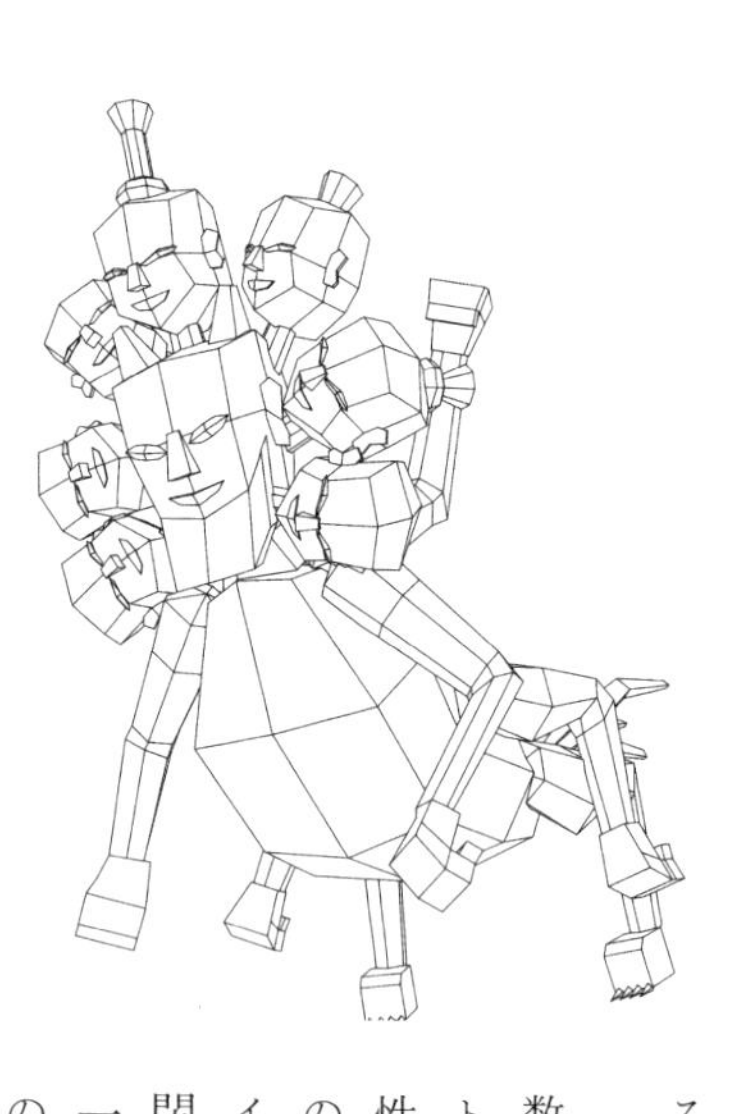

る。ただし、痛快な日々は長くは続かなかった。
二〇〇九年、中国でのインターネット利用は膨大な数になり、国内のどこで抗議活動が起きようと、ネット上で大いに注目されるようになった。政府は「安定性はすべてに優先する」、「安定性の維持」のための予算は国防予算を上回るようになり、インターネットへの締めつけはますますきつくなった。閉鎖されたのは私のミニブログだけではない。わずか一カ月ほどで、飯否網そのものが閉鎖された。残ったのはツイッターだ。しかしツイッターは中国のファイアウォールの向こう側にあり、壁を乗り越えるにはVPN（仮想プライベートネットワーク）が必要だった。ツイッターがうまく使えるようになると、毎晩夜中まで熱中し、睡眠時間が激減した。オンラインでの活動を維持するのに必死で、しばらくアートは脇役に甘んじていた。同じように観衆に届くような、別の舞台を探す必要があった。
六本木ヒルズ森タワーの最上階にある森美術館は、東京でも有数の美しいアート・スペースだ。そこを会場に七月、これまでで最大規模の個展を開いた。片岡真実（かたおかまみ）による企画は『アイ・ウェイウェイ展―何に因って？』、二十六の作品を三つのギャラリーに展示し、それぞれ「基礎的な形体とボリューム」「構造とクラフトマンシップ」「伝統の革新と継承」というテーマでまとめられた。ホワイエには巨大シャンデリアを下げ、エスカレーターを上り下りするにつれて、輪郭が変化して見えるようになっている。また、入り口には百点以上の大きな「鳥の巣」スタジアムの建設途中の写真が飾られ、恐竜の化石の肋骨めいた姿を見せていた。

新しいインスタレーションは彫刻の『Kippe』、二つのまったく異なった素材を密接に合わせて使用している。最初の素材は鉄の平行棒、放棄された工場から再利用したものだ。若いころ、社会主義中国では、どんな「単位」(学校や職場)の運動場にも必ず似たような平行の鉄棒があった。きっとソ連の体操競技の強さに影響されたのだろう。次の素材は数百もの鉄木という非常に重い熱帯木材で、これを寄木のようにきっちりと積み、固い木の壁を作っている。昔、私が新疆で集めて積んだ薪を連想させた。木材は中国南部の清時代の寺院から廃材として回収したもので、何年か前に『中国の地図』で初めて使った素材だ。一見ひとつの巨大な木材に見えるのだが、よく見ると無数の木切れを丁寧に組んでいるのがわかる。

この展覧会は中国の批評家からは、自国での私の逆説的な立場を反映して、酷評された。私は中国の活動家として世界に認識されていたが、アートのほうはよく過小評価された。その一方、私が時事問題にコメントすると、「この人はただのアーティストじゃないか、何がわかるんだ」と同じように否定されることがよくあった。ここ東京では、批評家の意見は逆に「政治的すぎる」というものだった。ある北京のキュレーターは書いている。「艾未未の作品にはまったくオリジナリティがない。ただ巨大なインスタレーション、高価な材料、そして彼がヨーロッパで影響力があることで、日本での評判が上がっただけだ」。また別の人も同調し、私を見下した。「艾未未の作品は単純で深い思想がないから、受け入れやすいのだ」。しかし、こき下ろされても私はへこたれなかった。すべての人を喜ばせようと思ったことは一度もない。とくに二つの世界観が競っている場合は。

『アイ・ウェイウェイ展―何に因って?』は、日本ではそれほど注目されなかった。当時、アジアでは現代アートは軽く見られていた。私の作品は、ちょうど大洋から生まれた川へと戻ってくるサケのようなもので、ライフサイクルを終えて初めてその使命を達成することができる。その後、同じ展覧会がアメリカ合衆国やカナダなどを巡回したときは、温かく受け入れられた。そのころ、私は中国の秘密刑務所に捕えられていた。

八月十二日未明の三時、激しいノックの音で目を覚ました。真っ暗闇に叫び声とドアを蹴破ろうとする音が響いた。のぞき穴から見ると、ホテルの長い廊下の端に懐中電灯の光がちらちらしている。本能的にコンピュータ・バッグの中の録音機のスイッチを入れ、同時に一一〇番に電話した。

私は再び四川省にいた。今回は、応援している人権活動家の裁判で証言するためだ。成都に住む作家の譚作人は、私とは別に独自の活動をしており、一般市民として初めて、地震の犠牲者のデータベースを作った。二〇〇八年にあれほど多くの子供の命を奪った学校の建築の品質について調査していた。二〇〇九年三月に逮捕されたが、担当弁護士の浦志強からそのことを聞いたのは夏になってからだ。「国家権力の転覆をはかった」という容疑で逮捕されたという。中国では大罪だ。

浦志強に弁護側の証人になってくれないかと請われ、私は同意した。四川大地震についての私の調査結果で、譚作人の無罪をはっきり立証できると思った。私が集めた証拠は、子供たちの死の直接の原因が学校の「おから建築」であったことを疑いなく示していたからだ。

八月十一日の夕方、私は友人でロック・ミュージシャンの左小祖咒とスタジオのアシスタント十人とともに成都に到着し、成都第二中級法院（地方裁判所に相当）の近く、安逸ホテルにチェックインした。地元の作家仲間が私たちを迎えてくれ、人民公園からすぐのレストランに連れていってくれた。その店は「老媽蹄花」という地元名物の豚足の煮込みがおいしいことで有名だった。

夕食後、私はホテルに向かった。もう夜も遅くなっており、通りに人の姿もなかったが、白いセダンがホテルの前に停まっているのが見えた。中に二人の男が座り、窓ガラスが下まで下ろしてある。何かたくらんでいるなと直感したので、私は足早に近づいていって窓から挨拶した。「私をお待ちじゃないですか？」。二人は驚いて互いに顔を見合わせた。すると運転席の男がエンジンをかけ、ゆっくりと走り去った。どうやら、どうすべきかわからなかったようだ。

そして、ドアをたたく音と叫び声で目を覚ましたのだ。

すぐに何人かの警官がドアを押し開けて入ってきた。もみ合っているうちに、私のTシャツは破け、頭に強烈な一撃を感じた。振り向くと、背の低いがっしりした体の警官が鋼鉄の延長警棒を持っていた。延長部がきちんと元に収まらず、必死に押し戻そうとしているところだった。以下は録音した私たちの会話だ。

艾「なぜ私を殴ったんですか」

警官「誰があんたを殴ったって？　誰が見ていた？」

艾「これが警察のすることですか？」

警官「証拠はどこにある？　誰があんたを殴った？　どいつのことだ？　どこで殴られたんだ？　傷はどこだ？　いい加減なことを言うな」

艾「時間の無駄だ」

警官「誰があんたを殴ったって？　聞いているんだよ」

艾「誰が私を殴ったか？　あなたがやったのでなければ、なぜ私のシャツが破れているんですか？」

警官「自分で破ったんだろう！」

艾「へえ、私が破ったんですか。その上、自分を殴ったんですね」

警官「そのとおりだ！」

顔が燃えるように熱く、口をきちんと閉じることができなかった。目まいが波のように襲い、耳鳴りがした。続く口論のさなか、まだ成都の一千万人の市民がベッドで眠っているあいだに、私はツイッターで更新情報を送り続けた。とにかく一刻も早くフォロワーにニュースを伝えるためだ。

最初のツイートは朝四時三十五分だ。「未明に警官が何十人も部屋に乱入してきて、身分証明書を要求するとぶん殴られた。ボランティアが何人か連れ去られた。警察によると昼まで拘束されるということだ」。

一時間くらいして、警察は私の負傷の診察に同意した。警官たちに付き添われ、左小と私はエレベーターで階下へ向かった。まだ破けた赤いTシャツを着たまま、エレベーターのドアを向いて、ステンレス額の鏡を背にした私は、ノキアの携帯電話を持ち上げてカメラのボタンを押した。狭いスペースでフラッシュはまぶしく、私の横の警察官はぎくりとして沈黙した。私はチャンスを見つけて写真をアップロードし、それで得られた満足は、この事件のすべての恐怖や痛み、ストレスを補ってあまりあるものだった。警官にひどく殴られ、身柄を拘束されてはいたが、勝利感を味わった。そこで私は写真のキャプションを、「最高のショット」とした。写真は即座にインターネットで拡散され、私たちが拘束されたというニュースはリアルタイムで流れた。

医師に手当てをしてもらってから、私はホテルの部屋に閉じ込められ、チームの何人かは尋問のため連れ去られていた。私たちがなぜ捕まっているのか、警察はどうしても説明しなかった。きつい四川なまりで、「こっちも仕事なんで、ご理解ください」と、ただ繰り返すばかりだ。私たちは午後二時までホテルを出ることを許されず、そのころには譚作人の裁判は終わっていた。その晩に北京に帰ったが、成都で飛行機に乗り込んだとき、私はなんの成果もあげられなかったと感じた。残ったのは、頭の大きな打撲痕(こん)だけだ。

北京に戻ってすぐに一連のツイートを上げた。「帰って来た」というツイートが午後九時五十二分。「成都は決して最悪の場所ではないが、最も絶望的だ。どこまでも善意に欠け、じつに理不尽で、モラルのかけらもない」。午後十一時二十二分、さらに追加した。「痛みはそれほどひどくない。私は警察のばからしさ、恥知らず、卑劣さを経験した。しかし体制に比べればちっぽけなものだ」。さらに十一時五十四分にも書いた。「絶望的になるのは、彼らがいかなる議論をも拒むことだ。現実に対して〈自分にはどうしようもない〉という見方が固まってしまっているから。だからこそ、なんでもやれてしまうのだ」。

成都の公安局との付き合いにはまだ続きがあった。翌朝、私は弁護士の劉暁原(リウ・シアオユエン)を連れて敵地にとんぼ返りした。目的は二つあった。第一に、ホテルで振るわれた暴力と監禁に苦情を申し立てたかった。次に、アシスタントの一人である劉艶萍(リウ・イエンピン)がなぜまだ勾留され、解放されていないのか、理由を知りたかった。浦志強と、劉艶萍の夫、それに私のカメラマンの趙趙(ジャオジャオ)も同行した。この日、趙趙が撮った映像の多くは、ドキュメンタリー『老媽蹄花』に収録された。

今なら警察署の内部を撮影することなど許されなかっただろう。しかし、この日の午後までは、警察とのやりとりを映像に収めようなどと考えた人間はおらず、撮影を禁止するための確固とした方針が存在していなかった。上からの明確な指示もなく、私たちがあっという間に映像を活用すると思わず、彼らは撮影を制止しなかった。

当初、金牛区(チャオヤン)公安局の法務部門長の徐傑(シュー・ジエ)という人に相談するように言われた。その建物に行ってみたところ、彼の姿はなかった。代わりに女性の人民委員、徐暉（シュー・フイ）が応対し、私たちの苦情を聞いてくれたものの、さっぱりわからないというふりをされた。明らかに私たちに退散してほしそうだったが、こちらも絶対に居座るつもりだった。ここで帰ればもう二度と入れてもらえないかもしれない。

私たちの説得をこころみた徐暉は、はた目にもわかるほどくたびれて、とうとう部門長の徐傑に取りついでくれた。この人が『老媽蹄花』で、知らずに主役を演じることになった人物だ。すばらしくもってまわった曖昧（あいまい）な言葉を駆使し、警察の違法行為への無関心を示し、それこそ組織にどっぷり浸（つ）かった人間の典型だった。徐部長にとっては私たちの抗議など何の効果もなかった。ごまかせるものならごまかし、言い逃れできそうなら、そうした。彼は一言も正直に話さず、決して質問に直接答えなかった。まるでこの話は自分には関係ない、とでもいうようにふるまった。政府にいる誰もと同じだった。どんな地位にいようとも、全組織が後ろについていることに頼っていた。こちらが粘り勝つことはできないと知っているのだ。そんな方策を持たないから。結局疲れはてるのはこちら側だ。彼らが耳を傾けてくれると信じて、いくら筋道たてて説明しても、やはり理解されないと思い知るだけだ。

疑問を呈することもできないのなら、本当の自由などない。国家の権威に反対したり、意見を述べたり、追及したりすることはできない、などという考えを認めるわけにはいかない。権力に対して、自分が常に劣勢の側にいることはわかっている。しかし、私は生まれながらの天邪鬼（あまのじゃく）で、盾つく以外の生き方はない。この日の私には、慎重さも分別もまったくなかった。ただ、この態度でどこまで通せるものか知りたかった。結果として、一つだけ良いことがあった。その日の夜になってから劉艶萍が釈放され、みんな無事に北京に帰ることができたのだ。

成都では、できる限りすべてを映像に撮っていた。ドキュメンタリーを作るのは、雨の日に傘を開くことくらい自然で本能的なことだ。それに成都では、雨は私たちの滞在中いっこうに止まず、土砂降りだった。だから私たちは傘を開き続け、経験したことすべてを記録したのだ。

ときどきドキュメンタリーの作り方を聞かれることがある。基本的ルールが三つある、と私は答える。撮影を始めること、撮影を続けること、そして絶対に撮影を止めないことだ。カメラが回っているかぎり映像が取れる。そして正しく編集できない映像はない。起こっていることを記録するのは、あらかじめ決めていた視点で押し通すことよりも大事だ。まして情報が抑えられているときはなおさらだ。

この件では、成都で何が起きたのか、人々が真剣に知りたがった。みんな私がツイートしたニュースの断片を夢中で追っていて、全体像を聞きたいのだ。私は北京に戻ると、すぐに撮影した素材の編集にとりかかった。そして一週間後、オンラインに『老媽蹄花』を投稿し、たちまち大騒ぎになった。私たちが警察を叱りつけるシーン、守勢にまわった彼ら、そしてお手上げになっている場面の数々が、中国人視聴者に深い印象を与えた。そんなものは、いまだかつて見たことがなかったのだ。ユーチューブでは四十万回以上再生された。のちに四万枚のＤＶＤにして、友人の協力で英語、フランス語、ドイツ語、日本語の字幕をつけた。

成都で、私は初めて肉体的暴力にさらされた。それまで当局は、遠くから私を監視しているだけだった。北京では相変わらず監視されていた。スタジオ周辺にカメラが十台以上設置され、門の外には常に二、三人の男が見張りをしていた。「刑務所に入れる気がないのなら、うろうろしないでくださいよ」と私は言ったが、彼らはただ好機を待っていたのだ。私がどんどん反対意見を言うようになるにつれ、当局の暴力性は強まっていった。そして成都での体験で、私はこの状況の見方を変えることになった。頑固に妥協せずにいることで家族を危険にさらしたくはないし、もちろん父が追放者としてどれほど悲惨な生活をしたかは、身にしみて理解していた。同時に、自分がどこまでやれるかを試そうと決意した。同じような志を持つ活動家たちも心配することは同じで、様子を見ながら動いていた。譚作人は「国家政権転覆煽動罪」で五年の懲役を宣告された。

結局、私は成都の事件から無傷で逃れられたわけではなかった。九月、ミュンヘンのハウス・デア・クンストで大規模な個展があり、その準備のために飛行機に乗っていると、もう一ヵ月も続いていた頭痛がどんどん悪化してきた。ミュンヘンに着いた夜は、あまりの痛みに口もきけないほどで、まともに考えることなどとうてい無理な状態だった。翌日、ハウス・デア・クンストの館長クリス・デルコンがすぐさま私を病院に送った。ルートヴィヒ・マクシミリアン大学病院の最初の診察では、脳組織表面に出血があり、右側脳硬膜上に血栓もあった。右側の脳半球の位置がずれていた。経過観察のため、ただちに入院となった。

診察してくれた脳外科のヨルグ＝クリスティアン・トン医師は夜八時には帰宅していたが、オフィスにファイルを忘れたことを思い出し、取りに戻った。私のようすを覗くと、容態が急激に悪化し、昏睡状態に陥っていた。ただちに手術することになった。数時間後、麻酔から覚めると、私の頭の右側には穴が二つ開けられ、脳組織の下から二十ミリグラムの液体が除去されていた。頭痛はきれいに消えていた。

手術の前夜、頭痛が最悪だったときは、耐えがたい痛みから逃れたくて、窓から浮遊していって空に昇ることを空想していたくらいだ。死にかけた経験から回復しつつある私は、解放感とともに、自分のアートとミュンヘンでの展覧会に戻った。成都での経験を経て、もう中国政府とは交渉の余地はないとはっきりした。ここ数年、ソーシャルメディアや政治闘争の世界に肉体的にも、精神的にも深くかかわってきたが、アートは今、私に安全な避難場所と対立の少ない言語、自由に動ける快適な空間を提供してくれている。

ミュンヘンでの展覧会のタイトルは『So Sorry』（まことに遺憾）、クリス・デルコンが提案したものだ。個人でも政府でも、悪事をごまかし、隠蔽しようとするときに言う不誠実なおわびの言葉を思わせる。四川省を訪ねたときに楊小丸の母親に約束したことを果たすため、私はハウス・デア・クンストのファサードを九千個以上の通学リュックで覆い、色違いにして中国語で文章が浮き上がるようにした。「娘は七年間、この世で幸せに暮らしました」と。

世界にはさまざまな悲劇があるが、最も大きな悲劇は、他者の命を無視するときに起こる。楊小丸は記憶に残るだろう。あまりにも悲劇的な死を遂げたすべての子供たちと同じように。

ハウス・デア・クンストはミュンヘン最大の公園の南端に、一九三〇年代半ばに建てられ、当時は第三帝国の記念碑として、「ドイツ国民から総統への贈り物」とたたえられていた。アドルフ・ヒトラーの時代は、毎年開催される『大ドイツ芸術展』の会場だった。ナチスがふさわしいと考えた正しいドイツ芸術を誇示するためのもので、その逆の「退廃芸術」は酷評され、ドイツのアート界から追い出された。共産党と同じように、ナチスにとって芸術はイデオロギー政策を推進するための道具にすぎなかった。

ハウス・デア・クンストは長年、きちんとメンテナンスがされておらず、メイン・ギャラリーの石の床はひび割れ、染みができていた。私は床のタイルを一つ一つ写真に撮り、毛織物の同寸のカーペットを制作した。寸法が同じというだけではない。それぞれのタイルの色も見かけも同じ、オリジナルの床の傷やしわまで再現し、それによって現代ヨーロッパの根底にある何層にも重なった歴史を表現した。このやわらかいカーペットの上には、百本の大きな乾燥させた木の幹を置いた。どれも樹齢百年以上、中国南部の山々から伐り出されたものだ。

この作品『Rooted Upon』（に根ざした）は、自然界の形や輪郭に私の興味が戻っていたことを反映し、また、中国人が愛する岩や竹、木の根にも深くかかわっている。これは人間の環境との関係を深く理解しようとする古い伝統だ。最後にギャラリーの四つの壁すべてに、千一人の『童話』参加者の顔写真を貼った。カッセルに旅をした中国人たちの文化的な出会いが教えてくれた、オープンさと冒険の精神を示したものだ。

同じ年に東京でおこなわれた『アイ・ウェイウェイ展―何に因って？』は少数のアート通だけに注目されたが、私の入院が広く報道されてからすぐに始まった『So Sorry』のほうは大きな興味をもって迎えられ、圧倒的に好意的なレビューを得た。ヨーロッパの真ん中、アートの中心の一つであるミュンヘンで高評価を受けたことは、父との精神的つながりを強めるものだった。父のアートへの愛は八十年前にパリの美術館やギャラリーでつちかわれたのだ。

年末が近づき、私は新たなオファーのことを思案しはじめた。今度はロンドンの現代美術館、テート・モダンからの招待だ。ユニリーバ社がスポンサーとなるシリーズの一環として、館内最大の「タービン・ホール」に置く作品を創ることを私に打診してきた。奥行き百五十メートル、幅二十三メートル、高さは三十五メートルにおよぶ巨大な空間だ。そこにたった一つの作品をぽつんと置くことを思うと怖気づく。生涯の経験を一つの単語で表せと言われているようなものだ。だが、すぐにある考えが浮かんで想像がふくらんだ。

ここ数年、私は江西省の北東部にある景徳鎮の陶磁器職人と親しく関わるようになっていた。この街の陶工たちは、陶磁器を成型し、彫り、絵付けし、焼成することにかけては長い伝統を誇る。明や清の時代、景徳鎮は一般人に売る陶器を生産し、宮廷には最高級の磁器を供給していた。私は物をミニチュアサイズに精巧に再現する伝統工芸に長く惹かれており、七〇年代から自分でも陶器づくりを試していたほどだ。景徳鎮の陶磁器職人と一緒にさまざまな方法で、私たちを取りまく物質的世界を連想させる、小さくリアルな陶器の品物を作っていた。

歴史的に、中国ではミニチュア工芸はただの装飾であるとみなされ、内輪の、プライベートな空間で愛でられていた。しかし、テート・モダンの依頼は、それを巨大なコンセプト・アート作品にするチャンスだと思った。文化や歴史、思い出やアイデンティティにかかわるものを試してみたかった。それにはわかりやすく、同時にいろいろな解釈ができるものが望ましい。

ひまわりの種が最適だ、と結論が出た。小さな種はいつでも私の暮らしの一部だった。私の若いころの写真に、針金のハンガーを曲げて作ったマルセル・デュシャンの横顔がある。ハンガーは私のニューヨークのアパートのテーブルの上に置かれ、デュシャンの顔にはひまわりの種の殻が散らばってハイライトとなっていた。貧乏芸術家だったから、ずいぶん食べていたのだ。

中国で育ったころ、ベッドやストーブ、テーブルくらいしか持ちものはなかった。しかし、どん底だった日々でも、ポケットには一握りのひまわりの種を持っていたものだ。それが心の慰めとなったし、空腹も多少やわらげてくれた。人はいつでも、ひまわりの種を噛んで割っていた。

毛沢東時代の中国では、ひまわりはまた、人民を表すものとして特別に象徴的な地位を占めていた。人民は、名目上は中国の主役だが、プロパガンダ・ポスターが常に教えていたとおり、無条件の忠誠を、そして命までも、偉大な指導者である毛沢東に捧げていた。数えきれない絵の中で、人々は「敬愛する毛主席、わたしたちは永遠に忠誠をつくします！」とか「毛主席は私たちの心の中の最も赤い、真っ赤な太陽です」と言っていて、にんまり笑った毛が絵の中心を占めていた。その頭の背後には、ばかでかい赤い太陽が後光のように昇っている。下にはどこまでも続くひまわりの海があって、うっとりとした顔を彼に向け、完全無欠な毛沢東思想の陽光を浴びていた。

二〇一〇年三月、テート・モダンに企画書を送ったころには、コンセプトははっきりしていた。広大なタービン・ホールの空間を埋めるのは、大きく堂々とした構造物ではなく、その正反対にしよう。広々とした床一面に、小さなつつましいものを置こう。ひまわりの種、ただし一億粒。それを、これから作るのだ。

第十七章　蟹パーティ

北京の中国銀行で国保（公安部国内安全保衛局）の局員二人が、「経済不正」の証拠を求めて私の口座を調べ上げていた。銀行員の一人がたまたま私のブログの読者で、警告してくれた。私はすぐにそのニュースをネットに上げた。危険がじわじわと距離を詰めてきていたが、私は前進を続けていた。

二〇一〇年二月のある日、買い物で外出中にアシスタントの徐燁（シュー・イエ）から電話があり、アーティストが何人か草場地（ツァオチャンディー）のスタジオに来て私に会いたがっているという。草場地からも近い芸術地区の一つに住む人たちだ。私が帰ると彼らは輪になり集まっていた。頭に包帯を巻き、顔や髪にべっとりと血がついている人もいた。彼らが言うには、昨夜、棍棒（こんぼう）やナイフを持った暴漢が大勢で押しかけて来て、家からすぐに退去しろと要求した。断ると殴られた。中国の地方自治体は収入の多くを土地の売買から得ており、しばしば闇にまぎれ、力で住民を立ち退かせていた。アーティストたちは家を出るしかなく、重機がさっそく彼らの家を取り壊しているというのだ。

自分の権利を守りたければ、狭いところで抗議しても駄目だ、と私は言った。母親にぶたれているなら、家の中で騒いでいてもどうにもならない。外に出て隣人にわかるようにしなければ。「長安街（チャンアンジエ）でやろうじゃないか」と提案した。長安街は天安門（ティエンアンメン）に通じる主要な大通り、なかなか野心的だ。本当のところを言うと、警察にはばまれて、通りに近づくこともできないだろうと思っていた。

何より大規模な政治集会が二つも開かれる直前で、北京は厳戒態勢にあった。それでも強制退去・取り壊しという暴挙の問題をネット空間でなく、リアルな街中に移したかった。

草場地から北京中心街の東側、建国門（ジェングオメン）にいたる道路はすいていた。東長安街（ドンチャンアンジェ）で車を降りると、私たちは白地に黒字で抗議のスローガンを書いた三枚の横断幕を広げた。一人のアーティストがけがをした仲間を車椅子に乗せて押し、みんなで天安門をめざし、西に向かって歩きだした。私はそのようすを最初から最後まで写真に撮り、ツイッターにあげた。

長安街は北京で最長の十三・四キロ、片側五車線と幅も最も広い目抜き通りで、市を南北に分けるように、まっすぐつらぬいている。どこに立って見ても、限りなく続いているかのようだ。一九八九年の天安門事件で民主主義を求めたデモ隊が歩いたのもこの通りだ。六月四日の朝早く、ここに軍隊が入り、周囲を血に染めながら天安門へと前進したのだ。

私たちはデモを続けたが、シュプレヒコールは車の運転手にも歩行者にも届かず、奇妙なことに警察の姿もなかった。天安門に近くなって初めて注目されはじめ、そのとき武器を持った私服警官がすばやく姿を現した。彼らは私たちの行く手をふさいだが、それ以上のことはせず、逮捕などもなかった。帰宅後、外国のメディアからデモの目的についてインタビューを受けた。当局がなんらかの報復に出る可能性はゼロだとは思えなかった。一年後に取り調べを受けたときにやっと、この抗議行動への参加も勾留（こうりゅう）理由の一つであったと知ることになる。

二〇一〇年三月、政府による検閲について公に話をする機会が二度あった。最初は国際文学祭「lit.COLOGNE」、私はノーベル文学賞を受賞したルーマニア生まれのヘルタ・ミュラーとのディスカッションに参加した。イベント前の楽屋で彼女が、緊張していますかと聞いてきた。彼女は舞台に上がる前はいつも緊張してあがってしまうという。ところがヘルタはいったん話しだすとすばらしかった。とても小柄なのがかえって彼女の見識の鋭さを強調した。ルーマニアが共産主義国家だった時代には、国の公安から、情報提供をしろと圧力をかけられたそうだ。しかし、ヘルタはスパイになるのを断った。それに手を染めたら自分自身でなくなると警察に言った。反対にヘルタは全体主義に抵抗すること、その政権下で命を落とした人々のために発言し、書くことに人生を捧げた。断じて過去を忘れず、主義を曲げることもしなかった。

ヘルタから私に質問があった。インターネットがものごとを変える力を過大評価してはいないでしょうか、というのだ。彼女自身はそれほどの影響力はないのではと感じていた。若い人たちがネット上の活動に興奮しやすいことは認めるし、社会に大きな変化をもたらすことができるのではと考えがちだが、独裁者は傲慢なもの、好きなように人を逮捕したり殺したりしかねない、という。そのとおりかもしれない、と私は同意した。全体主義を糾弾するだけでは、社会をまるごと変えることはできない。本当の変化にはあらゆる条件がそろわなければならない。しかし、それでもなお抵抗することを私は主張した。「真っ暗な部屋の中で、一本だけろうそくを見つけたのなら、そのろうそくを使いますよ。そうせざるを得ない」と私は答えた。政府がどんなに私を黙らせようとしても、いつでも声を上げる方法を探すだろう。

その数日後、ニューヨークのパーレイ・メディアセンターで、ツイッターの創始者のジャック・ドーシーと、ITテクノロジーについてのブログ『ReadWriteWeb』を創ったリチャード・マクマナスとともにビデオ会議をした。なぜ、ツイッターに中国語版がないのか知りたかったが、ドーシーは技術的な問題だと答え、解決に少し時間がかかるということだった。中国でツイッターがブロックされているのは、彼も最近知ったのだという。私は中国でのソーシャルメディアやデジタル行動主義、中国語でのツイート、グーグルの中国市場からの撤退について語った。「艾未未（アイ・ウェイウェイ）」という名前すらウェブ上に出てこないこと、インターネットは厳重な検閲にさらされており、ユーチューブもフェイスブックもツイッターも、すべて一般のネットユーザーがアクセスできない状態にあることを説明した。フェイスブックとツイッターそっくりのクローン・サイトは存在するが、これらは政権の方針にそったもので、コンテンツは厳しく管理されている。

　私はまた、中国語での表記が英語よりも有利な点を指摘した。漢字は英語と同じスペースに三倍の情報を持つ文字だ。ツイッターでニュースを伝えれば、中国内のかなりの人々に届けることができる。〈壁を越える〉ことのできる、テクノロジーに強い視聴者がたくさんいるからだ。二〇〇九年に飯否網（ファンフォウワン）が閉じられたとき、ユーザーはツイッターに流れた。ツイッターもブロックされてしまったが、根絶やしにすることまではできなかった。多くのジャーナリストや法律家、活動家がまだツイッターを使っていた。ところが二〇一一年の初め、ツイッターの中国人ユーザーが大きな被害を受けた。数十人にのぼるアクティブユーザーが拘束され、自宅軟禁になったり、「お茶に招かれ」たりしたのだ。多くのユーザーが二度とツイッターに戻ってこなかった。

　私は何カ月もさまざまな論議の種を次々にツイートし、中国政府を容赦なく批評していたにもかかわらず、オンラインに居座っていた。質疑応答のコーナーでは、父が有名な詩人だったから注目されたのか、と聞かれた。私は冗談で返した。「もしツイッターがもっと早く現れていたら、今ごろ私は父よりもずっと有名になっていたでしょう」。厚かましく聞こえるかもしれないが、私のツイートはそれくらい衆目を集めていたのだ。

　同時に、いつか自分がツイートしなくてもよくなる日がくればいい、とも言った。オンライン活動に失望を感じはじめていた。とくにツイートは安易になりすぎた。いったん慣れてしまうと、すぐお腹いっぱいになり、何度も同じことを繰り返したくないと思うようになってしまった。やがて、しばらく本当にツイートを完全にやめてしまった。

目まぐるしいツイートとゆっくり進むオフラインのアート・プロジェクトのあいだを占めたのが、ドキュメンタリーの制作だった。作成したドキュメンタリーは数えきれない。完成するやいなやインターネットにアップロードした。表現の自由が標準となり得ない中国では、作品を見てもらうのは容易ではない。しかし、私はコミュニケーションの方法を見つけていた。

私たちが作った映画は、ほとんどが政治的にデリケートなテーマを扱っている。ウェブに載せるかDVDを送る以外に手段がなかった。一般公開など夢のまた夢だ。二〇〇九年の暮れ、作ったドキュメンタリーのフィジカルコピーを配布しはじめた。『童話』のディスクを二万枚、『老媽蹄花』二万五千枚、『子供の汚れた顔』五千枚、『ある孤独な男』二万枚、そのほかの作品を何千枚も送った。それぞれのディスクは美しくデザインし、ほとんどおしゃれなプレゼントのようだった。二〇一〇年と二〇一一年の初め、私たちが制作したのは、『花好月円』（当局に脅された二人の活動家について）（花好月圓）や、『So Sorry』（まことに遺憾、『老媽蹄花』の続編）、『オルドス100』（内モンゴル地区の新興都市の開発プロジェクトにかかわった、世界各国の百人の建築家たちについて）、『馬勒戈壁』（自由な考えのネット民と政府を支持するインターネット荒らしとの対立）、『平安楽清』（殺人の疑われる、ある村長の死について）だ。

王分（ワン・フェン）とは一緒に暮らしてはいなかったが毎日会い、一歳になった艾老（アイ・ラオ）を連れて、近場でいちばんの遊び場である公園に行っていた。しかし、北京の大気が劣悪で、老はしょっちゅう風邪をひいては熱を出し、よく医者の世話になった。子育ての時間以外、王分は専門であるドキュメンタリーの編集に集中しており、私のような政治的な活動はしていない。「公民調査」のころから、私のスタジオのチーム力で活気づいた草場地は、自由と抵抗の中心地となっていた。とはいえ、いったい何人が私のチ

『ひまわりの種』、2010年

ームにいるのか、把握しきれないくらいだった。スタジオの周りをうろつく猫が何匹なのか、正確に知らなかったのと同じだ。

二〇一〇年四月下旬、四川省大地震の二周年記念日が近づき、私は「命を尊重し、忘れまい」をテーマに、クラウドソースによる追悼活動を開始した。ネット民に、亡くなった多数の生徒のうち一人の名を読みあげて、オーディオファイルとして送ってくれと呼びかけた。三千四百四十四人が呼びかけに応え、複数の名を読んでくれた人も多かった。こうした二千以上の録音をミックスし、手向けとして、また抗議として、『追悼』をオンラインにあげた。


何カ月もかけて千六百人の手で丁寧に色づけされた一億個のひまわりの種は完成し、テート・モダンのインスタレーションとして、ロンドンに輸送する準備ができた。ひまわりの種を一粒作るのにも、ほかの陶磁器と変わらず作業は複雑で、二十以上もの工程があった。もちろん、こんな大規模な作り方は今の中国だけで可能なものだ。千六百人の腕のいい職人をプロジェクトに雇い、一斉に手作りしてもらった。職人たちのきちょうめんで忍耐強い働きによって、種は着実に数を増やし、必要な量に達した。

この人たちにとって、手作業で物を作るのは慣れた作業だった。窯から焼き上がった種を取り出して家に持ち帰り、子供がおとなしく遊んでいるときや、親が食事を準備してくれている合間など、隙間の時間で彩色した。景徳鎮では、家々の軒下にひまわりの種がうずたかく積まれた光景がよく見られた。

種作りの過程で思い出したのが、八〇年代、ニューヨークでのできごとだ。当時、私はシュルレアリスムのオブジェを作っていた。あるとき靴を一足、真ん中から切断し、かかとのほうを捨てた。そして靴の前半分同士をつなぎ合わせた。仕上げに靴クリームを塗るといいだろうと思い、近所の靴屋までぶらぶら歩いていって、カウンターにいた年配のポーランド人の店主に靴のオブジェを渡した。店主は私の作品をじっくり調べ、暗い顔になった。後ろを向いて、奥の小部屋で働いていた妻を呼んだ。二人して私の、履けない靴をじっくり見た。「黒のクリームを切らしててね」と彼は言った。

「いいよ、茶色でもかまわない」私は言った。

すると彼はさらに険しい顔になった。「磨く機械が壊れていてね」。

二人は怒っているのだ、とやっと気づいた。長年やってきた仕事は軽々しいものではない。二人は私の奇妙な靴が不愉快だったのだ。ある技能に精通していれば、社会との確かな絆(きずな)ができる。当時の私にはそれが欠けていた。私はこのことを忘れず、ひまわりプロジェクトに役立てた。

種はそれぞれが独立した存在だが、一粒一粒に大きな違いはない。しかし、一定数のひまわりの種が集まると、また別なものになった。それぞれの種は見えるようで見えない。数えきれないほどの似たような種の大きな集合体になっているからだ。私が理解する中国というものを、中国人なら誰でも知っている物で表現するなら、ひまわりの種以外にない。

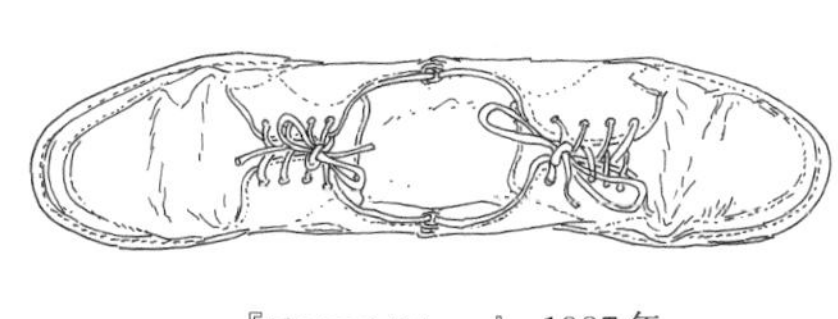

『ワンマンシュー』、1987年

ひまわりの種は、テート・モダンのタービン・ホールに海原のように広がっていた。展覧会が始まるという日、一歳半になっていた艾老がよちよち近寄ってきて、一言、「破」（こわれた）と言った。息子の小さな手のひらには、割れた種がのっていた。息子にとっては初めての海外旅行だったが、将来はもっと遠く、私も行ったことのないようなところへ、一緒に旅するのが楽しみだ。

　ロンドンでは、種の上を歩く人に、まるで水の上を歩くように、足の裏の抵抗や摩擦をすべて感じてほしかった。思ったとおり、ロンドンっ子たちは展覧会の最初の数日間、大喜びで種の絨毯を歩き回った。ところが残念なことに、人が歩くと種がこすれ、舞い上がる粉塵にシリカが多く含まれているという検査結果が出て、それを吸い込むのが健康に悪いと心配された。ホールの床を歩くことは禁止になってしまった。この知らせには、二年ほど前のカッセルでの雷によるパビリオンの崩壊に負けず劣らず落胆した。だが、私は自分のアートの条件を固定することはない。いつも現実に即して、その範囲でやっている。種の上を直接歩くことができなくなったのは大きな変更ではあるが、基本的なコンセプトは変わっていない。むしろ、種の上を歩けなくなったことでこのコンセプトがさらに強まったと感じた。それに、観客が自由にひまわりの種の上を歩けたわずか数日間で、人のポケットやバッグの中に消えた種はおそらく百万個に近いだろう。展覧会期間中ずっと自由に出入りできたら、最後のほうではほとんど種が残らないおそれもあった。

　この広大なひまわりの種を見て、観客は考えた。「これ全部、いったいどこから来たのだろう？　なぜこんなにたくさんあるのか？　誰が作ったのか？」。展覧会のレビューは、過去には良いことを言われなかった方面からでさえ好意的だった。中国人評論家の付暁東はこの展覧会を、「誰も無視できない、アート界の象徴的イベント」と評した。「艾未未は一億粒の手作りのひまわりの種で、可能な限り最も忍耐強く極端な方法で、個人が独立していることを主張している。この種の一粒一粒が異なり、それ自体で完成されているように、どの命にも価値がある。俗世の競争という渦巻く赤いちりに飲まれて消えていいものなど一つもない」と書いている。

美術館ではギャラリーにビデオ設備を設置して、観客が私に質問できるようにした。私が北京に戻ってからオンラインで回答するのだ。たくさんの人が、ひまわりの種を「自由の種」と考え、一粒もらっていいかと聞いてきた。ある男性は、いつか自分が手にした種が暗闇に光をもたらし、その瞬間に自由がやってくることを夢見たという。その後の二年間で、私たちは支援者に四万個以上の種を郵送した。

ひまわりの種のインスタレーションを機に、私が「まともな仕事をしていない」と非難されかねない時期が終わった。オンラインの活動をかなり減らし、未知の領域へ向かって帆を広げた。あらゆる悪天候を覚悟の上で。

世界で私の評価が高まる一方で、国内での締めつけはこれまでになく厳しくなった。二〇〇九年のクリスマス、北京裁判所は作家で活動家の劉暁波(リウ・シアオボー)に、「国家政権転覆煽動(せんどう)罪」で十一年の懲役刑を言い渡した。劉暁波が二〇一〇年十月にノーベル平和賞を受賞すると、中国政府は激しく抗議、平和賞を犯罪者に与えるのは茶番であると言った。劉の家族や友人がオスロでの授賞式に出席するのを阻もうと、公安局は出国を禁止する国民百人のリストを作った。

十二月二日、私はキュレーターを務める光州ビエンナーレのために、北京からソウルに飛ぶところだった。出国審査を通過して搭乗ゲートにいたところ、女性警察官が近づいてきた。「艾さんですか?」と聞く。私が出国手続きの列にいたあいだにコンピュータに不具合があったので、ちょっとパスポートを見せてくださいと言うのだ。

私は笑うしかなかった。「私を国から出してくれないんでしょう?」。

警察官は私に手書きのメモを見せた。「あなたの出国は国家保安への脅威となる可能性があるため、北京公安局の義務として、出発を禁止します」。そのメモ自体は渡してもらえず、あとどのくらいこの禁止が続くのかも告げられなかった。できることは、腹立たしいてんまつをオンラインに載せることだけだった。私は書いた。「国家が市民の動きを制限するなら、国が監獄になったということだ。人だろうと国だろうと、離れる自由がない相手を愛することはできない」。

　このころ、私は上海の北西、嘉定区（ジアディン）の馬陸町（マールー）近くに新しいスタジオを完成させたばかりだった。両脇にブドウ畑の広がる静かな通りの端に立つ、赤レンガの建物だ。周辺ではすでにいくつかのプロジェクトが計画され、建設途上だった。それに加わるかたちで、地元の役人の要請で設計したものだ。ほかには私の友人でアーティストの丁乙（ディン・イー）のスタジオや、安藤忠雄（あんどうただお）設計の美術館、それにインドネシアのコレクターにより創られたギャラリーなどがある。まもなくブドウ畑がアートの共同体に変わると期待されていた。

　スタジオの外観は伝統的な、中庭を囲む四合院（スーホーユエン）ふうの作りだ。三辺に水が配され、残りの一辺に道路に面した入り口がある。外壁にそって灰色の敷石の小路があり、中庭につながっていた。住居は南の棟、ギャラリーが東の棟、スタジオは西、そして客間が北、それぞれのユニットは独立しているが、中庭でつながっていた。

　まる二年を要したプロジェクトを引き受けたのは、何よりも創造的なアートにエネルギーを注げる空間ができると思ったからだ。スタジオでどのくらいの時間を過ごせるか、何に使うか、決まった計画はなかった。私にとって重要なのは、シンプルだが骨の折れる仕事、つまり目にも精神にも心地よいスタジオを設計し建設するということだった。

　二〇一〇年十月、もうそろそろ引っ越しというときに、アシスタントの呂恒中（リュー・ホンジョン）が通知を受けとった。

建物が取り壊される予定だという。土地利用と建物の建設が地元の条例に違反しているという理由だった。中国政府の専横的なやり方を知らないわけではないが、上海ほどの大都市がこんなふうに手のひらを返してきたのには困惑した。とりわけ、大げさにたたえられた上海国際博覧会がまだ開催中だというのに。スタジオを建てるよう要請してきたお役人は、自分には取り壊しを止める力はないと言った。なんらかの「政治的要因」によって、〈お偉いさん〉は私を上海に来させたくないのだ、と彼は言った。お手上げだという。「艾先生、だいぶ目の上のたんこぶに思われていますよ、自覚しないと」と言った。

「目の上のたんこぶ」と言われても、私はただ権利を奪われた中国人を心配しているだけなのだが。

ツイッターのフォロワーたちは、新しいスタジオを早く見たがっていた。それがもうすぐ壊されることになったとあって、数日のうちに千人以上の人が見学を申し込んできた。ちょうど上海名物の河蟹が出回る季節だったので、私は「蟹（かに）パーティ」を提案した。それでスタジオに正式に別れを告げようというわけだ。中国語では「河蟹（ホーシエ）」（モズクガニ）の発音は「和諧（ホーシエ）」（調和）とほぼ同じ、今の政府の最優先目標は「和諧社会」（矛盾のない調和のとれた社会）だ。つまりこのイベントは私なりの、個人の権利侵害への抗議だった。その権利こそ当局が言う「調和」の中核をなすものだ。

私が草場地の自宅からこの招待をツイートした直後に、数人の私服警官が訪ねてきた。上海でのディナーに行ってほしくないと言うのだ。

「しかしお客さんを呼んでしまったんですよ。ホストが顔を出さないわけにいかないでしょう？」

私は反論した。

「自宅軟禁されたと言えばいい」と警官は言った。

「それは嫌ですね、実際に自宅軟禁されないかぎり」と答えた。

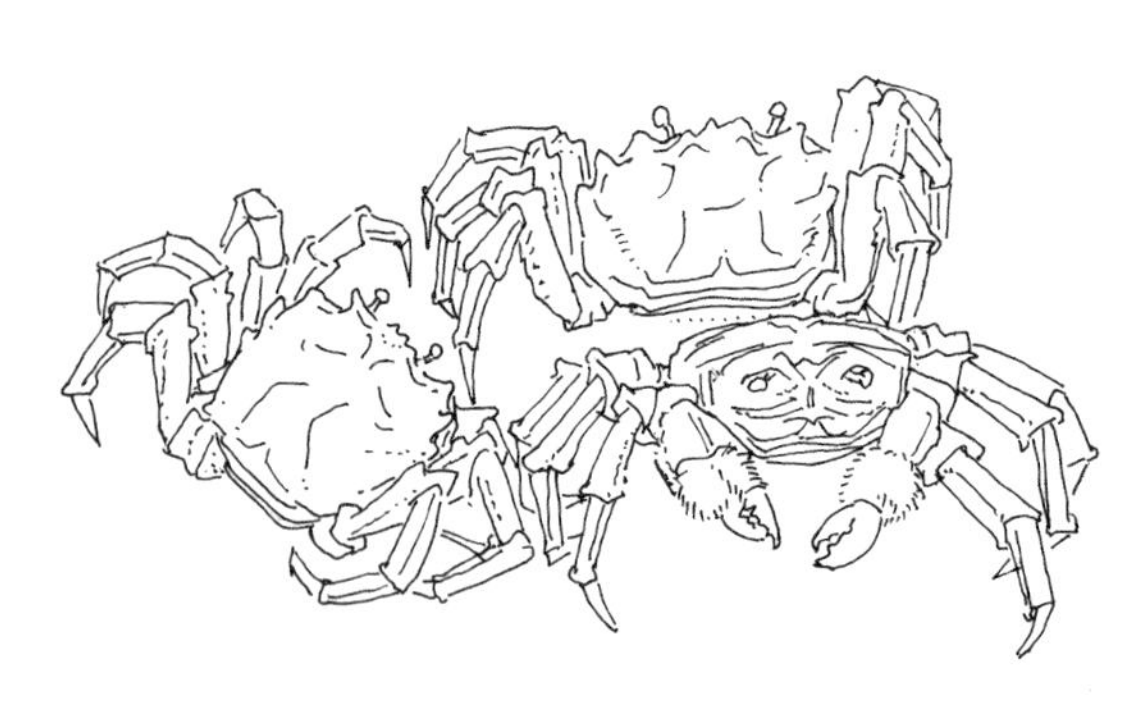

『河蟹』、2010年

翌朝、空港に向かおうとしていると、十人ほどの警官が草場地のスタジオにやって来て、本当に自宅軟禁すると宣言した。「上海には行かないでください」と一人が言った。「七日の夜中以前には、この家から出てはいけません。ご協力ありがとう」。言葉の選び方が間違っている、と私は思った。「協力なんかしていない。そっちが強制しているんだろう」。

数日間で、国保の局員は「蟹パーティ」に出ようとしていた三十二人を捜しだした。上海で働くツイッター・ユーザーは投稿した。「たった今、居民委員会（町内会）のお婆さんがやってきて、蟹の集まりに行かないようにと言うんだ。どうやって私を見つけたんだろう。〈上海にいる〉ってツイートしただけなのに」。

ある学生は「お茶を飲んだ」経験を語った。「パーティにサインアップするショートメッセージを送ったら、これが見つかって、国保の局員が学校まで来た。政治学の教師に呼ばれ、劉暁波のノーベル平和賞の話はするなと言われた。将来いい職につくためによく勉強しなさい、それ以外の活動には手を出すな」と。とくに、どこから情報を得ているか、ほかの人と交流があるか、とうるさく聞かれた。結局、自分のおこないについて報告書を書け、数日間はキャンパスを出るなという命令を受けた。

私が自宅で囚人となっているあいだ、アシスタントたちが開いた「蟹パーティ」に、それでも八百人が出席できた。三千匹もの蟹を食べ、ギターを弾いて歌い、おしゃべりをした。そのあいだに写真や動画をオンラインにアップし、ささやかな反抗を祝った。

二カ月後の二〇一一年一月十一日の早朝だった。呂恒中が馬陸町の人からの電話で、新スタジオの外に建設車両が何台もやって来て、もうバックホーが南西側の壁に大穴を開けていると知らされた。担当の役人は、全部を一日のうちに取り壊す予定だと言った。

旅行制限の期間は過ぎていたので、私は上海行きの飛行機に乗り、午後遅くなってから馬陸に着いた。沈みかけた太陽の下で、まだ四台の解体重機が巨大なアームをふるっているところだった。スタジオで残っているものといえば、北西隅の壁の一部だけだった。作業員たちが、砕けたコンクリートから鉄筋を引きはがしたり、割れたレンガやコンクリートをトラックに積んだりしていた。すべてが整然と進められていた。建物の痕跡をとどめないよう、すみやかにがれきを運び去りたいのだ。一週間後に撮った写真には、何もない更地があるだけだった。最近きれいに耕したのかと見えないこともなかったが、それ以外は人間の活動のしるしは何もなかった。雪の積もった地面に、カモの歩いた足跡が一筋残っていた。

そのとき感じた喪失感をどう表現すればいいだろう。もしもアートを完成された結果として見れば、これは私の作品が計画的に破壊された瞬間だ。だが、私はアートとは始まりだと思っている。人が前進しようとするときこそ、結果がどうなろうと、生きる意味が与えられるものだ。スタジオの取り壊しはこの時点で、私の苦境を正確に表していた。プロジェクトに全力を注ごうと、まるで実を結ばないかもしれないということだ。

ちょうどイギリスのデイヴィッド・キャメロン首相が北京を訪問中だったこともあり、私は「ガーディアン」紙に寄稿し、イギリスは中国に人権問題でプレッシャーをかけ続けてほしい、短期的な利益のために本質的価値を捨てないでもらいたいと訴えた。世界のどんな国だろうと、多様な意見を許容しないようでは、発展は望めない。中国はまだ文明国とは言えない、と私は書いた。中国とビジネス上の取引をするとき、西側はいつも言論の自由や市民の権利の問題を避ける。それこそ現代の最もあからさまなモラルの失態だ。西側は何度でも人権を支持していく義務がある。そうでなければ彼らのふるまいは、途上国を搾取する新植民地主義と言われても仕方がない。

二〇一〇年十二月十七日、地球の反対側、チュニジア北部のシディブジッドで、二十六歳の露天商の青年が焼身自殺した。警察から受けた不当な扱いに抗議したものだ。これがきっかけとなってデモが起こり、ザイン・アル＝アービディーン・ベン・アリー大統領の辞任を求めてたちまち暴動へと発展、長期化した。「ジャスミン革命」と呼ばれるこの事件は、アラブ世界の政権が国民の抵抗により転覆するという前代未聞の事態となった。このチュニスでのできごとが連鎖反応を引き起こし、北アフリカや中東の多くの国で、人々が通りに出て独裁と腐った政治に抗議し、民主主義と改革を要求、のちに「アラブの春」と呼ばれる騒乱へと発展した。

急速でドラマティックな激動は別名「ツイッター革命」と呼ばれた。ソーシャルメディアやデジタル・テクノロジーを使うことで情報がすみやかに広まり、政府の統制力を弱めたからだ。「反乱」や「革命」がバズワードになった。

二〇一一年二月十七日午後四時、中国版ツイッター、微博（ウェイボー）のユーザー、アカウント名@mimitree0（ミミ、というのは中国語で「秘密」の意味）が、「中国ジャスミン革命集会」の開催を発表した。その後、二月二十日午後二時に、中国の主要都市で一斉に「ジャスミン革命」の集会を開催することがオンラインで広がっていった。主催者は「中国ジャスミン革命推進者」と名のり、正体は謎だった。

　このニュースが広まりはじめたとたん、「茉莉花（ジャスミン）」という文字が中国のネットでブロックされた。さらには「花」という文字さえも要注意になった。中国語のウェブサイトでは、「明日」や「今日」という言葉を入れて文章を打つことができなくなった。花屋はジャスミンの花を売ることができなくなり、ある北京市民の若者が、王府井の商店街で白い花束を飾ったとして逮捕された。

　二月二十日は日曜日だったが、王府井の私服・制服の警官たちの数は、集会に参加した人数を圧倒的に上回った。デモに現れた人がそれほどいなかったのだ。来たのは大部分が学生だった。逮捕が始まったころに、米国大使のジョン・ハンツマン・ジュニアがサングラスをかけ、ジャケットの左腕に目立つように星条旗をつけた姿で現れた。なぜここにいるのかと問われた彼は、にっこり笑って「ちょっと見に来ただけだよ」と答えた。

　私は「アラブの春」のチュニジアからエジプト、イランでの展開を夢中で追っていた。しかし、当局への批判はオンラインの討議だけに終わらず、通りや広場での騒動となり、やがて流血や逮捕につながってしまった。インターネット活動への期待は、自らがはまってしまう罠を作ることに終わった。まるで津波のように、枯れ木を押し流し、一時はとどまることを知らないように見えたが、波が去ってみれば、岩も崖も以前と変わらず力強くそびえ立っていたのだ。心躍らせるオンラインの革命は社会の分断を誘い、反動が起きて長引き、また怨みやもめごと、絶望へと崩れていった。どこで動乱が起きようと、パターンは同じだった。

　草場地二百五十八番地の中庭はひっそり静かだった。灰色のレンガの小道の先には、外観が直線と直角とブロックで構成された灰色レンガの私の家があり、白いドアは猫が自由に出入りできるように少しだけ開いている。周囲の柳の木の枝を、カササギが渡り歩いている。車道の反対側には白いセダンが駐車している。もはや風景の一部のように、この車はずっとこの場所にいる。昼も夜も、フロントシートに誰かが座り、ノートに何やら書きこんでいるのだ。

ある日、車に近づいてみると、若い私服警官が運転席で居眠りしていた。窓が少し下げてあったので、手を突っ込んで膝の上から茶色い表紙のノートを奪った。若者が目を覚まして目をこすり、暖かな陽光に目を細めてぼやっとこちらを見たときには、ノートはもう私の手中に収まっていた。

そこには、私がいつ出かけていつ戻ったかという正確な日時と、スタジオを訪れたすべての車のナンバーが、ぐにゃぐにゃ曲がった文字並びで記録されていた。私は父のことを思い、父がどれほど長いあいだ苦しめられていたか、理解しはじめた。共産主義体制下では、見張られているのが常態なのだ。独立心の強い者にとって絶え間ない監視は、人生そのものが刑罰のようなものだ。こんなプライバシーの侵害が長引き、私は名状しがたい疲労を感じ、苦しんだ。まるで得体の知れない異物が体内に埋め込まれ、自分や周りの人々の判断を操られているかのようだ。この正体のわからない存在がいつか何かをしでかすのか、ある日いなくなるのか、私にはわからなかった。険しい崖を登っていて、一瞬も気を抜かずにつかまっていなければならないように感じた。油断すれば、むき出しの高みからすべり落ちてしまう。

一月には上海の私のスタジオが取り壊され、二月には学者、弁護士、大学生など百人以上が政治的理由で拘束された。政府は多くの人々が変化を強く望んでいることに危機を感じたのだ。重荷を減らしたくなり、私はベルリンにスタジオを持とうと手配しはじめた。しかし、ずっと外国で過ごすつもりはなかった。私に言わせれば、異常な現政権こそ、中国から立ち去るべきだった。

第十八章　八十一日間

草場地（ツァオチャンディー）のスタジオ敷地内に住む猫に、長毛のティエンティエン（天天）と、短毛のダイダイ（呆呆）というのがいた。ある日、ティエンティエンが自分でドアを開けることを覚えた。床で体勢を低くして、一気にドアのレバーを狙って跳びつく。そのましがみついていれば、自然にドアが開いた。それを見ていたダイダイも、後について出ていった。

ちょうどそのころ、十人以上の警官がスタジオに来て、スタッフ全員の居住許可証をチェックした。それも三回、一度などは夜に防火の点検という名目でやって来た。以前「もっと大胆に」とけしかけた村の役人が、友人にこっそり告げた。「艾未未（アイ・ウェイウェイ）さんに注意してあげたほうがいい。かなり面倒なことになっている。言ってやってくれ、外国人を満足させて中国人の気分を害することはやめなさいと」。それからまもなく、趙趙（ジャオジャオ）の横で車が停まった。運転手が窓ガラスを下げ、この村では今や十八人が艾未未を尾行しているぞと告げた。

私も脅威は意識していた。毎日肌で感じつつ暮らしていたのだから当然だ。私が基本的権利を守ろうとするのも、気分も自意識も、世界観も、すべてはこの脅威をありありと感じていることから形づくられた。監視しているのが十八人だろうと千八百人だろうと、私はやるべきことを続けた。

二〇一一年四月三日の朝、敷地内はいつもと変わらず静かだった。運転手の小胖（シアオパン）が、私の黒い旅行かばんをトランクに入れた。目的地はここから二十分の空港だ。香港経由で台北（タイペイ）までのフライトを予約していた。秋に台北市立美術館で開かれる個展の準備のためだ。

　かばんに入れていたのはTシャツ六枚、下着六枚、靴下六足、ラップトップ、それにカメラだった。艾老（アイ・ラオ）が生まれてからは、昼間は王分（ワン・フェン）と息子と共に過ごし、夜になると一人で草場地に帰るという暮らしをしていた。路青（ルー・チン）とは同居していたが、衝突することもなく別々の生活を営んでいた。いつもなら路青は私の高血圧と糖尿病の薬を十日分用意するのだが、今回はどういうわけか二カ月分を、用法の説明書とともにビニール袋に入れた。私たちの仲は冷えていても、路青はいつものように門まで見送ってくれた。

　後部座席に乗ったのは、新しいアシスタントのジェニファー・ウンだ。カナダ人の彼女とは数カ月前にツイッターで知り合った。これが私と一緒に出る初めての海外出張だ。朝八時ごろにチェックインを済ませ、パスポートと搭乗券を手に、出国審査へ進んだ。出発ロビーはすいていて、私たちは別々の列に並んで待った。先にジェニファーの番になった。審査官はパスポートをじっくり調べると受話器を取って何か連絡し、すぐに警官がやって来てジェニファーを脇に呼んだ。何か起こったようだ。

　私の番になった。審査官がパスポートを開き、顔を上げて私をじっと見つめた。これからどうなるのか、すぐに予想がついた。各所に散らばっていた警官がこちらに集まりはじめ、捜査官らしき人間が私に左の部屋へ入れと指示した。「なぜこんなことをするんですか？」と私は尋ねた。国家安全保障上の危険人物と見なされたのだ、と男は言った。ジェニファーの姿はどこにも見えなかった。

　数人の国保局員と私が入ると、小さな部屋は満員だった。「別のところで話そう」といちばん偉いらしい男が言い、私の携帯電話を手渡すように要求した。私はそれに応（こた）えてノキアの携帯からバッテリーを抜いた。エレベーターで一階まで降ろされ、道の向こう側に停めてあった白いワゴン車まで歩

『Panda to Panda』（パンダからパンダへ）、2015年

いた。二、三日前に人口調査だと言ってスタジオを訪ねてきた人物が車内にいるのが見えた。その男が「艾先生、すみませんね」と言ってドアを開けた。

私は後ろの座席に、二人の私服警官にはさまれて座った。上役が前の席に乗り込んで振り返り、「容疑者」と書かれた黒いフードを出して、頭からかぶれという。分厚い素材のフードで、通気がひどく悪かった。私が苦情を言うと、彼はそれを取り戻してカギで何カ所か穴を開けようとした。しかし丈夫な布地に歯がたたず、そのまま私に返して、「慣れてもらうしかない」と言った。その後はフードのせいで、まったく何も見えなくなった。

国保の正式名は「公安部国内安全保衛局」（公安部の下部組織。現在は政治安全保衛局という名称）と言い、その活動は秘密に包まれている。略すと中国語で「国保」、音だけだと「国宝」とまったく同じだ。このためオンラインでは、局員は「パンダ」と呼ばれている。国保のターゲットは政治的反体制派、非政府組織、人権活動家などだ。

移動中も、両脇の職員が私の腕をつかんでいた。どこへ行くのか、これからどうなるのか、何もわからなかった。私にできるのは、なるべく力を抜いて普通に呼吸することだけだった。しかし、すぐに息苦しさを感じ、顔から汗が流れた。いつかこんな事態になるとは予期していたが、いざ起こってみると、現実とは思えなかった。映画で見た拉致場面が頭に浮かんだ。まるで他人に起きていることを眺めているようだった。

車が北へと走っている気がして、ひょっとして北京の北のはずれ、政治犯を収容している秦城刑務所に向かっているのだろうかと思った。ほんの三日前、私はそのあたりで王分と艾老と一緒にイチゴを摘んでいて、ポプラ並木の向こうにそびえる刑務所を指さして教えていた。あそこを知っておいてもらったほうがいい、とひそかに思ったのだ。

車が角を曲がるたびに覚えておこうとしたが、そうすると眠くなった。一時間以上もたったころ、車がはっきりとスピードを落とし、いくつか検問所を過ぎてから停止した。局員らは黙って私を車から降ろし、建物の内部に入り、カーブのある階段を上らせた。並んで歩けるほどの幅がなく、一人が私の先に立ち、もう一人が後ろにつき、横歩きをして上ることになった。半分ほど行ったところで彼らは気が変わったのか、一階に逆戻りした。部屋に入ると足の下にカーペットが敷いてあるのを感じた。木製の、背もたれが半円を描いた肘かけ椅子に座らされた。

四十分間ほどまったく何の音もしなかったが、立て、という声が聞こえ、フードが取り去られた。私は背の高い筋肉質の人物に向き合っていた。映画でこんなシーンに出てきがちなキャラクターだ。男がこの機会を楽しんでいるのが感じられた。別の、背の低い男が私の肩をたたいて座らせ、私のベルトと携帯電話、財布を奪い、私の右手を椅子の肘かけに手錠でつないだ。手錠は重く、氷のように冷たかった。

ナイキのトラックスーツを着た、アスリートふうの若い男が私から一メートルほど離れて座り、手をきちんと太ももの上に置いて、まばたきもせず私を見張っていた。こざっぱりした顔に、目を半開きにした彼は、私をぼんやり見つめていた。この無表情な凝視は、石の彫像に見られているようで、この先の日々でよく出会ったものだ。

下を向くと、椅子の肘かけは長年手錠とこすれたために塗料がほとんどはげていた。右を見るとかってベッドが二つ置かれていた跡、壁には絵がかかっていたらしい跡があり、左側にはタンスと、トイレがあった。窓のブラインドの隙間からは電気柵と思われるものと、その外の傾斜地にある監視カメラが見えた。

夕食後、四十歳前後の二人の男が入ってきた。年上らしいほうは仕立ての良いベージュの上着を着て、そこそこ礼儀正しく挨拶した。自分と会話の記録係りは、北京公安局の犯罪捜査部、取り調べチームの者だと言った。彼は気楽そうにテーブルの上にぽんとファイルを置き、自分も座った。

「あなたは有名人らしいね。もっと早くから知らなくて申し訳ない。ここに来る前に、ネットでいろいろ読ませてもらいましたよ」と言った。

私は注意深く聞いていた。事情を突きとめようとしたのだ。私は北京に住んでいるのだから逮捕しようと思えばいつでもできる。ではなぜ、私が空港に行くまで待ってから拘束したのだろう。どうも急に命令がきて、準備の時間もなかったようだ。

彼の説明では、私へのこの措置は「監視居住」だった。刑法で規定されている四つの制裁措置の一つで、ほかの三つは尋問、拘置、逮捕だ。

私は家族に連絡し、弁護士にも入ってもらいたかったが、それは無理だと言われた。驚くことでもない。外の世界では当然のことが、ここではありえないのだ。私の拘束の正式名称は「指定居所監視居住」。当局は通常の刑務所ではない場所で、最長六カ月まで容疑者を拘束でき、公的な制約は何もない。私には法的代理人も面会権も与えられない、正式な逮捕よりも厳しい措置だ。

つまり、私は国に誘拐されたようなものだ。私を家から引き離し、まったく孤立した状態に置いた国は、自らのルールを無視している。鉱山の崩落で地下に取り残された労働者のような気分だった。地上にいる人はがれきの下にまだ生きている人間がいるのかどうかわからず、地下にいる者は救出活動が始まっているのか、もう見捨てられてしまったのか、見当がつかない状態だ。しかし、私は父が八十年前に投獄されたことを思って慰められた。似たような罪に問われたということで、気分が上向いた。

予備捜査官はたばこをひっきりなしに吸っていた。私のほうに煙を吹いてよこし、そのために私たちのあいだの溝が広がるようだった。

「あなたのおかげで息が吸えないんだが」と私は言った。

「そちらに煙を吸わない自由はあるよ」というのが彼の答えだった。そしてゆっくりと、ことさら強調して言った。「しかし、俺だって喫煙の自由があるからね。吸わないと仕事にならん」。

この仕事が楽しくないのだろう。彼は私の名前と年齢、住所を聞いた。小さい部屋なのに相手の声は大きく、まるで芝居の舞台稽古（げいこ）のようだ。「私が誰だか知らずにここまで連れて来たってことはないでしょう」と私は言った。

これはチクリときたようだ。本当に本人か、確認しなければならないんだ、と彼は言った。「間違った人間を連れてきたってことは珍しくないんでね」と、もっともらしく聞こえるようつとめていた。それから家族の詳細を聞かれた。

答える代わりに聞いた。「あなたの名前は?」。

彼はためらった。それを教える必要はない、と言った。国家当局を代表する立場にあるというだけだからと。ただ、中国史上有名なあるエンジニアと同じ名前だと教えてくれた。千五百年前にアーチ型の石橋を設計した、物の均衡と機械学について完璧（かんぺき）な知識を持った男だという。違うのは、下の名前が自分のほうが四画多いことだと、ちょっと誇らしそうに付け加えた。そのヒントで、彼の名は李（リー）椿（チュン）だろうと推定した（李春は隋王朝時代の職人・エンジニア。彼の建設した「趙州橋」は現存する最古のシングルホールアーチ橋）。やがて、李捜査官は歴史のうんちくを披露するのが好きだとわかってきた。文化的教養があるなら多少は共通点があるという感触がうっすらと得られた。

職業を聞かれ、私は「アーティスト」と答えた。

「アーティスト？　なぜ自信をもってそう言えるんだね？　自分で思えば何何イストと呼べるからか。せいぜい芸術労働者と言ったらどうだ」。嘲る口調だった。

私は反論しなかったが、昨今、誰も自分を芸術労働者などと呼ばない。中国でそんな名前を使ったのは何十年も前だ。

その後数時間にわたり、私たちは堂々めぐりの言い合いをした。こちらはなぜ自分が勾留されるのか真の理由を聞きだそうとし、向こうはいくつかの罪状を順繰りに繰り返す。まるで次々に服を試着しているようだ。経済犯罪と芸術上の詐欺の容疑を受けている、と彼は言った。「あなたの作品は作るのにはほとんど金がかからないのに、それを天文学的金額で売ろうとしている」「常に共産党を呪っている」「脱税している、詐欺師だ」。

途中で一度、長身の男が入ってきて部長だと自己紹介し、満足そうに私を眺めた。ハンターがとうとう獲物を捕まえたとでもいうようだった。「あんたは見せかけの活動の裏で別のことをしてきた」と彼は言い、海外で活躍している部下の捜査官たちは非常にいい仕事をしたとも語った。

男は帰り際に、もう今夜は寝てよいと言い、その後、衛兵がマットレスを引きずってきて部屋の隅に置いた。手錠が外され、やっと横になることができる。衛兵たちは携帯電話で遊びはじめた。家族のこと、とりわけ艾老のことは考えまいとした。息子は二歳になったばかりで、じつに楽しい友達になりつつあった。大きな四角い頭に、面白い考えがいっぱい詰まっているのだ。最後の夜、艾老は廊下にとことこ出てきて、手を伸ばしてエレベーターのボタンを押してくれた。そんなことを考えないかぎり、なんとか負けずにやっていけるだろう。

その後の日々、李捜査官の取り調べは続き、私は常に緊張を余儀なくされた。始める前に、ときどき自分に問いかけた。協力を拒んで黙秘するか、それともいつものやり方でいくか。つまり、たとえ無益なやりとりに終始したとしても、思うことを包み隠さず話すか。私は後者を選んだ。それでどうなるか、知りたかったのだ。

翌日、李捜査官は、私が「国家政権転覆煽動（せんどう）罪」で起訴される可能性があるという話を持ちだした。彼によると、北京ではすでに三人の人物がその罪に問われている。作家の劉暁波（リウ・シアオボー）と、胡佳（フー・ジア）、高智晟（ガオ・ジーチョン）だ。その時点で劉暁波は十一年の懲役刑の二年目に入っていた（二〇一七年、刑務所で肝臓がんを患った劉は六十一歳で亡くなる）。胡佳は長年社会活動をし、三年半の懲役刑を受けていた。人権弁護士の高智晟は懲役三年の刑に服していた。三人とも典型的な政治犯だが、捜査官は私が四人目になるかもしれないと言っているのだ。

今後については、李の予測では、私はまず今の場所に六カ月置かれ、起訴されれば審査のあいだ拘置所に送られる。もし検事がさらに情報がほしい場合、私は送り返されてさらなる質問に答える。それが三回ほどおこなわれる可能性があり、一回が九十日までかかる。そうした過程全部で一年ほどかかるだろう、それから司法手続きのスタートとなる。逮捕、判決、投獄だ。

四日目の四月七日、私が強く要求すると、李捜査官は朝陽（チャオヤン）区公安局による監視居住の告知を見せてくれた。「指定居所」は水庫道（シュイクーダオ）四十四番とあった。

「これはどこです?」と聞いた。

「北京にいくつ貯水池があると思うんだ」。捜査官はぞんざいに答えた。

彼はうっかり秘密をもらしていた。おかげで自分がどのへんにいるかはっきりした。水庫とは密雲（ミーユン）水庫（シュイクー）のことだろう。北京の北東の山あいに、美しい姿を見せている貯水湖だ。

毎日、取り調べは朝十時に始まり、いつも手順は同じ。捜査官が質問し、私が答え、記録係りが書きとめる。一週間もすると李捜査官は、このケースはまるで背中に刺さったとげか、喉（のど）にひっかかっている小骨のようだとこぼした。彼は、とっとと片づけてしまいたい、私が懲役を回避できる道を探すつもりだと言う。これには納得がいかなかった。そんなに簡単なものではないはずだ。

尋問にあたっては、捜査官は厳しくあらねばならない、と彼は言った。しかし、いかに容赦なく質問されようと、知らなければ知らないと言うべきだし、覚えていなければ覚えていないと言うべきだ、また、言いたくないことは言わないでいい、と言った。私の神経が高ぶってきているのを感じたに違いない。そのためにこんなことを言ったのだろう。私は怪しみはじめた。この男が私の味方になるなど、ありえるだろうか。

「艾未未さん、自分の置かれた状況をわかっていますか？」と心配そうな顔つきで言った。「西安（シーアン）事件を覚えているかね」。歴史の話題になると、彼は明らかに元気になった。西安事件とは一九三六年に蔣介石（ジアン・ジエシー）が二人の将軍から圧力をかけられ、敵対していた共産党と協力して共に日本と戦うことになった事件だ。蔣介石の妻の宋美齢（ソン・メイリン）とソ連の共産主義者が仲裁に入り、蔣介石は将軍たちの提示した要求の六項目に同意して、やっと自由を取り戻した。

「艾さん、わかるかね。あなたは蔣介石と同じ苦しい立場にいるんだよ。あなたはずっと共産党をののしっている。それだけでも長い実刑判決をくらっても仕方ない。寛大な処置を望むなら罪を認めなくちゃいけない。認めなければ勝ち目はないよ。裁判に負けたらもう身動きできない。すべてを失う。一九三六年に蔣介石は同意書にいやいやサインしなければならなかった。共産党の排除につとめていたのに、どうやって協力して日本と戦えるのか。しかし蔣介石はタフな人間だった。ぐっと歯をくいしばって、協定に署名したのだ。さもなければ彼は終わっていた。それと同じ立場にいるんだよ。自分の過ちを認めないのは危険すぎる賭けだ」と李は言った。

彼はさっきのアドバイスと矛盾することを言っていた。なぜこんな話をするのか、まるでわからなかった。捜査官というものは事実を整理するのであって、結論を導くのではないはずだ。ところが、あらゆる種類の起訴事項を私に突きつけて、無理に罪を認めさせようとしているようだ。私は質問に答え続けた。もし、本当に私が何者で、何を考えているのか知りたいのなら、私はきちんと話すつもりだった。

彼の妻は妊娠数カ月だそうだ。しかし、忙しすぎて家に帰って妻の顔を見る暇もない、本当はそうしたいのだが、と言った。一番の望みは家族団らんだという。ろくに妻と過ごす暇もなく、ネットもしないと聞いて、なんだか気がめいった。二十四時間、いつでも呼び出しに応じなければならず、しかも電話代は自腹だという。

毎日、どなり声で目を覚まし、毎日、李は私の人生を詮索する取り調べを続けた。二人はそれぞれ自分の仕事をした。この日、李はさらに私を「重婚」だと攻撃してきた。

私はできる限りわかりやすく説明した。路青と私はニューヨークで結婚したが、友人にも家族にも、誰にも知らせなかった。これは自分たちだけのことで、誰の許可も祝福もいらなかったからだ。その日、路青と二人でマンハッタンのダウンタウン、世界貿易センター近くを歩いていると、路青が、あのビルのてっぺんに上ってみたいと言った。この辺りにまる十年も住んでいたのに、私はそんなことをしようと思ったこともなかった。北タワーの展望台に出てみると、ミッドタウンの高層ビルのするどい輪郭が見え、狂騒する資本の力と個人の小ささをまざまざと見せつけられるようだった。

路青が結婚の話を持ちだしたのは、そのときだった。もし結婚しないのなら、北京に帰らずアメリカにとどまりたい、と言うのだ。一緒になってから一年以上が過ぎていた。路青は心のきれいな、愛情深いパートナーだった。中途半端な関係を続ける正当な理由がなかったから、私は同意した。私たちは市庁舎で婚姻届を出した。旧友が証人になってくれた。その夜はカジノで有名なニュージャージーのアトランティック・シティに行き、トランプ・タージマハルのブラックジャックのテーブルで過ごした。だが、路青と私は北京で婚姻届けを出していないので、離婚ができるわけがないのだ、と捜査官に説明した。

王分とは同居していないものの、カップルであることは公にしている、とも伝えた。艾老の出生証明書には、私が父親で王分が母親であることは明記されている。

「どの点から見てもこれは結婚だ。すなわち重婚罪が成立する。中国では中国の法律を遵守しなければいけない」捜査官は言った。

「これで法律違反なら、違反者は無数にいますが」と私は言った。

「それはそうだ。しかし、その人たちは政府を罵倒していない。あなたみたいな大騒ぎを起こしていない。あなたはいつでも問題を起こしている。偉そうに、思い上がりもはなはだしい。それにあなたにはフォロワーもついている」。人を選んで法的制裁をしていると言うのだ。

「もし私が法を犯しているとしたら、もちろん白状しますよ。しかし少なくとも弁護士に会わせてもらうべきだし、法律も確認したい」と私は言った。

またもや、捜査官は聞く耳をもたなかった。法律の話は意味がなかった。法律は彼の専門であって、私のではない。それに、彼はただ国家という機械の歯車の一つにすぎない。法廷でどんな陳述をする気なのか、と聞かれた。私はちょっと考えた。「私は人間の尊厳を守るためにここに立っています。そして私は尊厳を持って道を進むつもりです」。

私の仰々しい宣言に、彼はニヤニヤ笑った。「こう言うべきなんだよ。私は罪を認め、罰を受けます、ってね」。

今度は戦法を変えてきた。脱税により経済的秩序を乱したというものだ。しかし、税金が問題ならば、会計監査をすればいいだけの話だ。その線で訴えるにしても、ただ滞納金を罰金とともに払えば済み、刑事責任を問われることはないはずだ、と私は食い下がった。

あとから知ったが、財政問題は私の勾留にはまったく関係なかった。私が姿を消したあとで警察はスタジオを家宅捜索し、コンピュータやディスクを押収したのだが、会社の会計帳簿には手もつけなかった。

もう一つ、私が経済的秩序を乱したという告発も、同じくらい疑わしい。問題となったのは、中国まで来て設計の仕事をしてくれた外国人建築家たちへの支払いだ。捜査官によると、この支払いは外国通貨による違法取引と見なされ、したがって経済的秩序を乱したという。それを信じるなら、私は外国為替取引のために空港で捕まったことになる。これもまた、相当なこじつけだ。

税金や為替の悪事を認めない私に、捜査官は、今度はアートのプロジェクトに矛先を変えた。私の金はどこから来たか？「反中国」勢力が作品を買っていたのか、活動に資金を与え、計画をサポートするためではないのか？

「もし反中国勢力というのが存在していたとしたら、きっと金などないと思いますよ、芸術作品を買う資金などないはずだ」と私は答えた。

李が対面しているのは、何も隠すものがなく、どんな話題でも平気で話す容疑者だ。李は私の答えに苛立ったようだ。泥棒や詐欺師、殺人犯を扱うほうがよほど単純で楽だったろう。私の頭は犯罪者とは違う働き方をしたようだから。

しだいに、風船に小さな穴が開いたように、彼は軟化した。好戦的でも威圧的でもなくなり、私たちの距離は変わらず、カーブを曲がるレールのように平行のまま続いた。ただ、その前に一度だけ、彼は私のアート・プロジェクトに話を戻した。「あんなに大勢をドイツに連れていって、何をしようとしていた」と『童話』のことを持ちだしたのだ。

「目標はその人たちを連れていって、また連れて戻ることでした」と答えた。しかし、そんな一見無意味な答えに彼は満足しなかった。もしきちんとした説明ができないのなら、つまりは悪質な犯罪の一環だったのだろう、それをひた隠しにしているに違いない、というわけだ。彼を安心させるため、アートとは何か、なぜ私はああいうことをしたか、人々がヴィザや飛行機のチケットを得ることや、カッセルで過ごすために必要なことを手助けしただけだと、こと細かく説明した。私のアートは言葉では完全に表せない。なぜなら作品は常に成長しているから。この取り調べと同じで、突然すべて解明するなんてことはない。あらゆるアートには陰謀めいたところがあるのだ、とも言った。そんな調子でかなり長々としゃべっていると、とうとう彼が話をさえぎる身振りをした。

「わけがわからん！　アートの話になると、とたんに長話になって。すっかり興奮して止まらない。ほかの話題だとはっきりしたことを言わない、あるいは覚えていない、忘れたと言うくせに。アートに関することとしか覚えておく価値がないというわけか？」

それから次の質問を、やや慎重に出してきた。「ネットで誰かが言っていたが、あのひまわりの種は四川(スーチュワン)大地震で亡くなった子供を表すそうじゃないか。本当か？」。

そこにはある程度真実があった。『ひまわりの種』はあの悲劇にインスピレーションを得た部分もある。しかし、アート作品を詳しく説明するのは疲れる。そこで私は無造作に答えた。「それはばかげている」。ちなみにこの「ばかげている」という言葉は尋問記録に残されたが、それ以後の言葉は省略されていた。「あの地震で亡くなった子供の数は五千三百三十五人です。でもひまわりの種は一億二百五十万個だ」（これは確かだ、というのも一回の取り調べのあとで必ず記録係りが、記録が正確かどうかチェックしてから最後のページにサインし、指紋を押すように言ったからだ）。

李のアート批判は、「ポルノを広めている」と言ったときから、がぜん鋭くなった。こんな罪状はくだらないにもほどがある。陽動作戦なのか、彼の個人的興味なのか、判断しかねた。二〇一〇年の夏、ＡＩＤＳ患者の権利を擁護しているセックスワーカーが草場地のスタジオを訪れた。その日はほかに三人の女性のお客があり、みんなで裸になって写真を撮ろうと私が提案すると、全員すんなり服を脱いでしまった。その写真をオンラインに投稿すると、かなりの騒ぎになった。

問題の写真には少しもいかがわしさはない、と私は捜査官に言った。全員がお互いに他人で、誰も体に触れていないし、性的な動機もない。しかし彼はやけに憤慨した。「じゃあ、なんでお母さんと自分の裸の写真を撮ってネットにアップしないんだ？」と言うのだ。確かに、母がこの写真を見たら、なんて趣味が悪い、と思っただろう。しかし、それがこの行為のミソなのだ。下品で不快なことをする、私の中指写真のように、あるいは路青が自分でスカートをめくったショットのように。それに全員が自分の意志で参加していた。しかし、私たちのしたことがポルノにまったく関係なかったとしても、彼の目には、この悪事により私は最高禁固五年の刑を受けるのがふさわしいらしい。

翌日、捜査官はドキュメンタリー『ある孤独な男』を見たと言い、今度は本当に逆上していた。「楊佳（ヤン・ジア）は頭がヘンだ、完全に常軌を逸している！」とどなった。ご丁寧なことにそれを何度か繰り返した。「この警官たちにはなんの罪もない、それをあいつは残酷に殺したんだ。ご家族は悲惨なことになっている」と激しく、しかもすごいボリュームでがなるので、私だけでなく建物にいる全員に聞かせようとしているのかと思った。私はある程度、彼に賛成した。楊佳は精神がおかしくなっていたかもしれない。しかし、それを知るすべがない。司法制度そのものが精神鑑定を拒み、ものごとを明らかにするのを拒否したのだから。

李は言った。「あなたは政府を批判する。それではわが国が悪い国に見えるかもしれないじゃないか。この机を見てみろ、いい机だ。表面は水平だし、四本の脚はしっかりしている。しかし、あなたは小さな点をあげつらってそれに執着する、いつもいつも、問題があると主張している。そんなことをすれば世論が混乱する。本当に問題があると考えるかもしれない」。

机は安い事務机で、一辺にはクモの巣がはり、ほこりもかぶっていた。私が指さすと、彼は身を乗り出して見た。「やあ、こりゃ汚い。拭いたほうがいい」と認めざるをえなかった。

取り調べは道路から外れてしまった車のようだ。大きくルートをはずれて荒れた野原に入り込んでしまい、必死に主要道路まで戻ってくる。紆余曲折の末、民主主義運動、中国のジャスミン革命が話題となった。突き詰めれば、これが彼らの最大の関心事だった。この問題で、国家政権転覆煽動罪に問えるかどうかが決まる。私の勾留に先立つ数カ月で、当局は政治に関する記事をネットに投稿したり、ジャスミン革命について語った多くの人を拘束したりしていた。

実際にはその時期、私のオンラインでの活動は以前よりかなり減っていた。息子を毎日公園に連れて行っていたからだ。艾老は話すことを覚え、すでに言葉で遊ぶようになっていた。「おかあさんとおとうさん、二人ともぼくの友だちとして数え（算）ます」と言い、「算」はニンニクの「蒜」を使ったよ、と言ったりした。このころはまだ、愛情をわたしたちに開けっ広げに示すことに慣れていなかったため、冗談まじりに伝えたのだ。また、トムとジェリーではトムのほうが好きだと言った。いつもだまされるトムが、かわいそうだからと。

ある人物が、私がジャスミン革命の煽動にかかわったと証言している、と捜査官は言った。「それならどうぞ、その人を信じてください」と答えた。私のツイッターの投稿内容は調べられるし、ツイッターに私の活動はすべてカバーされている、とつけ加えた。

別の日には、李捜査官がふいに言った。「お母さんは今の状況に大変心を痛めているよ。本当に心配している人は、あなたを助けよう、正しい方向を向いてもらおうと思っている。銃殺されればいいと思っているのは、ドイツやアメリカ、フランス、スイスの反中国勢力だ」。彼が娑婆(しゃば)のニュースを漏らしたのはこのときが初めてだった。彼の口調は穏やかでとげもない。こちらの気持ちを和らげようとしているのか、判断はつかなかった。

李は新しい話の種が尽きたようで、捜査に実質的な進展はなかった。私からはこれ以上何も聞きだせないとわかっているようだった。「まあ世間話でもしよう」と言い、記録係りに書かなくていいと身振りで示し、会話はとりとめのないものとなった。彼らは何かを待っているかのようだった。

ある晩、李は一人で私を訪ねて来て、二、三本のバナナを手渡してくれた。もう皮が黒くなっていて、これしかなくてね、と言い訳した。少し私に心を開き、刑法への愛を熱く語った。あるとき教師がクラス全員に向かって質問したそうだ。「もし誰かが空から月を撃ち落としたら、それは犯罪かな?」「もちろん犯罪です、月はみんなのものですから」と全員が答えた。「ところが犯罪ではないのだ。刑法に、月を撃ち落とすことは犯罪であるという記述がないからね」と教師は言った。人が犯罪だと思う行為でも、法律で違法と決められていないかぎり犯罪ではない。月に二千元(約三百米ドル)というつつましい給料を得ている人間として、誰にも恨みはなく、人を陥れる必要も、救ってやる義理もないと考えていた。

その夜、帰りがけに彼は言った。「あなたのケースは、なるべく起訴しない方向に持っていこうと思っている。もし起訴されたら、有罪は確実だ。刑務所で過ごすことになる。しかし、ちょうどいい時期を待たないといけない。ご存じのとおり、わが党はイメージを傷つけないようにしていて、ときに極端な手に出ることがある。なので、ものごとがどうなるかは予想しにくい。全体像がわかるまで、しばらくかかるかもしれない。ことがおさまるのに時間が要るのだ」と言いながら、時間の長さを示すように、長い弧を描きながらゆっくり腕を振りおろした。

「ここには長く置かれるかもしれないな。あるいはちょっと移動があるか」と彼は言った。「だが、どこにいようと、どんなに長くかかろうと、耐え抜くことだ。がんばってください」。この言葉は忘れられない。

「この部屋にはカメラがありますか？」と私は聞いた。

「もちろんあるさ」

どんな厳しい状況に置かれても、人は人間であり続けることができる。そして、社会は無数の人間の行動から形づくられている。人にはそれぞれ自分自身の善悪の感覚があり、独裁主義的な原則に完全に置き換えることはできない。

彼はドアをちょっと開け、そこに立ってたばこをふかした。私たちはジャージャー麺(めん)の作り方について語り合った。たれを作る味噌(みそ)と甜麺醤(ティエンミエンジアン)の配合や、炒(い)り卵を入れるべきか、豚肉を加えるべきかなど。北京っ子は麺類にかけてはうるさいのだ。私がそろそろ移動させられるのは確かなようだった。

監禁十三日目、李は現れなかった。代わりに白いシャツに黒いスーツ姿の若い男が数人やってきた。私を取り囲み、立てと言った。そして手錠をかけ、フードをかぶせて私を外に連れ出した。車に乗ると、誰も口をきかず、まるで運転手以外、自分しか乗っていないようだった。

目的地に着いてフードが取られたとき、目の前にパリッとした制服を着た二人の青年が、銅像のように直立していた。胸章に「北京武装警官」という文字が縫い込まれていた。中国人民武装警察部隊は、政治の安全と社会の安定性を守るための、中央軍事委員会の下部組織だ。十六年前、私は天安門広場に立っていた衛兵の写真を撮ったことがあるが、この二人の武装警官もまったく同じ姿勢で立っていた。

　服をすべて脱いで、ボディーチェックを受けるように言われた。上官（頭児(トウル)）――陸軍では誰でも小隊長より上のランクならこう呼ばれた――が部屋にようすを見に来た。兵士たちは直立不動の姿勢になって、「上官！」と大声で言った。

　その上官に、ここでの作法を教えられた。座っているときは姿勢を正すこと。脚を伸ばしてもたたみ込んでもいけない。両手は平らに太ももの上にのせ、まっすぐ前を見ること。衛兵の顔を直接見てはいけないし、誰にも話しかけてはいけない。問題があるときは挙手をする。そして衛兵の許可が出てから口を開くこと。動作にはすべて衛兵の許可が要る。命令には常に従うこと。最後に彼は言った。「我々に協力すれば、こちらもそのように接する」。多くの軍人と同じく、この男も地方なまりが強かった。彼の場合は河南省(ホーナン)だ。内陸の貧しい地方で、軍隊に入ることが事実上唯一の生きる道なのだ。

　二階の北に面した部屋に収容された。窓は封鎖され、換気扇が嫌なきしみ音を立てている。シャワーとトイレの狭いユニットとシングルベッド、取り調べをするテーブルがあり、ラクダ色の布カバーのかかった椅子が二脚、テーブルの片側に並べて置かれていた。それだけだった。私が座った椅子には黒い緩衝シートがきつく巻いてあり、壁には透明なセロハンテープで、白い緩衝シートが貼られていた。その隙間から、元の壁紙のダークグリーンが見えた。トイレや洗面台から蛇口まで、部屋の備品はすべて白い緩衝シートで包まれていた。

　私の部屋番号は一〇三五番、兵士は私を名前ではなく部屋番号で覚えた。部屋はだいたい二十六平方メートル、床に板張りを模した茶色のセラミック・タイルが敷かれていた。タイルは一辺が六十センチの正方形で、それが横に六枚、縦に十二枚並んだ。私が運動できる範囲は部屋の真ん中のタイル六つ分だけだ。七歩進むと振り向いて逆戻りしなければならなかった。私の一日の歩行時間は五時間に定められていた。衛兵によると、ほかの勾留者が歩かされている時間の半分くらいだそうだ。掛け布団は毎朝きっちり縁をそろえてたためと言われた。

移った翌日、意外なことに李捜査官がやって来た。部屋に入って来た彼は周囲を見回して言った。

「こりゃあ面白い場所だな！　衛兵が歩きに付き添ってくれて良かったな。あなたを守るためにいるんだよ、こっちが歩みを速くしても遅くしても、向こうが合わせなくちゃならない。規則があるから、ものごとが明確で楽だな」。

これには同意せざるをえなかった。ここでは呼吸以外はなんでも禁止されているようなもので、生きているのは死とたいして変わらないようだった。

李は徐という第二の捜査官を連れてきた。徐はグループ長であると自己紹介し、今後の尋問を引き継ぐと言った。帰り際、李はさりげなく紙コップを私の手に預けていった。彼なりの別れの挨拶だったのだろう。

徐捜査官のやり方は李とはまったく違っていた。注意深く慎重で、口数が少なかった。毎日、時間どおりにきちんとした服装で登場し、時間が来ると立ち上がってさっさと帰った。五十代半ばでがっしりした体、態度は毅然としている。いわゆる「政治的に信頼できる」タイプだ。彼のすることなすことが、自分の仕事は政府という機械を円滑に動かすことだ、と告げていた。

仕切り直しの取り調べは、私が撮った一枚の写真から始まった。徐はＡ４の紙にモノクロで印刷した、天安門を背景に中指を立てている写真を取り上げた。

「これはどういう意味か、説明しろ」と言った。

『遠近法の研究』というアート作品です。一九九五年に天安門の前で自撮りした、同じ構図のシリーズ物の一つです」と私は答えた。

「なんたるたわごとだ！　これをアートと呼ぶのか？　あからさまな、国家への攻撃ではないか」

似たような写真をホワイトハウスの前でもエッフェル塔の前でも撮っている、と私は指摘した。

「それはどうでもいい。私は中国警察の人間だ。ホワイトハウスのことはアメリカの警察が心配すればいい」

彼はさらに押してきた。「この中指はどういうことだ？」

「アメリカではファック、って意味ですね」

「天安門は？」

「それは市の門です」

彼は本格的に怒っていた。「世界の九割以上の人間は、天安門といえば中華人民共和国の象徴だと知っているぞ！　中国人なら誰でも『私の好きな天安門』が歌えるだろう」。

それは本当だった。私だって小さなころから『私の好きな天安門』の歌詞を習った。毛沢東(マオ・ツードン)をたたえる、文化大革命のテーマソングだ。この胸くそ悪い唱歌こそ、私が天安門に中指を立てた理由の底にあったかもしれない。

「出だしの《天安門に陽が昇る》という歌詞、あれはまったく非科学的だ」と私は言い、さらに加えた。「天安門はただの封建主義権力の象徴ですよ」。

「権力とはなんのことだ。白状して言ったらどうだ。中国共産党のことを言っているんだろう？　何を怖れているんだ」

彼の糾弾にまったく中身がないときっぱり否定するつもりはなかったし、自分の行動に責任をとる

のを怖れたわけではない。私が反論したのは、作品に粗雑な政治的解釈をなすりつけようとしたことに対してだ。彼の言うとおりなら、そんなアートに存在価値はない。しかし彼は天安門の「権力」は何かと聞いた。だから答えた。

「その権力は、一方的に高いところからしゃべる権限を持つことにあって、その強みを人の自由を制限することに使っているんです」

「くだらんごたくだ！」と徐は言った。

堂々めぐりをしているうちに、二人とも激してきた。相手の声はどんどん大きくなり、私はなぜどなるのかと尋ねた。これが地声なんだ、と言う。その後、こんなことを言わなければよかったと思った。というのも、彼が小声で優しく話すほうが、はるかに不気味だったからだ。話し方の変化は、適宜、こちらに対する待遇を変えていること、支配体制の自信を象徴していた。

「あんたは、実際は意気地なしだ。自分の目的を言う勇気がないんだな」

彼はつつくのをやめる気はなさそうだった。私がブログで書いたエッセイを十本以上も印刷して持っていて、そのうちの一つを差し出すと、声に出して読みあげろと言う。私が読みはじめると、途中でさえぎって聞いてきた。「ここで政府とは誰のことだ?」

「このエッセイは標準中国語で書きましたけど」と私は言った。「だから政府と言ったら政府のことですよ。私が意図もしていないことを書いたと当てこするのはやめてもらいます。はっきり言って、政府が誰かなんてよくわかりませんね、だって明らかに人間でもないし、具体的な物でもないですから」

「小心者め。言えないだけだろう？　何を怖れているんだ」

私は率直に答えた。「私は怖れていません。もし私がここで意味しているのは中国共産党のことだと言ったら、これをまた書き直してはっきりさせたものを、また投稿していいんですか？」

徐は別の記事を読みあげた。「この世界に混乱した支配者がいるかぎり、石を投げる人々は存在するだろう。人々が腕を失っていなければ、あるいは石を投げ尽くしていなければ」。彼はこの部分の意味も知りたがった。「混乱した支配者」とは誰のことか？

私は同じ戦術を使った。「私が中国共産党中央政治局常務委員会ですよ、と言ったら満足ですか？」。

「そういう話し方、それは反体制的ではないかね？　あんたはただ危険なだけじゃない、精神が錯乱している」。徐は怒りのあまりしばらく言葉が見つからず、やっと言った。「あんたは完全にいかれているようだな」。それが誇張でないのは明らかだった。彼は自分が正しいと思い込む必要があった。身を乗り出して、元の声のでかい無礼な態度に戻った。彼は本気で私に、自分の行動が国家政権転覆煽動罪に値すると思わせたかった。罪を認めさせたかったのだ。「あんたは気がへんだ」。彼は繰り返した。「なんと言ったかな、ほら？」。

私はヘンリー・ロングフェローか誰かの言葉を思い出し、「神々は滅ぼそうとする者をまず狂わせる」じゃないですか、と助け舟を出した。

「それだ、それ」。徐は言った。

口論はしていたが、私たちは同じ本を読んでいたようだ。

私の「転覆煽動」のもう一つの証拠が、香港中文（シアンガンジョンウェン）大学で話したことだった。そのときは百人以上の学生が出席し、私は講演ではなく、ただ質問に答えていくという、よくやる形式をとった。「なんでも好きなことを聞いてください」と言っておいた。香港の学生は思ったよりも中国情勢を詳しく追っていた。学生たちの質問から、これから香港が中国の一部になることを相当不安に思っていることが感じられた。私が学生たちに告げたのは、進んで自ら消えていった全体主義政府などないということだ。「それが自らを改革できると期待するのは無意味だ。そして自然死を待つことはできない」と言った。

「ではあんたが期待している、自然でない死とはなんだ」と徐が聞いた。

そんな質問はもちろん、正確に答えるのは難しい。不自然な死にはいろいろなかたちがある。もし政府が人々に選ばれたのなら、人々が望むような方法で死ぬだろう、と言った。

取り調べ中、彼は四川大地震のことには触れず、公民調査や馬陸（マールー）スタジオでの蟹（かに）パーティ、長安街（チャンアンジエ）でのデモのことも話題にしなかった。つまり私を隔離した真の理由につながる話を避けているようだった。当局は、自分たちが不利になりかねないこと、また私の「尊大不遜（ふそん）」な態度を助長しかねないことを話題にするのは恥だと思ったのだ。

「あんたのしゃべったことは全部、タダでは済まないものだぞ。文革時代だったらもう百回以上は銃殺されている」と徐捜査官は宣言し、突然立ち上がった。「今日はここまで」。そして部屋を出ていった。

こうして私の新しい場所での二日目は終わった。

その夜、私の前に横たわっている長い時間を持て余しながら、父のことを考え、自分の理解がまったく不十分だったと思い知った。文化大革命についての徐の話は誇張でもなんでもない。今の時代が比較的寛容なことはありがたかった。父が経験したのはさらに厳しい時代だ。自分の発した言葉を命によって償った人々は無数にいた。私は父が考えていたことを聞いたこともなく、父にとって、残された良いほうの目で見るこの世界がどんなものだったか気にしたこともなかった。父と自分のあいだの埋めようもない隔たりに、深い後悔を覚えた。そのときその場で、この本を書こうというアイデアがわいた。同じ悔恨を艾老にも味わわせたくなかったからだ。

孤独ではあったが、一人ではなかった。朝早く、換気扇から光の筋が漏れて壁を照らし、時計の針のように、六時半の位置まで動く。ベッドのそばに立っていた二人の衛兵が腕時計を確認しながら一歩前へ出て、私に起きるよう指示する。夜のあいだは一人がベッドのそばに立ち、もう一人は居眠りを防ぐために室内をロボットのように行ったり来たりしていたはずだ。

六時半から五十分までの二十分間が、洗面や排泄などにあてられていた。衛兵と一緒に狭いトイレに入る。私は立ち上がると二人組のリーダーのほうに報告し、洗面の許可を得る。私の前と後ろに立つ衛兵に、小便をする許可を得る。そしてトイレを流すことを許可されてから、歯を磨いていいかと聞くのだ。これには洗面台の前に四十五度の角度で体を傾けて立つという動作をともなう。歯ブラシが蛇口に靴ひもで縛られているため、かなりかがまないと届かなかったのだ。両側の衛兵たちも同じように身をかがめて、私が口の中で歯ブラシを動かしているのを観察した。

六時五十分から七時四十分が運動にあてられ、許可された六つのタイル内を行ったり来たりする。衛兵たちは両側で私と同じように、歩いては回れ右をした。必要な距離をくずさないよう維持するのは、私が事故などに遭わないためだ。その可能性がどんなに低かろうと。三人は世界最小の軍事教練チームだった。時間がたつと共に、言葉なしで高度な協調ができるようになり、ごくわずかなリズムの乱れにも気づくようになった。

医師が朝食前に入ってきて私の脈をとり、血圧を測り、血糖値を調べた。それから私の手のひらに錠剤をのせた。もともと持参していた私の薬ではない。錠剤の二つは血圧のため、一つが糖尿病用、あとの三つはビタミン剤と言われた。不眠症と耳鳴りに悩まされていた私のために、彼はもう二つ錠剤を足し、それで神経が安定すると言った。

朝食は七時四十分に出された。前日の夕食から十三時間もあいていて、そのころには空腹で気が遠くなっていた。食事はいつも五分前に運ばれてくる。私はそれをきっかり八分間で食べきらなければならなかった。すべて決まった手順でおこなわれた。まず、私が椅子をテーブルに近づけてくれと頼むところから始まる。食べるのに使えるのはプラスチックのスプーン一本だけだった。

朝食は、すでに殻をむいてある固ゆで卵、牛乳、饅頭（マントウ）一つ、それにササゲ豆と豚ひき肉の炒（いた）め物とか、葉野菜の辣椒油和（ラージアオヨウあ）えなど、わずかなつけ合わせだ。しばらくはキャベツと海藻炒めも出ていたのだが、何度か下痢をしたため、メニューから消えた。さもなければ、トイレットペーパーをずいぶんと消費していたことだろう。ペーパーの使用は限られていた。私の割り当て分は、衛兵への支給の一部だった。排便して尻（しり）を拭く様子を、衛兵は毎度、注意深く見ていた。

朝食には不審な点があった。卵はいつも少しだけ、豆粒くらいの欠けがある。饅頭も同じだった。不思議に思っていると、しばらくしてある衛兵が、私に何かあったら検査に回せるように、一部をサンプルとして取っているのだと教えてくれた。

八時十分から十一時四十分までの三時間半は通常「内省の時間」にあてられていたが、実際はほとんどが取り調べの時間だった。それが普通は九時十分に始まった。

昼食が十一時四十分から十二時十分まで。四皿の料理と汁物が出た。たいてい豚肉と海草の蒸し煮と、西芹百合（シーチンバイホー）（セロリとゆり根の炒め物）、豚肉細切りの辛味ソース炒め、豆腐と葉もの野菜、それに卵スープだった。八分間で全部の料理を食べ、残り五分間で容器を洗って衛兵に渡す。衛兵は勤務終了のときに容器を持ち、ドアの外の見張りにチェックしてもらってから、返しに行った。医師が昼休みに診察しに来ることもあったが、そうでなければ休み時間終了まで、私はただ椅子に座っていなければならなかった。

衛兵の交代は、常に決められた時間ぴったりにおこなわれた。ドアは外側からしか開かない。新しい二人組のチームが入ってくると、今までいたチームが去る。交代にかかる時間は二分間だった。一度だけ、ある衛兵が急に腹痛におそわれ、どうしてもトイレに行きたくなった。私のトイレを使うことは許されておらず、彼は痛む腹を手で押さえながら、もう一人の衛兵と一緒に必死で監視カメラに向けて手を振るしかなかった。しばらくたったが、姿の見えない監視者からはまったく反応がなかった。衛兵は体を二つ折りにして苦しんでおり、私は自分のトイレを使うよう「命令」するしかなかった。彼は中に駆け込んだ。出てきたときには、トイレットペーパーはすべてなくなっていた。

それから、十二時十分から午後一時まで、五十分間の歩行時間があった。

昼寝が一時から二時半。

二時半から五時四十分まではさらなる取り調べだ。

夕食が五時四十分から六時十分。食事の前には医師が薬を持ってくる。まず衛兵に薬の分量をチェックしてもらい、私が錠剤をすべて口に入れるのを見届けてから医師は去った。私に舌を出させてすべて錠剤を飲み込んだか調べるのは衛兵の仕事だ。その上で食べることを許される。

夕食後はその日最後の五十分の歩行運動をした。次に七時十分から九時までは、「自省の材料」を書く時間にあてられていた。

シャワーの時間は九時半から九時四十五分だ。私は五分間で下着とTシャツと靴下を洗い、一分で歯を磨き、残りの九分でシャワーを浴びるが、二人の衛兵は至近距離で張りついて見ているので、いつも彼らの制服や靴にしぶきがかかった。その後は体を拭いて洗濯物を干すように言われる。衛兵たちは腕時計に注意しながら私が寝支度するのを見ている。横になる時刻は九時四十五分だ。もし体を洗い終えるのが早すぎたら、裸でベッドの横で待たねばならなかった。九時四十五分を過ぎると、私の部屋の監視カメラにはもう動きがなくなる。

　横になってもリラックスできなかった。疲れきっているために、死ぬほど眠いのに眠ることができない。一晩中、換気扇のかん高いうなり声が、私の不快感を増幅させた。眠れない夜が続き、私はあお向けに寝て、両腕を体に沿わせる。蛍光灯の白い光が顔を照らした。その日のできごとは頭からうすれ、できることといったら記憶をたぐって時間をつぶすことだった。人やできごとを振り返るのは、長い糸の先の凧がどんどん遠くへ飛んでいって、やがてまったく見えなくなるのを眺めているようなものだ。過去のことを考えるのは、かばんから一つ一つ物を取り出すのに似ている。最後にさかさまにして振ると、何もなくなる。自分が空になったように感じた。静けさのなかで、私は艾老のことを思いはじめる。すると涙が頬をつたって流れた。

　二人の衛兵はベッドのそばに立って私を夜通し見ていた。最初のうちはまるで木像のように動かず、暗がりに立っていた。しかしすぐに気づいたのは、この夜勤は彼らにとっては少し緊張のほぐれる時間だということだ。彼らの会話が私の孤独感をやわらげてくれた。上手に唇を動かさずにごく小さな声で、扇風機よりも静かな声で話し、壁に隠されたマイクに声を拾われないようにしていた。地方に残した両親のことや妻のこと、子供時代の思い出話、将来への不安など、夜ごと気持ちを打ち明けあっていた。それを聞きながら、私はまるで海にゆっくり沈んでいく死体のように、藻の花と暗い海を漂いながら、光の届かない暗い海底へと落ちていくように感じて横たわっていた。

　衛兵たちはだんだんと完全な、やかましいほど人間らしい姿となった。彼らはいつも私が眠らないのに驚いていた。次のチームと交代するまで、私が目を覚ましているからだ。衛兵は深夜に食事をとった。田舎から出てきた若者にとって、夜中に卵チャーハンを食べるのは一日で最も楽しいひとときで、おいしそうにもりもり食べた。しかし消化器官には負担で、ひっきりなしにげっぷをした。ニンニクくさい臭いが夜明けまで部屋中にただよった。

衛兵たちはよく関節を鳴らした。カブを半分に割ったときのような、鋭いパキッという音がした。拳（こぶし）を握ったり、腕を振ったり、しゃがんだり、腰や首を曲げたりねじったりするとき、あらゆる体の部分が音を立てるようだった。微動だにせずまっすぐ立っていて、急に頭を動かすと、首から大きなポキッ！という音が出た。体の柔軟なことは、まるでアクロバットだった。直立の姿勢から後ろにそって、手でかかとをつかむこともできるのだ。あるいは、しゃがんでからすばやく左右に振り向く、奇妙な反復運動もしていた。自分の存在を強調しているのか、苛立ちを発散しているのか、それはわからなかった。

私は衛兵たちに同情しはじめた。この人たちも私と同じで、ある意味、閉じ込められ拘束されている。存在は過去から断絶し、未来も明るくはなかった。勾留されている者は遠からずどこかへ出ていくが、若者たちは衛兵として立ち続けるのだ。それが彼らのできることだから。ある日、笛が鳴って突然ここを去り、故郷に帰らなければならないときまで。

どの兵士も決まって、自分の人生には何かおかしなところがあると感じていた。貧困のなかに生まれた彼らは若さを軍服と交換した。鉢に入れられた魚のように、自分の運命を自分で決められず、上の人間にいいように使われ、捨てられる運命だ。

トイレを使うとかタイルを歩くこと以外についても、私たちは言葉を交わすようになった。彼らも孤独であり、結果がどうなろうと、心の内を打ち明けずにいられなかった。親のことや故郷の町のこと、どんなふうに育ったか、なぜ軍隊に入ったのか、そして私を見張るという仕事以外のときに何をするか。私はただ目を閉じるだけで、彼らの故郷が、家族が目に浮かび、その子供時代に入り込み、未来を想像できた。

私がひそかに「大足」というあだ名をつけていた衛兵は、一人っ子政策をすり抜けて生き延びた幸運な男だ。彼の母親は村の家族計画の役人に知られないように二人目を妊娠し、無理に中絶させられる前にトイレから抜け出して壁をよじ登り、脱走した。親戚の家で出産したが、発覚して家族は巨額の罰金を払わされ、家まで取り壊された。その彼は立派な兵士になった。体は鉄アレイ並みの強さ、腕立て伏せなど五百回は余裕だ。しかし、彼の大きな足は弱点だった。私の横を歩くときに、しょっちゅう足の指をベッドの枠にぶつけるのだ。大足は基地の生活にも、制服を着ることにも慣れ、以前はいつも空腹だったが、今では毎食腹いっぱい食べられる。いつか隊を離れ、貧しい河南省の村に帰らねばならないことを嫌がっていた。

あるとき大足の当番中、看護師が入ってきて、定期検査のため血液サンプルを採取した。彼女が私の腕から抜いたばかりの赤い血をチューブに入れて振ったのを見た瞬間、大足は卒倒した。看護師がすぐに助けに入り、彼の唇と鼻のあいだのツボを強く押すと、大足はほどなく復活した。「兵隊さんって、血を見て気絶する人多いんですよね」と軽い一言を残し、看護師は部屋を出ていった。あれは軍事機密の漏えいだったのだろうか、私はいまだに決めかねている。その後の数日間、大足はほかの新兵たちの羨望(せんぼう)のまとだった。というのも、大足は女性看護師に抱き上げられて介抱され、彼女の胸に頭を預けることができたのだから。

部屋には監視カメラが二台、トイレにも一台あって、常に監視されていると言われた。拘置所に制御室が二室あり、一つを武装警察が、もう一つを公安局が使っていた。若い衛兵はじつに長い時間を、裏切ったりしそうもない男と過ごしているわけで、そのうち私に対し好奇心がわき、少しずつ大胆になってきた。

「闇の帝国ですよ」と言ったりした。組織は厳しい階級制にしばられ、腐敗と堕落にまみれているという。彼らの中隊長の行動はまるで大領主のようだという。だらだら歩きながら服を一枚ずつ脱いでは床に落とす。隊員はそれを拾ってまっさらに洗いあげなければならない。そしてきちんとたたんで彼のベッドの上に置いておくのだ。最悪なのは中隊長の夜ごとの雷のようないびきだった。

兵士たちはまだ二十代だった。山東省や河南省、安徽省、福建省のような、軍人を量産する地域の出身だ。この四つの省だけで、アメリカ合衆国全土の人口に匹敵するほどだ。最初の二年間、月給は三百六十元（約五十米ドル）、訓練や見張り番のために毎日四、五時間しか睡眠をとれなかった。

「ほらね、あなたは寝ているけど、僕らは立っているでしょう」ある衛兵は言った。「あなたが食べるときも、僕らはまだ立っていないといけない。シャワー中も立っている。歩くときは一緒に歩くが、そちらが座ってもこちらは立ったままだ。こんな目に遭うなんて、なんの罰が当たったんですかね？」。

いったん基地に配置されれば、そこから一歩でも外に出ることは許されない。しかも誰も、自分たちのいる正確な場所を知らなかった。私が囚われていた期間では、五月一日の労働節だけが彼らの休日であり、それも実質半日だけで、その数時間は観光地に連れて行かれた。そのときに登った丘で、若い女性のスカートが広がってちらりとレース部分が見えた。その光景が、その後何日も彼らの想像力を刺激していた。ときにはこっそりと、外国人女性と関係したことはあるかと聞いてきて、一つか二つ、びっくりするようなことを詳細に話してやると、すっかり舞い上がっていた。そのうちそんな話を聞きたいときに、うやうやしく「性豪のおじさん」と呼びかけてくるようになり、彼らが受けた粗い性教育の隙間を埋めてやるうちに、時間はあっという間に過ぎた。

何週間もたつと、自分たちが担当したほかの有名な容疑者のことも話してくれるようになった。ある企業幹部は、たばこを持ち込んでくれたら一カートンあたり五十万元（七万五千米ドル）をやると言った。生命保険会社の社長は、毎日何十回も掛け布団をたたみ直し、布団の端がナイフで切ったかのようにまっすぐになるまで満足しなかった。毎日、床にはいつくばって、あらゆるひびや割れ目をごしごしこすり、トイレに素手をつっこんで、ぴかぴかに磨きあげたそうだ。

私は時間の感覚を失った。日々は変わらず、厳密な日程が繰り返された。このころになると、行ったり来たりで歩くときの衛兵と私の足並みは、さらにぴったりと合うようになり、私のげんなりした顔つきを見ては、なんとか元気づけようとしてくれた。「歌でも歌ってみたら？　歌うと心配ごとも軽くなりますよ。それともジョークを言うか？　もういい年なんだから、笑い話の一つや二つは知ってるでしょう」。

だが、笑える話など一つも思いつかなかった。母が心配していることは間違いないし、艾老にいつ顔を見せてやれるだろうと思った。衛兵が心配してくれたことで、いくらか心が軽くなった。しかし夜はやはり眠れず、外の世界に残してきたあらゆることへの思いにとりつかれた。徐捜査官と毎日の舌戦を続け、彼の歩兵たちとは時間をつぶすためにたわいない話をした。しかし、夜更けに目覚めていると、これがどこに行きつくのか、自分をここまで連れてきた道すじなどへの疑いが忍びよってきた。

五月二日、私がゲップくんというあだ名をつけていた衛兵が、打ちひしがれた顔で朝のシフトについた。僕のヒーローが死んだ、と悲しそうに言う。好奇心が湧いた。この、昼も夜もビデオゲームに熱中しているような孤児の兵士が言うヒーローとは、いったい誰だろう。その答えにはギョッとした。ウサーマ・ビン・ラーディンが殺された、アメリカの特殊部隊にやられた、と悲嘆にくれた顔で言うのだ。一緒にいつもの行ったり来たりのエクササイズをしながら、どう考えればいいのかわからなかった。突然の暴力的な死を告げるこの最新ニュースは、私自身の暗い予感を強めた。

過去の経験から切り離され、私の記憶は涸れて崩れつつあったが、夢は豊かにみずみずしくなった。

ある夜の夢で、私はなだらかな丘の続く風景の中をさまよい、秘密結社のある村に迷い込んだ。湖に浮かぶ死体には頭や手足がなく、見物人が立ってそれを見ていた。私はビデオカメラを回し続けていたが、撮れば撮るほど、私の立場は危険になっていくようだった。そのうち、何があろうとここを出ることはできないと気づいた。知りすぎてしまったのだ。いちばん辛かったのは、傍観者たちがまったく気にもしていなかったことだ。私一人だけがここで悪事が進行中であり、世界に知らしめなければならないと感じていたのだ。目が覚めたときはひどく動揺していた。拘束される数日前にも似たような夢を見ていた。

五月半ば、私が秘密裡に収監されて四十三日目に徐捜査官が、路青が面会したがっていると言った。彼が外の世界がまだ存在していることを認めるのは珍しい。

会いたくないと、きっぱり断った。こんな反応は期待されていないだろうが、屈辱的な茶番劇に出演する気はなかった。拘束生活について自由に話せないのはわかりきっていたし、私の問題は私だけのことだ。同情はいらない。ほしかったのは正義だ。しかし、正義はどこにも見当たらなかった。家族の絆をエサにつろうとするのは、人をばかにした策略だ。そんなものに関わりたくなかった。

権利を否定された初日から、事件の成り行きに幻想は抱いていなかった。国家による告発に直面した私は、最悪に備えよ、と自分に言い聞かせていた。これから六カ月間は誰にも会えないと言ったのは捜査官本人だ。それが四十三日目に、当局がなんらかの圧力をかけられたか、私がまだ生存していると外の世界に示す必要があったに違いない。「これは驚くほどの例外なのだ」「手続き上の一つなのだから断れない」などと言いながら、とうとう徐捜査官は、路青に会わなくてはいけない、ときっぱり言った。

路青に告げるべきことは四点ある、と彼は指図した。第一に、私が経済犯罪の容疑を受けたこと。

しかし尋問で何を聞かれたかなどは話してはいけない。とくに政治問題には決してふれてはいけない。第二に、私は正当な扱いを受けており、拷問などはされていないこと。第三に、私は取り調べに積極的に協力していること。そして政府は合理的な結論に達するだろうと信じていること。第四に、家族は外国メディアと接触するのを避けること。そしてうわさや挑発をすべて無視すること。

翌日、衛兵は私にシャワーを浴びさせ、白いシャツを着せた。またフードをかぶせられ、市内へと車で移動した。大きな建物の会議室へと案内された。椅子の背に「朝陽区公安局」と書かれていて、母の住む家からそれほど離れていないのがわかった。

会議室の真ん中にはテーブルが二つくっつけて置かれ、深紅のベルベットのテーブルクロスがかかっていた。衛兵たちは私を左側に座らせ、徐捜査官とアシスタントが審判でもするように並んではす向かいに座った。二人の背後の壁にはカメラが設置されている。彼らはふたたび基本ルールを強調し、私にセリフを暗唱させた。

路青が入ってきた。赤い花柄のキュロット姿がじつに夏らしかった。彼女のまとう自由な空気に打たれ、失ったものを強く意識した。路青は慎重に私を見つめ、しかし何も言わなかった。おそらく自分の目の前に見えていることが信じられなかったのだろう。まるで私たちのあいだにガラスの板が一枚かかっているようだった。

身振りなどで本当の自分とは違うのだと知らせる必要があった。難しいことだが、やってみなければならない。私はゆっくりと、つっかえながら話し、少しも感情を込めなかった。決められたことを話しているあいだ、彼女はじっと私の言うことを聞いて、仮面の下にある本当の私を見分けようとしていた。だが、私がどんな場所にいるのか、どんな経験をしてきたか、彼女に想像できるはずもない。この近くに収監されていると思ったかもしれない。そうでなければ、わざわざこの場所を選ぶ理由がない。短い面会のあいだ、私が路青に話したことはすべて嘘だ。彼女の役割は政権の代弁人としてふるまうこと、世界に偽りの絵を描くことだった。

路青からは、王分と艾老に会ったことを知らされた。二人とも元気にやっているので心配しないでいい。彼女も私同様、国保に指導を受けていたに違いない。二人が決められたセリフを言ってしまうと、面会の十五分はもう終わりだった。路青は立ち上がると、私を一瞬ハグした。一時間後、私は拘置所に舞い戻っていた。しかしその後、気分は多少穏やかだった。とにもかくにも、外の人は私がまだ生きていると知ったのだ。

六月三日の夜、強い風雨のなか稲妻が閃き、雷鳴がとどろいた。私は二十二年前に天安門で起きた軍隊の弾圧活動を思い起こしながら、夢想にふけっていた。天気が悪い日はいつも、愛する人たちに会いたいと痛切に感じた。一人ぼっちの私は殻だけで中身がないようなものだ。初春の雨のあと、草場地の中庭で見かけるセミの抜け殻のように、透けて空っぽだ。

私の収監が五十日を超えてからは、徐捜査官は目に見えてむっつり不機嫌になった。もう言うことが尽きてしまったのだ。彼は私に、自分の状況をよく考えろと言い、自分の犯罪にはどのくらいの刑期がふさわしいと思うかと聞いた。さっぱりわかりません、と答えた。自分が法を犯したとは思っていなかったし、それに判決がどう決められるのかもよく知らなかった。

徐捜査官は冷淡に言った。まあ少なくとも十年の刑だろう。「あまり甘い期待はしないほうがいい」と繰り返し言った。「いつかは出られるさ、でもそのときには艾老は成人している、お母さんは亡くなっているかもしれないな」。そんな言葉に絶望した。私を切り崩すために家族の話を持ち出すのが不愉快でならなかった。徐によると、私は「国家の敵」であり、いつまでも時間稼ぎをさせておくわけにいかないのだそうだ。彼の理論では、私は自分の罪を悔いなければいけない。そのとき初めて彼が救いの手をさしのべ、罰を軽くしてやろうというのだ。

公衆の敵、つまり私は父と同じ立場になった。八十年という年月をへだて、同じ大地の上、似かよった犯罪が私たちをつないだ。

「それは違う。お父さんとあんたじゃ、時代が違う」と徐は言った。

もう差し迫った質問がなく、警告の言葉だけが繰り返された。「ここに来た人間で、自首せずに出たやつはいない。殺人犯は罪状を認めたって死刑はまぬがれないのはわかっている、それでも最後には自白するのだ」。

「なぜですか？」。私は聞いた。

「我々が忍耐強く、決意が固いからさ」と徐は言ったが、その目は遠くを見ているようだった。

翌日、徐は自分を信頼してほしいと言った。そうでなければ私は最後のチャンスを失うと。言ってしまうと、彼は穴の開いたボールのようにへこんで黙り込んだ。

「わかったよ、あんたは悪い人間ではない。ただのやっかい者だ」と徐は言った。驚いたことに、最後の最後の段階になって、彼は突然、次元の高い理解に達したようなのだ。私がしたことはすべて、基本的にダダイズムである。文化の転覆が私の専門分野だと言った。デュシャンというやつも破壊的な奴だったな、と付け加えた。

最後に彼は、私という人間を鑑みるに、十年の刑期を終えたとしても、釈放後は前と変わらないだろう、と言い、「そうじゃないか？」と聞いてきた。

「ええ。もしあなたが今、私をここから引きずり出して銃殺しても、私の立ち位置は変わりません」と答えた。

第十九章　今を全力で生きる

取り調べがないまま数日が過ぎた。衛兵たちによれば可能性は二つ、もうじき家に帰れるか、黄色い上着を着る、つまり拘置所送りになるかだという。

二〇一一年六月二十二日、徐(シュー)捜査官が部屋に入ってきたが、座ろうともしなかった。「持ち物をまとめろ。家に帰るぞ」と言って、黒いビニール袋を差し出した。私が服や私物を袋に入れると、リストをチェックしてサインしろと言う。勾留(こうりゅう)のあいだに買うことを許され、持ち帰っていい品物だ。内容は歯ブラシ、歯磨き粉、石鹼(せっけん)、洗濯洗剤、洗面器、ハンガー六本、プラスチックのサンダルだった。代金は財布から抜いてあった。パスポートは我々がしばらく預かっておく、と言われた。

これが最後になる例の目隠しをされ、いつもの衛兵の一人が私を車に乗せた。以前私に「ここで彼らが言うことは全部嘘ですよ。本当のことなんて一言もない」と言った男だ。軍隊に入ったその日の夜には、すでに入隊を後悔していたそうだ。

車を降りて目隠しが取られると、広い会議室だった。さきほどの衛兵が私の隣で直立不動の体勢をとり、険しく疲れた表情で、うつろに前方を眺めていた。彼が八十一日間守ってきた獲物が逃げ去ろうとしていた。

長い廊下の突きあたりにあるトイレに行くことを許され、洗面台の薄暗い照明の下、久しぶりに鏡に映った自分の姿を見た。だらしのない、もじゃもじゃのひげをはやした老いた男が、片手でズボンを上げていた。

その夜八時過ぎ、廊下に足音が響いた。徐捜査官に続いて母と路青（ルー・チン）が入ってきた。母はやつれ、顔じゅうにストレスが刻まれていた。母が私の横に座ると、徐が北京市公安局の決定を読みあげた。保釈されるのだ。母が保証人として書類にサインした。解放された理由は、勾留の理由と同じくらい不透明だった。

母に会えたことに驚いた。母はしっかりと私の手を握り、迷子をやっと見つけて、もう離すまいと心に誓っているようだ。その手はやわらかく温かかったが、皮膚の下の骨や血管を感じることができた。

私たちを後部座席に乗せて、車はよく知っている通りを静かに走り、小雨が降るなか、歩行者や自転車とすれ違った。ハンドルを握ったのは八十一日前に空港から運転手を務めた私服警官だった。おまえは意地悪な政権にからまれたんだよ、と母は嘆いた。昨日はもう過去だ。窓を開けると湿った空気が漂ってきた。王分（ワン・フェン）と艾老（アイ・ラオ）に、早く会いたかった。

保釈時の条件は、北京から出ないこと、オンライン活動をしないこと、メディアと連絡をとらないことだった。また、毎週警察での面談に応じることも要求された。いつでも刑務所に直行だ、とさんざん脅されていたから、私はルーレットの回る円盤から飛び出た玉のような気分だった。

スタジオに戻ると、私が拘束されてから一人で香港に行ったジェニファー・ウンや、同じ日に南皋（ナンガオ）の警察署で取り調べを受けた運転手の小胖（シアオパン）の事情も聞けた。当日は草場地（ツァオチャンディー）も騒然としたそうだ。警察が大勢で村にやって来て、拡声器でスタッフに外に出てこいと命令した。塀にはしごをかけて、抵抗するようなら敷地内に突入できるようにしていた。そして中に入ってきて、金属の工具でドアをこじ開け、部屋を一つずつ捜し回った。十数人がスタジオから警察署に連れ去られ、尋問が夜中の三時まで続いたという。

アシスタントの劉艶萍の話では、彼女は背の高いがっしりした私服警官に取り調べを受けた。席につくかつかないかのうちに警官は怒声をあびせはじめた。「おまえはクソ馬鹿だ、いったい何をやっているんだ、ガキの名前なんか集めて。おまえは地震の救援にちょっとでも金を出したのか？　一滴でも献血をしたのか？　家が崩れたときに一人でも救ったか？　犠牲者の数字を出してなんのためになるっていうんだ。もう被害は十分だと思わなかったのか？　おまえたちのようなクズどもがいるから政府の仕事がやりにくくなるんだ」。

劉艶萍は、汚い言葉は使わないでくださいと要求し、そういう暴言はすぐにネットに出ますよ、と念を押した。

彼は答えた。「ネットに流しなどしたら、こっちにも考えがある。そのときに文句を言うなよ。警察署内では殴ったりしないが、外でボコボコにするのは自由だからな。ゴミカス女が、俺のげんこつの味を知りたいのか？　おまえみたいな者を殴って手を汚すかどうかはわからんがな」。

警察はアシスタントたちにスパイをしろと説得にかかっていた。徐燁にも、スタジオに居続けるだけで金をやると誘った。ただ「我々に時々会うだけ」でいいと言って。

私が北京空港から拉致された日の翌日は、先祖祭である清明節だった。スタジオでさまざまな雑用をこなしてくれている、正直で信頼できる小韋は、父親の墓参りのため、安徽省の田舎に帰省した。霧の立ちこめた誰もいない田舎道を歩いていると、遠くでパトカーが道をふさいでいるのが見えた。警官が二人降りてきて、北京から来たのか、と聞いた。小韋は地元の公安局に連れていかれ、北京から飛んできた四人の警官に、ＦＡＫＥという会社について聞かれた。田舎の男で実直な小韋は、自分はただ電話をとったり食料品を買いに行ったりしているだけで、それ以外は何も知らないと説明した。

三時間もしつこく質問されたあげく、最後に警官が「ジャスミンのことは知っているか？」と尋ねた。

長い尋問のあとでやっと理解できる言葉を聞いた小韋は、馬のように首をたてに振り、自信を持って答えた。「はい、知っています」。

警官たちは聞き耳を立てた。小韋は「ジャスミンてのは南部が原産の、すごくいい匂いの花です」と言った。

残念な回答にがっくりしたものの、警官はさらに取り調べをするため、彼を北京に連れて帰ると主張した。その夜、小韋は生まれて初めて泊まったホテルというものを堪能(たんのう)し、ぐっすり眠った。小韋がベッドで寝ているあいだ、脱走を警戒した警官たちはドアのそばの床で眠った。翌朝、小韋はまたも生まれて初めての経験ができた。北京への飛行機旅行だ。

ほかのメンバーも勾留されていた。スタッフでデザイナーの劉正剛(リウ・ジョンガン)や会計士、その他の同僚たちで、どこへ連れて行かれたのか、誰も知らなかった。王分のマンションの部屋も十数人の警官に捜索され、所持品をすべてリストに記録され、写真を撮られた。王分は二度警察署に呼ばれたが、横にくっついた艾老が質問攻めを早く終わらせようと、警官たちに「バイバイ」と言い続けていたそうだ。

私が捕まったあとで、インターネットに中傷情報が現れた。新華社の報道によると、私は脱税し、外国人から不正な金を得ていた容疑もあるということだった。「艾未未(アイ・ウェイウェイ)は、表向きは芸術家であるが、実際には政治的日和見主義者である」。政府にやとわれたコメンテーターがつくり話をでっちあげ、私の品位を疑い、母や王分、さらにもうほとんど交流がなくなっていた異父姉の玲玲(リンリン)までも侮辱した。

四月五日、ツイッターのフォロワーたちが「艾未未を解放せよ」というオンラインのキャンペーンを開始、たちまち千七百人の署名が集まった。広州（グアンジョウ）で活躍する学者で映画も撮っている艾暁明（アイシアオミン）が公開書簡を発表した。「今日、私たちは誰もが艾未未になる可能性がある」で書簡は始まっていた。「艾未未が連行された。数日後には帰ってくるかもしれないし、何年も出てこられないかもしれない。でも彼には何十万人もの聴衆がいる。多くは若い人だ。この人たちは艾未未から離れないだろう。そして数えきれない人々が艾未未の考えや行動を引き継ぐ。こうして艾未未は勝つ、何が起ころうと」。

私の釈放を要求する多くの声が上がった。たくさんの支持者が私の写真をホームページに載せてくれ、海外のアーティストやアート団体が抗議の手紙に署名、ロンドンのテート・モダンではファサードに巨大な文字で「艾未未を解放せよ」と掲げた。香港では私の顔が歩道橋や地下道にスプレーで描かれ、夜になると中国軍が拠点とする兵舎にプロジェクターで映しだされた。アメリカのヒラリー・クリントン国務長官は公式に懸念を表明し、ドイツやイギリス、フランスのリーダーたちが北京当局に対して共同の書簡を送り、欧州連合も何度も声明を発表した。警察がのちに語ったところによると、このような「雑音」がなかったら、私はもっと早く釈放された可能性があるそうだ。

私が消えたことで母に、父が不当な扱いを受けた古い記憶がよみがえった。母は友人や家族の忠告を無視し、私の状況を知ろうと「行方不明」の告示をネット上に投稿した。七十八歳になっていた母だが〈壁を越える〉ことを習得していたのだ。

私の解放は拘束と同じくらいの騒ぎとなった。六月二十二日の朝から、釈放が間近であるというツイートが出はじめた。私が草場地のスタジオに戻ったころには、外国のレポーターたちが噂を裏づけようと、外で待ちかまえていた。新華社は記事を発表し、艾未未の経営するＦＡＫＥ社は脱税や証拠隠滅の罪を犯したが、私の態度が良かったことと健康上の問題があったことから、保釈されたと報じた。

しばらくは、すべてが平常に戻ったかのようだった。北京南部の通州区、左右芸術区の私の作業場を訪ねると、金属を打つ絶え間ない音が高く低く、一定のリズムを保って響いてきた。一年前、汶川県で崩れた学校の建物から出たねじれた鉄筋を百トン以上も買い込み、北京に移した。十人以上の労働者が鋼鉄のかたまりをハンマーで打ち、元のまっすぐな姿に戻す作業をしていた。仕上がりはすばらしく、たった今、圧延機から出てきたようだ。その音を聞いて、自分が勾留されているあいだにも仕事は続いていたのだと、感謝の念が湧いた。このインスタレーション作品『Straight（ストレート）』は、二〇一三年のヴェネツィア・ビエンナーレに出品されることになる。

スタジオ周辺にはさらに監視カメラが追加されており、警察は仕事の手間をはぶくため、敷地のすぐ横に小さな二階建てのビルを建てた。その窓はスタジオの門にまともに向いて、構内で起こっていることがよく見える。私は敷地に出入りするごとに、まず警察に届け、外出の許可をもらわなければならなかった。毎朝二人の男が黒いブリーフケースを手にビルの中に入っていき、一日中出てこない。

釈放後の私の感情はさまざまにもつれていた。愛と憎しみ、熱情、幸福、悲しみ。毎日に神話めいた象徴的な意義があるように感じた。私の生は愚かさと偽りに取り囲まれていたから。そして私の毎日の奮闘は、ずっと大きな全体像の一部にすぎなかった。常に、門のすぐ外に敵の存在を感じていた。ほんの小さなことでも神経が高ぶった。将来を想像する余裕などなかったし、とくに期待もなかった。ただその一瞬を生きていった。

釈放から四十四日目、もう黙っていることができなくなった。私はツイッターでフォロワーたちに挨拶し、私の仲間が拘束されてこうむった肉体的、精神的な苦しみのことも語った。禁止事項を破ったことで再び勾留されるおそれがあったが、表現の自由を失うのは身体的不自由と同じだ。ツイッターのフォロワーは十万人をゆうに超えていた。私は数カ月ぶりにツイートし、しばし昔のような気持ちを味わった。しかし当然だが、すべては変わっていた。

　以前のように毎日、王分と共に艾老を近くの公園で遊ばせた。私がいないあいだは二人も辛（つら）い思いをしていた。私が姿を見せなくなったことを説明するのに王分は、お父さんはイギリスでとても大きなプロジェクトがあって向こうにいるのよと言っていた。釈放された私に艾老は「もうロンドンのお仕事しないで」ときっぱり言った。今では彼も本当の話を知っている。私は、これからは何があろうと決していなくならないと誓った。


　釈放後まもないある日、そばに寝そべっていた艾老がじっと私の顔を見ていた。「艾未未、まゆ毛をもっと離したら、機嫌よくなるよ」と言った。息子はいつも私をフルネームで呼ぶのだ。

「艾未未はいいお父さんだ」と彼は続けた。「だからぼくにも息子ができるよ、それからその息子にも息子ができて、その息子にも息子ができる」

「艾未未がさらわれたことをどう思う？」と聞いてみた。

　その答えにはびっくりした。「なんでもないよ。コマーシャルを作ってくれてたんだ、もっと有名になるように」。

　別のとき、艾老は王分にこんなことを言った。「バカな人って違うリズムがある。だからね、だれかバカな人がいても、その人の好きにさせるほうがいい。悪い人にも悪い人のリズムがある、ぼくわかったんだ」。

　いつも好奇心いっぱいの彼は、こんなことを聞いてきたことがある。「どのくらいいたったの？　百日？」。

「どのくらいって、何が？　何からの話？」

「みんなが猿だったときからさ」

私のオンラインのファンあてにも、艾老からメッセージがあった。「靴は曲がっても、人は大丈夫」。彼によると、春についての詩からとったそうだ。

「愛は役に立つと思う？」と王分が息子に聞いた。

「じゃあ、愛ってどんなものだと思うの？」

「愛？」。しばらく考えて、言った。「愛は水筒、とっても壊れやすいけど、床に落としても割れないんだ」。

艾老はいろいろな発見をした。「うまく逃げた人はみんな死んだふりをするね」。

「どうしたんだい艾老？　うれしくないのかい？」と私は聞いた。

「お父さん、なぜぼくがうれしくないか知ってる？　世界で時間がたつのが速すぎるからさ」

「じゃあ、もっと時間がゆっくり過ぎるようにする方法を考えよう。おまえは昆虫学者としても大したものなんだから」

「悲しくなること以外に方法はないんだ。悲しかったら時間はゆっくりになる」

ある日、スタジオで艾老は、きわめて真剣な顔をして私に言った。「僕はなんでもいいからしたいと思ったことをするんじゃない。まず何かして、それからそれを見て、なんなのか考えるんだ」。

彼はとりわけ言葉に興味を示すようになり、また天賦の才能があった。八月十三日に、艾老は祖母に詩を書いた。「火よ、なぜそんなにぼうぼう燃えるのか？　火星は答えず、ただ燃え続ける。水星と火星は遠く離れ、ぶつからない。二つのあいだに砂漠があって、砂漠に仏塔（パゴダ）が立っている」。

あるとき、車の中で息子にお話を聞かせてやりながら、「主人公のお墓になんて書いてやればいいかな？」と聞いたことがある。

「こう書くといいよ。『彼のことを好きなそよ風が、墓の上に吹きますように』」。いい言葉だ。俺の墓に使ってほしいな、と私は思った。

パスポートはまだ公安局にあるため、二〇一一年十月の台北（タイペイ）市立美術館での個展『不在』（中国語で缺席）のオープニングに出席することはできなかった。いやその後の四年間、ほかの展覧会にも出られなかった。現地に行けないことは私にとっても展覧会のキュレーターにとっても面倒な問題だった。しかし同時に、どんな犠牲を払っても言論の自由を守ることは必要なのだと示してくれた。

保釈されたとはいえ、当局がまだ何かやってくるだろうと思った。私が秘密裡（り）に勾留されていた期間でも、釈放されてからの毎週の公安局との面談でも、局員がこんなことをよく言った。「艾未未さん、我々はあなたの国家と政府への攻撃に、もううんざりしているんだ。酷（ひど）い死に方をすると保証するよ。我々はみんなに、あなたの人生がどんなに恥ずべきものだったか、どれほど巨額の脱税をしたか、どんなに信頼のおけない人間か、教えてやろう」。ほかの政敵と同じような目に私も遭わせようと準備していた。私の答えはいつでも同じだった。「あなたがたの言うことを、人が信じると思いますか？」。

「そうだな、九十パーセントは信じるだろう」と言われた。

二〇一一年十一月、保釈されてから数カ月後のこと、政府はＦＡＫＥ社を脱税で告訴し、二日後、北京市地方税務局の執行官たちが草場地のスタジオに千五百二十二万元（約二百四十万米ドル）の徴税令状を届けにやってきた。十五日以内にＦＡＫＥ社に滞納金と延滞金、罰金も含めた全額を納めろというのだ。「罰金でも科さなけりゃ、あんたは黙らないからな！」と警官が言った。

前代未聞、法外な罰金だ。たとえば中国中鉄（鉄道会社）くらいの大企業の年間純利益よりも多い。ＦＡＫＥ社の口座残高は二千元だった。もし全額払えなければ分割払いもできるし、単に会社をたたんでもいいという。それが彼らの最終目的だった。

ねつ造の脱税罪を受け入れる気はなかった。結果がどうなるかわかりきっていたが、控訴した。法律では、控訴する人は先に未払いの金額を払わなければならない。このような膨大な額では、普通は控訴するのをためらってしまう。しかし私は、事実関係をはっきりさせ、正義を求めるいい機会だと思った。成都（チョンドゥー）の活動家の譚作人（タン・ズオレン）を弁護した弁護士の浦志強（プー・ジーチアン）にＦＡＫＥ社の法定代理人になってもらい、同時に税金専門の弁護士も確保、北京市地方税務局の要求に対して控訴の手続きをとった。

勝てるはずのない賭（か）けだった。私はひるまず、ものごとを明らかにし、きちんとした訴訟に持ち込むべく全力をつくした。しかし、法廷は私の弁護士がもともとの脱税に関する書類を読んだりコピーしたりすることを拒否し、公開審議の要求も拒絶した。上からの命令なのだから決定は変わらないだろうと言われた。「国家が税金を納めていないと言っているなら、反論するな。あんたはまったくの馬鹿なのか？　国が立場を変えたことはあるか？　国が死んでもらいたいと思えば、生き延びる道はない。こんなことは忘れろ」。

だが、奇跡は起こるものだ。私が引き下がらず、何が起きているかをオンラインで投稿、自分の権利を守るために法的措置に出ると宣言すると、公安局や税務局は驚き、落胆した。悪は暴露されなければならないと、私は読者にあてて書いた。それが白日の下にさらされたとき初めて、正義がおこなわれる機会ができる。

宣言はただちにネットで拡散し、私は法的費用のための援助を募った。これが大きな反響を呼び、ネット民から「公民調査」や「蟹（かに）パーティ」をはるかに超えた規模で寄付金が送られてくるようにな

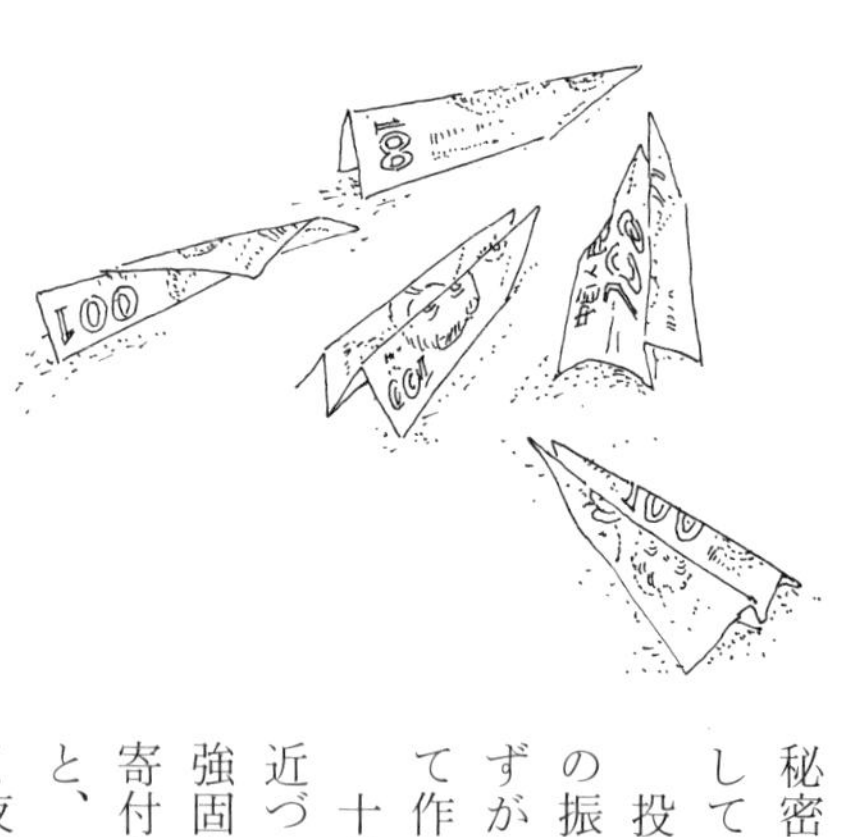

った。怒濤（どとう）のように集まった共感と、具体的な形で示された応援は、秘密の勾留や司法の闇取引という暴挙に対する人々の憤慨ぶりを表している。

投稿初日から、私の口座には五千件以上、総額百十万元もの現金の振り込みがあった。翌朝には、スタジオの中庭にピンク色の紙くずがまき散らされていた。壁の外から投げこまれた、百元札を折って作った紙飛行機だった。

十日後、入金は二万八千四百七十九件に達し、金額も九百万元に近づいた。寄付にはメッセージがついていた。楽観的な、あるいは強固な、熱意に満ちた言葉が、あなたは一人ではないと告げていた。寄付を得て、人々の強い支持を実感した。オンラインで入金があると、メッセージが携帯の画面に現れて輝く。それがとぎれることなく夜遅くまで続いた。寄付した人々にとっては、こうして金銭的に参加することが私への信任投票だった。

作家の王小山（ワン・シアオシャン）夫妻が、現金のぎっしり詰まったダッフルバッグを持って訪ねて来た。二人が車を買うために貯めた金だった。

「ウェイウェイさん、これみんなどうぞ」と奥さんが言った。風に吹き消されそうな炎を守ろうとするように、人が集まってきた。街角や公園で若い人が寄ってきては「応援してますよ」と言ってくれた。

会ったこともない深圳（シェンジェン）のフォロワーからのメッセージには深く心をうたれた。

こんにちは、艾嬸。お忙しいでしょうから電話はしません。借用書をお願いしたいだけです。昨日、百万元を振り込みました。私は重役ではありません。ただ金融業界で二十年近く働いてきた女です。金持ちとは言えません。あなたに送ったお金は中年の私の貯金の半分近くです。でも、困っているあなたにお貸ししたいんです。

これで自分もちょっと困ったことになるかもしれない、それでもいいです。愚かなことでしょうか？　そうかもしれない、でも私はもう四十年も愚かだったんだから、愚かなままでいます。あなたのいちばんの大口債権者の私に、お手数ですが借用書を送ってくれますか？　私の本名を書いてかまいません、「違法融資」と言われるかもしれないので、念のためにね。

私の名は孫維冰です。二〇一一年十一月九日

「嬸」というのはたくさんある私のニックネームの一つで、中国語で「神」と同音のシェンと読む。この名で私を呼ぶ人は多かった（私が成都の警察に、あの夜、なぜホテルで殴ったのかと聞いたとき、「はあ、おまえがでっちあげたんだろう」と誰かが言った。この「でっちあげる」は、中国語では「神を演じる」と言う。それからというもの、オンラインのサポーターたちは私のことを「嬸〈＝神〉・アイ」と呼ぶようになった）。この手紙をくれた人の勇気は、人々のパワーを表すものだ。彼女は私の行動に、社会でこれから起こるかもしれない未来を見たのだ。

ほとんど一夜にして、三万人強の債権者を得ることになり、私は中国で最もうらやまれる債務者になった。毎日、何時間も机に向かって借用書を書いて過ごした。それぞれの借用書を美しくデザインした。借り手と貸し手の名前と金額が細心の注意をもって、伝統的な書体で縦書きされ、私のサイン

と捺印がされ、証書の右上には草泥馬かひまわりの種の印紙が何枚か貼られて契約の証明をしている（草泥馬はアルパカに似た架空の動物で、インターネット検閲への抗議を象徴している。中国語で発音すると、かなり品のないののしり言葉になるのだ）。そして借用書は、自由の種である焼き物のひまわりの種数粒と、私のドキュメンタリーの一つと一緒に、貸し手に送付された。再び私のアートが市民運動のかなめとなった。

二〇一一年十一月十六日、納税保証のための書類を送って、私は不服審査を進めてもらう権利を得た。大晦日にこの件の話し合いのため、公安局に呼ばれた。担当局員は、税金の件がこれほど複雑になるとは予想していなかった。彼は私のことをよく知っていて、そうやすやすとは引き下がらないだろうとわかっていた。今回は非常に熱を込めて、そしてある意味、私の見解に対してしぶしぶながら敬意を払うようになっていた。「艾未未さん、あなたはただの戦の駒なんだよ。特別な駒かもしれないがね、やっぱり駒は駒だよ。あなたはここの生まれで、真の社会主義の家系だ。なのに英語がうまくなって有名になったために、西洋人が中国を攻撃する駒になり果てたんだよ。遅かれ早かれ犠牲になる、わかりませんか？　本当はじつに哀れなことになっている」と言った。自分の言葉ではなく、上司に言われたことを伝えているだけなのは明白だった。

「本当にそう思っているんですか、西側の後ろ盾があるから私が中国に影響を与えていると？」と聞かずにいられなかった。

「中国の十三億という人口に比べたら、あなたの三万人からの寄付なんぞまったくたいしたことがない」。彼は言い返した。

「この六カ月、あなたは誓約をことごとく破っている。ツイートはするわ、政治的な主張はするわで。インタビューにも応じたし、オンラインで金を募り、ライブ配信もした」。彼はまた、私は浦志強ともう一人の弁護士を利用していると言った。彼らも真っ先にオンラインで金を貸してくれたのだ。「あなたのことは黙らせられないかもしれないが、あの二人を黙らせることは確実にできる。あなたを守っている駒を一個ずつ全部排除して、最後にはあなたの仕事もできないようにさせますよ」。

　この人の率直さはあっぱれだと思った。

「なぜ、公安局が税金の件にそんなに関わってくるんですか。それについて公にすることの何がいけないんですか」。私は尋ねた。

　彼はさらにゆっくりと話しはじめた。「この件は平穏に済ませることだってできる、わかりますか？　あなたが何をしようと、この脱税の判決は決まっているんだ」と。要するにこういうことだ。私が黙りさえすれば、彼らは過去のことは水に流そうと。最後に彼は言った。将来また投獄されることになっても、警告を受けなかったとは言わないでくださいよ、と。確かに、彼がそんな警告をたっぷりくれていたことは認めなければいけない。

　この件が解決するまでにはさらに一年半近くかかった。二〇一三年六月、北京朝陽（チャオヤン）法院の判決は、北京市地方税務局の行動とその方法は法の範囲内にあり、処置は適切であったとし、私の控訴は棄却された。上告後、八月四日、北京第二中級法院は一審判決を支持、脱税事件は私の敗訴で決定した。劉暁原（リウ・シアオユエン）弁護士と私は判決を聞きに行った。私が法廷に入ることを許されたのはこのときが初めてだった。裁判官は判決を二度、読みあげた。私が裁判官に、あなたは共産党員か、と尋ねると、彼はただうつむいて黙って座っていた。私は叫ばずにいられなかった。「恥を知れ！　このことは忘れないぞ！」。しかし、こんな結果は予想されたことだった。当局は、私が控訴するときに預けた巨額の担保金を押さえていた。それから二年間、私は少しずつ、すべての債権者に返金した。

私が突然消えた事件以来、友人は私のニュースを逐一追っていた。解放後、当然だが警察の監視はますます厳しくなった。公安局へのプレゼントとして、私が何をしているか、誰に会っているか、コンピュータの前に座っている姿も、ベッドで寝ている姿も、すべて見せてやることにした。進んで監禁中の監視状態を再現するのだ。「あなたがたが私の私生活にとても興味を持っているので、すべてお見せします」と説明した。

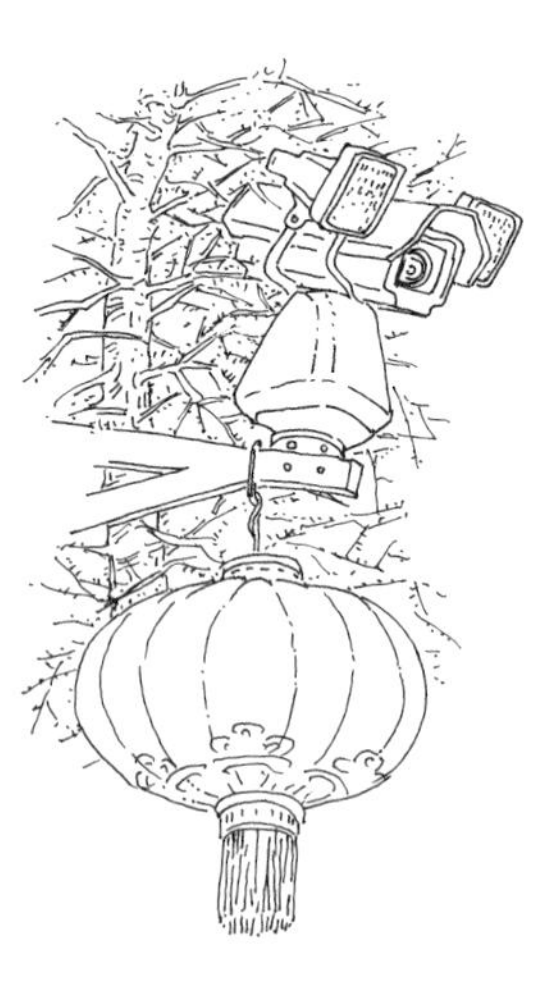

この新たな作戦を記念して、私は当局が草場地二五八番地の周辺に設置したすべての監視カメラの下に、昔ながらの赤い提灯(ちょうちん)をさげ、陰気な灰色の通りに華やいだ雰囲気を添えることにした。二〇一二年四月二日、私が囚(とら)われた日の一周年記念日の前日、私は自分の机の前やベッドの上にウェブカメラを取りつけ、日常の活動をすべて見せるライブ映像を「weiweicam.com」サイトで流しはじめた。それから四十七時間と九分で、サイトは五百二十万回視聴され、私の変な寝相がオンライン視聴者に大いにウケて、スクリーンショットがさかんに投稿された。しかし四月四日の夜遅く、ライブ映像は突然切断された。もちろん私がやったのではない。苦難を表現するのは難しい。しかし、毎日の経験に理屈が通らないときこそ、アートが威力を発揮しはじめるのだ。

そのころ、王分と艾老と私はスモッグにもめげず、よく朝陽公園に散歩に出かけていた。この公園の西の門には書店がある。公園に行ってすぐに気づいたのは、本になどまったく興味のなさそうな二人組の男が、書店のバルコニーで午後を過ごしていることだ。お茶を飲み、たばこを次々に吸って、

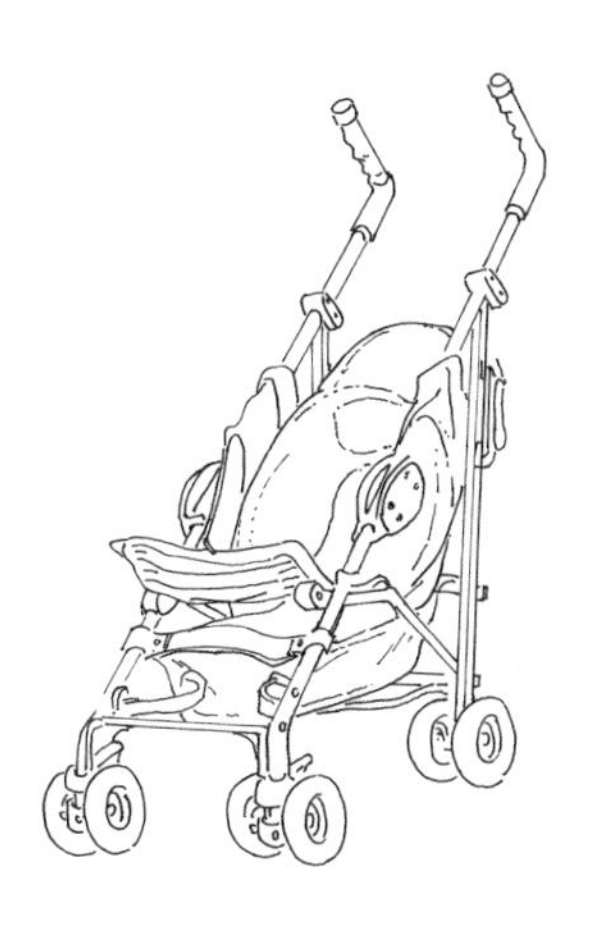

下の駐車場の写真を撮っている。
二〇一二年の春の日、私たちは友人の夏星と一緒に歩いていた。艾老は王分に背負われ、母親の肩に手を回してうとうとしていた。突然、運転手の小胖が駆けよってきて、「あそこにいる二人、見えますか？　午後中ずっとつけてきている」と言った。絶え間のない嫌がらせに我慢も限界だったから、こっちが追いかけることにした、夏星もついて来た。スパイの一人に追いついた。青いTシャツを着てカメラバッグを肩からかけている中年男だ。「ちょっと、何か落としましたよ！」と声をかけたが、向こうは振り向きもせず足を速めた。男のカメラバッグをぐいっとつかみ、もみ合っているうちにオリンパスの小型カメラが地面に落ちた。夏星がすかさず拾い上げ、メモリーカードを抜いてから持ち主に返した。
スタジオに帰ったときにはもう夕暮れで、スタッフは帰宅していた。メモリーカードをコンピュータに入れ、スクリーンに現れた写真を見たとき、私は愕然とした。運転手の小胖が公園のベンチに座っている一連の写真、その中には彼の背中や脚のクローズアップもあった。前日に食事をしたレストラン「鼎泰豊」の写真もあった。

店の外観から廊下、個室、レジが撮られていた。いちばんゾッとしたのは、私が艾老を乗せたベビーカーを押して歩いている写真だ。わが子を守れないと考え、ひるまない父親がいるだろうか。見えない敵がつきまとっている感覚をありありと感じた。このメモリーカードが見せてくれたのは、敵の考え方、彼らがいかに細かく、強迫的なまでに監視しているか、いかにターゲットの人間を電子化し、ぺしゃんこにしてデータにし、必要なときに見られるかだ。

権力はあらゆるところに触手をのばし、私の弱点をあばいたが、それは直接私に向かうのではない。注意はあらゆる個人に向けられていた。誰にでも隠された弱点が、触られたくない部分がある。

政府からの妨害に絶えずさらされていても、私はうるさい活動を再開する気満々だった。権力との闘いはちょっとオンラインゲームに似ている。私は死んでも、何度でも生き返った。権力はあらゆる手を使って攻撃したり、監視したりするかもしれない。しかし、公的な活動とクリエイティブな仕返しで、向こうの手段を逆手にとる。そして、彼らがいちばん嫌がる役を続ける。つまり大衆に向けた活動家、アーティストだ。私のアートの意義は、表現の自由が中枢となった。個人の自由は考えられるかぎり最も価値が高いものだ。

ある意味では私は悲観的だった。今生きているのは、わずかな変化を起こすのさえ、恐ろしく難しい時代だから。別の意味では楽観的だった。個人個人が自由を求めることは決して抑えることができないからだ。いつでも、なんらかの表現形式が見つかるはずだ。

二〇一二年晩秋、イギリス人アーティスト、エルトン・ジョンの北京での初コンサートに招待された。開演前に、王分と私で艾老をエルトンの楽屋に連れて行った。部屋には彼一人で、舞台衣装がいくつも吊るされ、テーブルにはトレードマークの、ありとあらゆる色・形のメガネが並べられていた。

エルトンは私たちを温かく迎え、艾老にハグをして、一緒に写真を撮り、鮮やかな赤いフレームのメガネをプレゼントしてくれた。

会場には五千人の熱狂したファンが集まっていた。オープニングの何曲かが終わったとき、エルトンはピアノから離れて観客のほうに向き、立ち上がった。このパフォーマンスをある人に捧(ささ)げたい、その人の勇気とインスピレーションを尊敬している、と言った。そして私の名を告げた。彼の次の言葉は最初、拍手の音にかき消された。

客席にいた私は、気恥ずかしさでいっぱいになった。だが、ここにも一人、結果を怖れずに芸術表現の自由の大切さを強調するアーティストがいると知り、大いに志気が高まった。エルトンの惜しみない行動に、父とパブロ・ネルーダのことを思い出した。二人のあいだには物理的に大きな距離があり、障害も存在したが、それを超えた友情だった。その後聞いたところによると、エルトンの楽屋はコンサート後、警察に封鎖されてしまった。二度と中国には来られず、愛するファンの前で歌うこともできないだろう。
二〇一三年五月、友人でロック・シンガーの左小祖咒(ズオシアオ・ズージョウ)に協力してもらい、『Dumbass（大馬鹿者）』という曲を録音し、それにミュージックビデオもつけた。みんなが詳しく知りたがる、拘束中の場面を再現したものだ。ユーチューブでは、左小と私で共同制作した初のロック・アルバム『神曲』も配信した。同

じところに、大きな立体作品シリーズ『S.A.C.R.E.D（神聖、不可侵）』を完成させた。鉄製の箱の中に、私が監禁されていたスペースをリアルに再現した。ちょうど原始人の暮らしを描いたジオラマのようだ。ヴェネツィアでこれが展示されたとき、母はもう八十代になり、これが最後の海外旅行だったが、小さな窓から次々に鉄の箱の中をのぞいて、私が八十一日間をどんなふうに過ごしたのかを垣間見ることができた。

それよりやわらかめな抗議として、スタジオの門の外、イチョウの若木に自転車を立てかけた。そして毎朝九時に自転車のかごに生花の束を置き、写真を撮ってインスタグラムに投稿した。インスタグラムは、勾留から釈放されて一カ月半後の二〇一一年八月七日から使うようになっていた。日常のできごとや、会った人と写真をシェアするためだ。パスポートを取り返して旅行の自由が得られるまで、毎日、生花の写真を撮り続けるつもりだった。花は失われた自由の生きた象徴となり、穏やかで叙情的な姿の抵抗となる。静かに美しく、毎日、どんな悪天候であろうとみずみずしい。アートは常に人生の不確実性と深く関わっており、実りある話し合いには共感と信頼が不可欠だ。花をかごに入れるという行為は、そんなつながりを作ったわけだ。私は消えるかもしれないが、アートは違う。父が追放されても、父の詩が人々の心に生き続けたように。

二〇一四年四月、私の個展『アイ・ウェイウェイ展―何に因って？』がブルックリン美術館でオープンし、いくつもの都市を回ったツアーの最後となった。そのかたわら、秋に展示する予定の新たな制作に忙しかった。展覧会場はアルカトラズ島、サンフランシスコ湾にある元・米国連邦刑務所で、かつては「最悪中の最悪」の人間を収監していた。このプロジェクトを、自分自身の苦難と、世界中の政治犯の闘いをつなぐ貴重な機会だと考えた。私は一連のインスタレーションをデザインした。古代ローマのモザイクのように床に広げた作品もある。当時いろいろな国で監禁されていた百七十六人の政治犯の巨大なポートレートを、レゴで作りあげた。彼らに連帯を示し、また彼らの闘いに敬意も示したかった。

思い出したのは、父が新疆（シンジアン）に長年流されていたときに、勇気ある読者からはがきが届いたことだ。「あなたの詩は忘れられていません」という言葉に、父は感激していた。囚人がいちばん望むのは、外の世界が存在するという確認だ。このため、この展覧会では『Yours Truly（敬具）』というコーナーに、観客が送りたい人にメッセージを送れるよう、数え切れない政治犯のアドレスの印刷されたはがきが用意された。実行に移した人も多かった。

私が直面した苦闘は私個人のものではあったが、孤独は感じなかった。旅行は禁止されていたが、動けなくても作品に悪影響は出なかった。逆にそれに支えられた面もある。私のひらめきは抵抗からきた。それがないと、私の努力は実を結ばなかっただろう。現実のパワフルな敵がいることは幸運だった。それにより自由がさらに具体的になる。自由は、それを得るために払ったすべての犠牲から生まれるのだ。制約は心の中の恐怖からしか生まれず、アートは恐怖に対抗する手段だ。勇気そのものが美的感情だから、同情は要らなかった。真の気持ちが広く理解されるものに変化したときに初めて、アートは涸（か）れずに済むのだ。

また、二〇一四年にはベルリンで大規模な個展を開催するかたわら、翌年の『Don't Follow the Wind（風を追うな）』展の準備も始めた。これは、二〇一一年に東日本大震災で発生した福島第一原発事故により住民が避難した、福島の帰還困難区域で開かれた。十二組のアーティストと一緒に、この事故を記憶するための作品を制作、避難を余儀なくされた何万人もの住民の生活に与えた影響を考えようというものだ。私の作品『A Ray of Hope（希望の光）』は、置き去りにされた家の中に太陽光発電の照明を置いたインスタレーションで、この家に将来住むであろう人のための光だ。戸棚や本棚には艾老と私のスナップ写真も置いた。毎晩このゴーストタウンの空き家で、人知れず明かりがともる。ある日、遠い将来だろうが、放射性物質がすべて除染され、人々が安全に帰ることができるようになれば、私の作品が見られるようになる。

二〇一一年に戻ると、北京の尤倫斯現代芸術センター（UCCA）で個展が開催される少し前、キュレーターから展覧会はキャンセルされたと連絡があった。詳しい説明はなく、「例の理由」で、とだけ言うのだ。UCCAは何年も中国社会の新たな開放性を宣伝してきたが、実際その最大の関心事はビジネスの利益（それも当局と調和のとれた関係という条件付きの）だった。二カ月後、私が北京空港で脇に呼ばれて秘密の勾留場所に連れ去られたその日に、香港でサザビーズのオークションがあり、ガイ・ユーレンス男爵の中国の現代アート・コレクションの一部が四億二千七百万香港ドル（五千五百万米ドルに近い）でせり落とされていた。

二〇一四年四月、上海当代美術博物館の『CCAA中国当代芸術奨十五年』展で似たようなことが起きた。オープニングの二十分前、ギャラリーに数人の特別なゲストが到着した。上海文化庁の役人だ。彼らの要求で私の名は展示ホールの壁のアーティスト・リストから取り除かれた。友人で貴賓の一人であるスイス人のウリ・シグが入場したとき、私の名前を塗りつぶしたばかりの壁を作業員がヘアドライヤーで乾かしているのを目撃した。腑に落ちなかった彼は、その奇怪なシーンをスマホで撮影、私に送ってくれた。開会式でスピーチしたシグは、この妨害行為に落胆したことをうまく言葉に表した。「大変残念なのは、オープニングの直前に重要なアーティストの一人が展示できなくなったことです」。通訳がこの部分を中国語にしないよう気をつけたのは言うまでもない。

私は二〇〇八年にCCAA終身功労賞を得ており、過去三年間はその選考委員をしていた。展覧会にはおよそ四十人の中国人アーティストが作品を出し、全員が私とその作品を知っていたが、誰一人として異議を唱えてくれなかった。まるでこの検閲がなかったかのように、私の存在をエアブラシで消すことがごく普通におこなわれたのだ。

歴史の歪曲（わいきょく）を受け入れるのは、現実での屈辱を受け入れることへの第一歩だ。私は抗議のしるしとしてインスタグラムに、いくつもの箱に入れられた陶器のひまわりの種の写真を投稿した。種は展覧会場から移され、どこかのオフィスにしまい込まれた。

翌月、『ハンス・ファン・ダイク：五千の名前』展が、ＵＣＣＡでオープンした。九〇年代におけるハンスの中国現代アートへの貢献を振り返り、この時期の重要さも再確認する回顧展だ。私の作品は三点展示されることになっていたが、プレスリリースの参加予定アーティストのリストから名前が外されているのを知った。リストはＣの文字から始まってＺで終わり、私の名はどこにもなかった。さらに展覧会のハンスの業績についての説明文中、「ほかの人々と共に」中国芸術文献倉庫を設立したとあり、私の協力はなかったことにされていた。

私はただちに美術館の館長に電話をし、このようなやり方を容認できない、私の作品を展覧会から引き上げると告げた。ハンスの友人、協力者として、私たちのつながりの思い出に忠実でありたかったのだ。その後、なぜ私の名前や作品が抹殺されたのか、と警察に聞いたところ、彼らの答えはこうだった。「我々が外国のギャラリーには手を出さないのはご存じでしょう。これは向こうがやったことです。訴訟でも起こしたらどうですか」。

そのころには、多くの海外のギャラリーがなんとか中国のアートシーンに食い込もうとしていた。グローバリゼーションの饗宴（きょうえん）に、自分たちも一皿提供しようというわけだ。二〇一一年四月、私が姿を消した数日後、天安門（ティエンアンメン）広場の中国美術館では、中国・ドイツ共同で巨額の費用をかけた大規模展覧会『啓蒙(けいもう)の芸術』が開催されていた。世界最大とうたわれている美術館での展覧会の期間中、ホールはほとんどガラガラだった。わずかながら中国の役人も展覧会に公式訪問したが、彼らが啓蒙されたとはとても思えない。

いったいなぜ、ドイツの由緒ある美術館がはるばる侮辱的な扱いをされに来たのだろうかと思わずにいられない。うがった見方をすれば、中国の独裁体制は、西側ができないことをする、自由世界の最高のパートナーだった。引き続き西側パートナーが栄光と繁栄を保てるのなら、たまの屈辱など、妥当な対価のようだった。だが欧米人が享受している自由も、もし西側諸国がそれ以外の場所での自由のために闘わないのなら、悲しいかな、その意味を失ってしまう。

私がブラックリストに載ったのは、社会に介入して正義と平等を進める一形態としてアートを理解していることから来る。人々が善悪をきちんと見なくなれば、大事なのは実利と、それに都合のいいことは何かということだけになる。UCCAの所長はニューヨーク・タイムズの記者に、艾未未が抗議した理由は穏やかなオープニングが気に入らなかったからだと語った。口先だけのコメントであり、自己検閲の理由にもまったくなっていない。

真の選択は難しい。選択する意味が、選ぶこと自体の困難さに現れるからだ。歴史のある時期を知ることも同じように難しい。いわゆる歴史というやつは、自己認識の一部だからだ。権威主義に直面すれば、ほとんどのキュレーターやアーティストは言論の力を失ってしまう。モラルの面で妥協して、美学も倫理もなくなってしまうのだ。私自身は、妥協すべきものを何も持っていない。だがこのエコー・チェンバーのような世界の中で、いくら嗄(か)れた鬨(とき)の声を上げても、うつろな残響しか生みださない。今日の検閲は、インターネットから、新聞、書籍、コンサート、アートの展覧会まで、あらゆる場面でおこなわれている。それが個人の自己意識と人生経験の価値を低くしてしまう。アイデアは暗黙のルールに負け、言論はお世辞と化し、生存は奴隷状態に堕ちる。

こうした環境では、検閲は協力する気のある者には実際的なメリットを与える。ただ権力の要求に迎合すればいい。ご主人の気分を害するようなことがあれば、生き残れない。なぜなら、彼らが栄えている秩序は自然な競争の結果ではないからだ。検閲のもとで繁栄した生活を送るには、抜け目なく協力しようという心構えが必要だ。ゲームのルールは原始的でシンプルだが、無視はできない。抵抗する勇気がないなら、高評価を得る道は一つ、こびへつらうことだ。

少しでも表現の自由について探ろうとすれば、国家権力の正当性に疑問を呈することになる。なぜ誰も言論の自由について話したがらないか、なぜ私の名がどこでもブロックされるのか、なぜ私がバーチャルな存在だけに限定されてしまったか、それで説明がつく。独裁主義は多層的な、多義的なアートを怖れる。

『五千の名前』展での抗議が、私の作品が除外されたことだけにとどまっていたら、たいした騒動にはならなかったろう。アート界の多くの人が動揺したのは、私がほかの人にも声を上げてくれと呼びかけたことだ。私がほかのアーティストの「消極的自由」、つまり何もしない自由を否定していると見た人もいた。

市民の政治的権利も、表現や結社の自由も保障されていない状態で、「消極的自由」がどこにあるというのだろうか。この悪がしこく回りくどい中国において、「消極的自由」はシニシズム（冷笑主義）と卑怯の別名にすぎない。

結局、私は理解するようになった。自分が直面しているのはただ巨大で専制的な政治的体制ではなく、自由があざ笑われ、裏切りが推奨され、ごまかしが称賛されている広大な荒れた土地なのだ。

二〇一四年三月のある朝、ドアベルが鳴った。小韋が門を開くと、見知らぬ人間が二人入ってきた。一人は顔が隠れるほど大きなカーネーションの花束を抱えていた。公安局の課長だという年長の人物が口を開いた。「本日は三月二十七日、非常に意義のある日です」。

最初は何を言っているのかわからなかった。今日は艾青(アイ・チン)の生誕百四年であると彼が言った。上長に、敬意の花を届けるように言われたとのことだ。彼は、花をどこに置きましょうか、お宅には父上の胸像がありますかと尋ねた。

胸像などない。その日が父の誕生日なのも忘れていたくらいだ。

お父さんは革命の第一世代だ、と訪問者は言った。「我々が今日おこなっていることは、歴史の厳しい吟味に耐えるものでなければならない」。私の状況が改善するだろうことを彼は約束し、パスポートが戻ってくると考えられる日付まで教えてくれた。「本当です、ぬか喜びさせようなどと思っていませんから」と確約した。

だが、彼の言った日にパスポートは返らなかった。代わりに国保の局員がやって来て、黒いセダンのトランクを開け、私にプレゼントをくれた。ビーフジャーキー一袋、お茶一箱、それに生きた中国オオサンショウウオ。珍しい生き物で、生まれて初めて見た。料理の仕方も教えてくれた。覚えているのは最初の一行だけだ。まな板に釘(くぎ)で留めて、それからぶつ切りにする(私たちはそんなことはしなかった。オオサンショウウオはペットとして飼った)。

その局員と表で三十分あまり世間話をした。「カナダの外相が来週来ますが、会わないようにお願いします」と彼は警告し、私の社会的活動を厳しく監視していることを隠しもしなかった。このことを知っているのは、カナダ大使館側の随行員と大使自身くらいしか思いつかない。国保の局員は帰りがけに、〈お偉方〉はさらなる注目を避けたいと思っていると言い、パスポートは当分戻らないことをほのめかした。でもそれも時間の問題ですよ、と請け合うのだ。ただ辛抱して待ってくださいと。

「あなたは影響力が大きいからね。それに香港でオキュパイ・セントラル運動が起きている。あなたがまた何かやらかすのではないかと心配なんだ」

「私の影響力を大きくしたのはあなた方じゃないですか？」と言ってやった。

その晩、夕食前に、別の局員から電話を受けた。私が釈放されたときに車で送ってくれた男だ。彼は父親のためにカメを買ったのだが、老人には世話ができそうもないとわかった。そこでそのカメ二匹の面倒を見てくれないかと言うのだ。その晩、小胖はその人物に公園の入り口で待ち合わせ、カメを受けとった。

二匹のカメは甲羅の模様が独特なブラジル産で、木箱の中で微動だにしなかった。彼は小胖にエサやりの方法を教え、毎日午後一時にはぬるま湯をかけてやらなければならないと言った。それで排便が整うのだそうだ。糞の状態も観察してやる必要があり、白いところがなければ病気が考えられ、獣医に連れて行かないといけないという。小胖はそんなカメを引き受けるのがうれしくもなさそうだったが、助けを求められて、私は親切心で応じたかった。私たちを信用し、ほかに誰にも頼めなかったのだから。

当局は、私に対してはさらなる手出しをしなかったが、二〇一四年には状況は悪化した。知り合いが何人も逮捕された。弁護士の浦志強は天安門事件の二十五周年記念の小さな集まりに出席したということだけで拘束、そのほかの人権派の弁護士も逮捕された。

六月半ば、私と同年代くらいの男性が草場地の門に現れた。私のために署名を集めてくれた映画制

『Remains 遺骨』、2015 年

作者の艾暁明に頼まれた物を届けに来たということだ。彼はぼろぼろのスーツケースを手渡し、中へお入りくださいという誘いを辞退した。帰り際、ひまわりの種を少しもらえないかと言った。知り合いの〈右派〉の人物にあげたいからと。「ひょっとして、あなたのお父さんですか」と聞いてみた。彼はうなずいた。去って行く後ろ姿に、私は自分自身を見た。

　スーツケースを開けてみると、古新聞に包まれた白い骨が出てきた。人間の骨だ。頭蓋骨の一部に、肋骨や脊椎が何本か、骨盤の一部、足の指が少し。すべて甘粛省の夾辺溝収容所からのものだ。一九五〇年代後半には数千人の右派が砂漠の労働改造収容所に送られた。大多数が飢えと病で亡くなり、骨が砂漠にばら撒かれた。艾暁明はそのできごとを映画にしようとしている途上でこの遺骨に出会ったのだ。私が四川大地震で亡くなった子供たちの追悼をしたのを思い出した彼女は、もう一つの人間の悲劇の名残を集めた。

　私はその骨を一つずつ、テーブルの上に並べた。この骨は不毛の地で、太陽と月と星だけに照らされて、五十回以上の春と夏を過ごしたことになる。枯れ木も同然、色も生気も、あらゆる命のしるしを失っている。ただ乾ききった組織がいくらか、ほつれたひものように、骨にくっついていた。この人骨のかけらをきちんと順序だてて並べることはとうていできなかった。

骨を手に握ったまま、私は父の初期の詩を思い出した。

今から数千年ののち、
ひとけのない海岸で、
かつて繁栄していた廃墟で
一つの骸骨を
——私の骸骨を拾ったら、
彼らにどうしてわかるだろう
それが二十世紀の烈火に焼かれたのだと

誰が見つけられよう
地層の下の
辛酸をなめた犠牲者たちの涙を？
涙は封印されていた
幾重もの鉄柵の奥に、
門を開けることのできる
鍵はたった一つ、
鍵を奪おうとした多くの勇者は
守衛の武器に倒れてしまった

もしだれかがそんな涙を一つ拾って
枕元に置けたなら、
何万丈もの海底から
取った真珠よりもきらきらと
永遠に輝くだろう！

私たちはみな
それぞれの時代に生き
十字架に釘づけられているのではないか？
しかもそれは
あのナザレ人がはりつけられた十字架よりも
痛みが軽いわけではない。

敵の手が頭にかぶせた
棘の冠、棘に
刺され蒼ざめたひたいから
したたり落ちる深紅の血を
私たちのすべての悲憤を
まだ書き尽くせたことはない！
たしかに

贅沢な望みは持つべきでない
ただ人が私たちを
思い起こす日が来るのを願うだけ
遠い昔に巨大な獣と格闘した先祖を
思い起こすように、

すると顔にはきっと
安らかな笑いが広がるだろう
たとえ穏やかすぎたとしても、
私はその笑い顔のためには
死もいとわないつもりだ！

（『笑い』、原題：『笑』、一九三七年）

二〇一四年八月、私の目の前で王分が五歳になった艾老の手を取った。そして二人はゆっくりと北京空港の出発ロビーへと歩いて行った。これからベルリンに飛ぶ。三年かけて建てていたスタジオが完成したのだ。私と同じように、艾老も父親の歩んだ道をたどり、生まれた国を出て行く。何年もしてから、息子はなぜこれが必要だったか理解することだろう。二人にとって勇気ある一歩だと思った。

出発前に艾老が私に言った。「この詩、あげる、ぼくが八歳になったら読んでほしいやつ。先にあげておくね。五歳のぼくについての詩だよ」。

風は西へふき
水は東にながれ
ぼくはここに立つ
このすてきな場面を思い出して

三年まえ
まだ小さかったとき
ぼくはもう賢かった

国さん、さよなら。

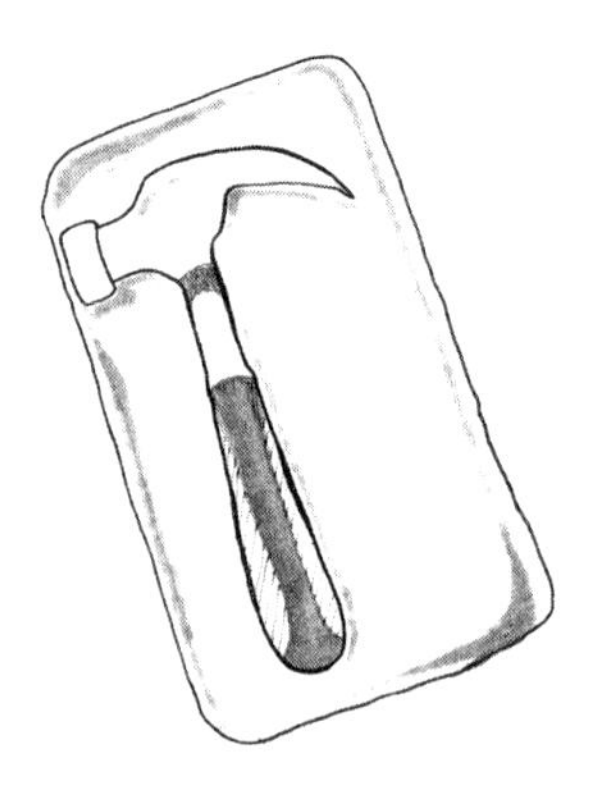

艾老の金づち、2015 年

王分と艾老(アイ・ラオ)の姿が見えなくなり、私は心の重荷が取れたように感じた。これで、二人が安全な場所にいるかどうか心配しなくて済む。それまでの五年間、闇に消えていたときをのぞいて、私は艾老が一日ごとに成長していくのを見守り、同時に成長しなければいいとも思った。いつまでも息子を肩車に乗せて、一緒に池のほとりを散歩したり、ハスの葉にとまったトンボや芝生のキリギリスを捕ったりしたかった。しかし、二人にまた会えるのかは、この時点ではまったくわからなかった。

後日、ビデオチャットをしているとき艾老は、冷凍庫に氷で固めた金づちを入れたと言った。「プレゼントだよ。金づちは艾未未だよ。警察にどんなことをされてもね、艾未未はいつでも艾未未なんだ、変わらない。氷がとけても、金づちは金づちだよ」。

あるときは電話で話していると艾老が、会いたいばっかり言うのはやめてと言った。「時間がたったら慣れるよ」とじつに淡々と言う。

会話が終わったあとで、艾老は王分に言ったそうだ。「二、三カ月前にお父さんと話したあとでぼくが泣いたの覚えてる？　艾未未が絶対こっちに来られないと思ったんだ。来させてもらえないだろうって」。

また、あるときは突然、「艾未未を捕まえたのは警察、それとも共産党？」と聞かれた。

返答に困った。この質問にはっきりした返事ができたとしても、別の問題も浮上するに違いない。ほつれてしまった服のようなものだ。艾老の質問は、私が長いこと悩まされたもので、政治的正当性の問題であり、私のアイデンティティにも関わるものだった。

二〇一四年十二月十六日、艾老が私に手紙をくれた。中国語で書いてあった。「心が静かなら良し」、自分で作った格言だ。心が平静なら、することがうまくいく、ということだそうだ。

またこんなことも言った。「悪い人はすごく強いってわかった。悪いことをするのには、強くならなくちゃいけないから。だからね、強くなりたかったら、悪いことをするんだ。でもたくさんじゃないよ、たくさんだと悪い人になっちゃうからね」。

王分が彼に言った。「お父さんはこの世に完璧なものはないと言うの。あなたはどう思う？」

「あるよ」と艾老は答えた。「いのちは完璧だよ」。

「ものごとが公平か不公平かってばかり考えちゃいけないんだ」とも言ったそうだ。「ときどき、不公平なのが公平になる。たとえば、人の持っていないものを自分が持っていても、不公平とは限らないんだ。それを持っていない人が、ほかのものはたくさん持っているかもしれないでしょ」。

二〇一五年六月二十一日は、私が釈放されて四年目の前日だった。北京の空はもう一ヵ月以上も晴れていて、やわらかい風が顔をかすめ、清浄な空気を吸うのはこの上ない喜びだった。私はここしばらくのあいだ、せっせと書いていた。まるで私の意識が日々の習慣から完全に離れてしまい、過去を想像することに没頭しているかのようだった。ところがこの日に限って、自分が囚われていた場所を探したいという欲求を強く感じた。そのことにはずっと悩まされていた。隠れた権力、あまりに強大で、私の内なる調和を乱し、自意識をおびやかすものの象徴として、頭の隅に居座っていた。あの場所をもう一度見たい、今度は新鮮な目で。こうして小胖と私は車に乗った。

勾留のあいだ、牢獄（ろうごく）の場所の情報は得られなかった。衛兵たちも同じくらい、自分がどこにいるのかわかっていなかった。しかし私の釈放後に衛兵の一人が兵役を終え、私を訪ねてきた。そして寮での自撮り写真を見せてくれた。彼の背後に窓があり、かすかに集合住宅のビルが見えた。あるとき中隊長がうっかり「ブドウ園」という場所の名前を口にしたことを彼は覚えていた。その後、グーグルマップを駆使して調べあげた。

その日は不思議な力に助けられたかのように、車は広い北京を通りぬけ、一度も道を間違えることなく、磁石のように問題の場所へと導かれた。住宅地に車を停めた。右手に小さな公園がある。

高層マンションの下で、中年女性が犬の散歩中の人とおしゃべりをしていた。その道の端まで行くと塀がめぐらしてあり、私が閉じ込められていた二階建てビルがちらりと見えた。塀の向こう側にあり、電気柵と監視カメラに守られていた。外観は頭の中にあったイメージとぴったり合致した。まるで二つに割れた翡翠(ひすい)の円板のように、一分の隙間もなく合わせられそうだ。隣の集合住宅の最上階まで昇って、自分が閉じ込められていた建物を見下ろし、写真を撮った。それから興奮して王分に発見のことを伝えた。

二〇一五年の夏、当局は、私が香港で迷惑行為におよぶおそれはもうないとみたようだ。四年におよぶ自宅軟禁も終了していた。スタジオの外の自転車かごが生花で飾られたのは、きっかり六百日間だった。七月十八日、国保局の趙(ジャオ)局員の車の中で、パスポートがそっと手渡された。私はパスポートを手に自撮りした写真をインスタグラムに載せた。これでやっとベルリンに行ける。

私が今後どこへ行くか、公安局は少なからず気にしていた。西側の国のうち、私がいちばん長く過ごしたのはアメリカ合衆国だが、そこに行くことを彼らは好まなかった。逆にドイツは都合がよかった。頭の傷の経過観察のためということで、ドイツへの渡航許可を正式に申請するよう、向こうから言ってきたくらいだ。

中国とドイツはこの時期、経済的な結びつきを強めていた。習近平(シー・ジンピン)主席が二〇一四年三月にドイツを訪問し、その年の七月にアンゲラ・メルケル首相が就任後七度目の訪中をしている。二〇一四年一月から八月までの中独貿易総額は千百七十三億ドルで、前年同時期から十二パーセントの伸びだ。ドイツでは二千以上の対中投資会社が活動しており、やがて中国はドイツ最大の貿易相手国となろうとしていた。私のヴィザは、わずか数日という異例のスピードで優先的に発行された。

イギリスにも寄りたかった。秋にはロンドンのロイヤル・アカデミー・オブ・アーツで展覧会が予定されていた。ところが六カ月ヴィザの申請で問題にぶつかった。北京のイギリス大使館が、私の犯

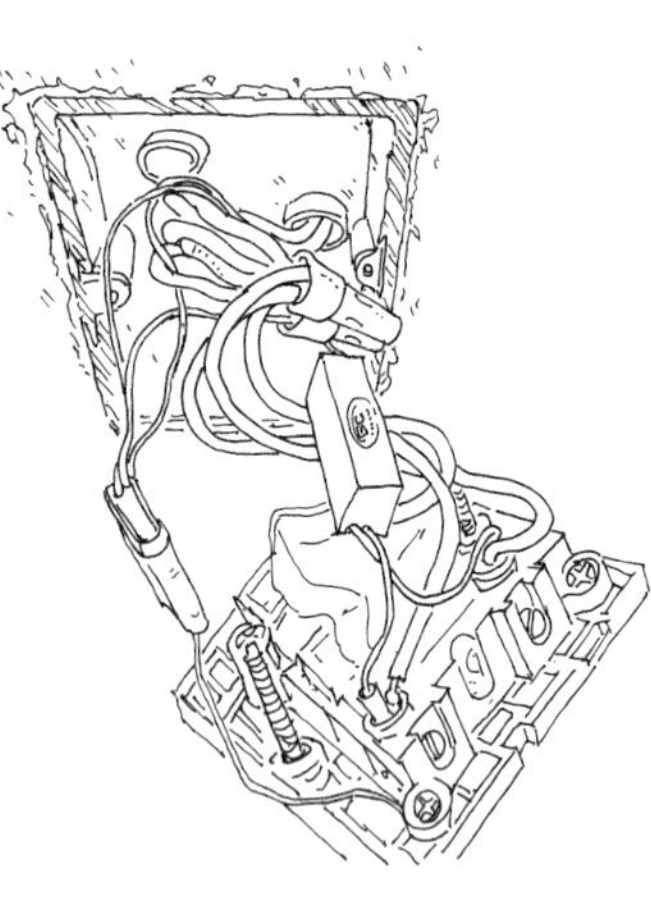
草場地二五八番で見つかった盗聴器

罪歴の件がクリアになっていないと言うのだ。例の脱税容疑のことだ。私はできるだけの説明をした。私ははめられたのであり、拉致されたのだ。中国政府に反対したためであり、正式な起訴はされていないなど。しかし領事館官吏を説得できなかった。とうとう当時の内務大臣、テリーザ・メイが直接介入することになった。

北京にいるアメリカの外交官たちが大使館に招いてくれ、そこで大使にも会ったが、到着してまず言われたのが「アメリカに来てくださいよ」だった。私はため息をつくしかなかった。ようやく泥沼から片足を抜いたばかりであり、まだまだ先は長かった。

私がドイツに出発する直前になって、当局はスタジオの壁に埋めておいた盗聴器を回収しようとしたが、こちらはとっくにそれを見つけていた（発見を祝って、送信器のすぐ横で爆竹を鳴らしてやった）。私は記念にもらっておきたかった。「これは秘密の物ですよね」と警官に言った。「そもそも存在しない。あるべきはずもないものを、どうやって返すって言うんです？」というわけで、盗聴器は今でも預かっている。

七月三十日、私は友人の夏星と、公安局の厳重な護衛付きで空港へ行った。特別な待合スペースに案内された。そこは人民大会堂の応接室のように飾られており、快適な肘かけ椅子の下には絨毯が敷きつめられ、壁には絵がかかっていた。搭乗券を渡され、ミュンヘン行きのフライトの待つ搭乗ゲートへと誘導された。

そのとき世界でいちばん会いたい人間といえば、艾老だった。これからはずっと一緒にいたいと思った。飛行機はミュンヘンに午後五時に到着した。税関をさっさと通過し、王分と艾老が現れるよりも早く到着ロビーに出た。二人が遠くからやって来るのをひそかに見守っていた。私に会ってもちろんうれしいのだが、大げさな感情を表さない二人だ。今まで離れればなれだったとは思えないくらいだった。でも艾老は、王分と私が彼のたった二つのジグソーパズルのピースだ、これでピースをつなげられると言った。

艾老とのつながりは、自分と父との絆（きずな）を思わせる。艾老も私と同じように、歳より早く大人びた。私はいつも艾老を人として正しく扱うよう努めている。息子がどれだけ淡々として無関心だったとしても、彼が私の究極の審判だ。艾老に認められることが、私の努力が報われたかどうかの最終的な評価となるだろう。父を思い出して悔やむのは、私が父の困難に大して関心を示さなかったこと、それに共感や理解も、若いころはあまり示せなかったことに原因がある。あの秘密の牢獄での長い数週間のあいだ、怖れたのは二度と息子に会えないかもしれないことではなく、本当の私を知ってもらう機会がないかもしれないことだった。そこで思ったのだ、もし解放されたら、息子とのあいだにできた溝に橋をかけるために、父についても知っていることを書こう、そして息子に正直に、自分というものを話そうと。私にとって人生の意味は何か、なぜ自由が大切なのか、なぜ独裁政治は芸術を怖れるのか。私の信念が、息子が心と頭で見て感じることのできる形になることを願った。そうすれば、ある日艾老がもっと知りたいと思ったときに、私と、彼の祖父の物語がそこに用意できているだろう。

私の過去と現在は、死んで骨をつなぐ組織がなくなった動物の骨のように、切り離されてしまった。

努力はしたものの、自分の経験を完全に見せることは難しいと感じる。おなじことが私のアートにも当てはまる。環境による影響がどのくらいだったのかはわからないが、現実に対して責任を持つのは私であることに変わりはない。夜中に雨の中を進む人のように、一歩ごとに、私は望む場所へと近づいていく。だが、どこに行きたいのだろう?

アートは心の奥底にある真実を明かすものだから、重大なメッセージを開く力がある。私が見るところ、自由を推進するのは自由を得ようとすることと切り離せない。自由はゴールではなく方向であり、抵抗する行動から生じるものだからだ。アーティストとして私はその信念を何か驚くべき、すばらしいものに変換する責任がある。立ち向かう相手に比べて私のアートが貧弱に見えることがあるかもしれないが、目に見える記録の一部として、いつまでも残る。私は公平さを推し進め続ける。公平なことで、個人の利益がグループの中で最大限に実現できるようになるからだ。あるいは艾老が言うように、「平等はみんなを幸せにする」からだ。

どんな困難に出会おうとも、私は選んだ道を確実に進む。意識して自分の使命を実行し、たとえ深い裂け目の縁に立っているのに気づいてもうろたえず、未知の何かに与えられた可能性に感謝しつつ。

自分がどこまで行けるのか、あるいはこの旅でどこに運ばれて行くのかに関心はない。未来に何が起きようと、私がその未来の一部であることは間違いない。最悪のことは、自由な表現力を失うことだろう。それは人生の価値を知り、それに従って選択するという意志を失うことだから。私にとって、ほかの道はない。

私が闘って得た権利はみんなが享受すべきものだが、もし結果が悪ければ、私一人が負うべきものだ。この点に気づいたことで、私は精神的強さを得た。父が、新疆ウイグル自治区の古代シルクロードの街の廃墟を訪ねて書いた詩を思い出す。

千年の歓喜と悲哀、出逢いと別れは
一片の痕跡(こんせき)すらない

今生きている者は、全力で生きねばならぬ
大地が記憶してくれると、望んではならぬ

私たちの努力も、出会った不幸も、すべてが生きてきたことへの報酬だ。

これ以上、何をつけ加えよう。手を止めなければいけない。書いてきた思い出に、自分だけのものはほとんどないから。私は決して自分のものではない多くのできごとに、たまたま出くわした。まるでクモがきちんと巣を張れず、もがけばもがくほど、すでに編まれた糸を壊してしまうようだ。

私は並外れた時代を生きてきた。その恩恵も逆境も、同じく時代の栄光の証(あか)しであり、一種の真実を形づくっている。だが同時に、生の幻想が私という存在を造形し続ける。だから、こういう言い方をしよう。私が艾老に再会する前の数カ月に書いたのは、できれば思い出したくないことだ。そもそも、私に忘れることを教えてくれたのが、これらの記憶だから。

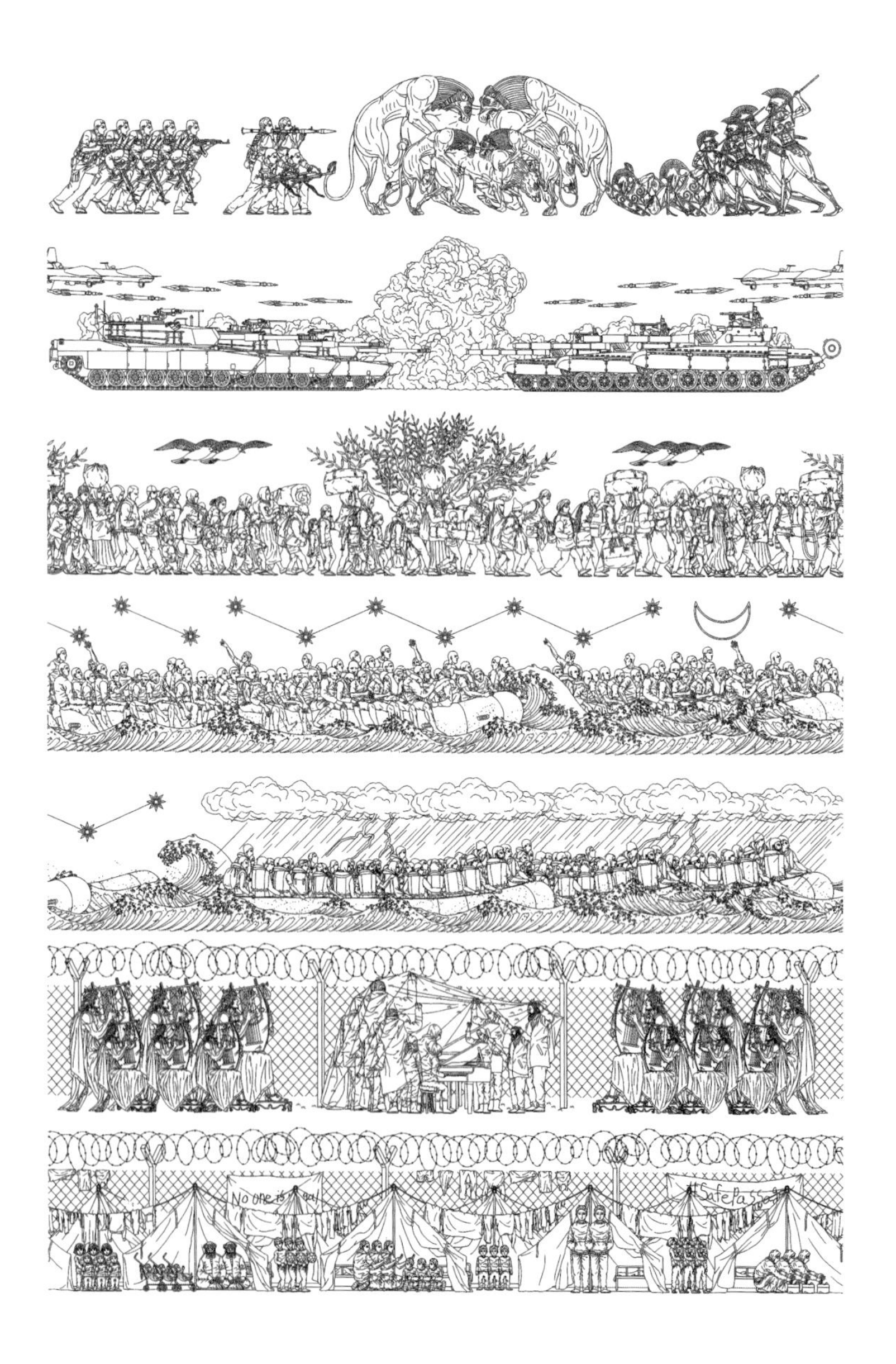
No one is
#SafePass

あとがき

二〇一五年の十二月下旬、私は王分と共に艾老を連れてギリシャのレスボス島に出かけた。パスポートを取り返してから初めての家族旅行だ。この旅の数ヵ月前から、レスボス島にはシリアやイラク、アフガニスタンからの難民を乗せたボートが毎日十艘(そう)以上もやって来るようになっていた。現地に着いて、悪化する一方の難民危機を間近に見てしまうと、旅行のプランは一から考え直さなければならなくなった。

その日、目の前には紺碧(こんぺき)の空の下にエーゲ海が広がっていた。遠方にオレンジ色の救命ボートらしきものが見え、陸をめざしてゆっくりと波を越えて進んでくる。近づくにつれはっきり見えてきたのはやはりゴムボートで、オレンジ色のライフジャケットを着けた難民がぎっしり乗っていた。戦争で荒廃した祖国から逃げてきた人々と初めて現実で接し、今までの先入観はすべて砕け散り、私は苦痛と絶望そのものの世界と向き合っていた。ボートの光景は私の心を深く、天からの啓示ほどの強い力で揺さぶった。

ボートが海岸に近づくにつれ、大人の叫び声に混じって赤ん坊の泣き声も聞こえてきた。長いドレスの女性や髭面(ひげづら)の男性が次々に船べりを乗り越え、浅瀬をよろめきながら乾いた陸地へと進んだ。なかには自力で歩けない人もいて、海岸まで運ばれたとたん、憔悴(しょうすい)しきって倒れてしまった。

その場面を確かに目撃しているのに、何を見たのかを完全に理解するには時間がかかった。この人たちは誰なのか、なぜこの海岸にたどり着くことになったのかを知りたかった。不安な叫びや嗚咽のなか、彼らの心の底には沈黙があるのもわかった。ここはこの人たちの母国ではなく、彼らは助けや同情を求めているわけではない。新たな土地が彼らにとってどんなに異質で冷ややかなものかが感じられた。その惨めさを見ているだけで、自分の一部が死んでいくようだった。

それから数カ月間、私は難民危機についてのドキュメンタリーを撮り、危機の原因と結果をもっと理解するために、幅広く旅に出た。戦争で破壊された北シリアと接するトルコ東部の難民キャンプ。レバノンのパレスチナ難民施設はもう六十年の歴史がある。ヨルダンの巨大なシリア人難民キャンプ、その北にある国境の緩衝地帯にも行った。エルサレムの封鎖されたガザ地区を訪ね、その後アメリカのメキシコとの国境へ旅した。

かつてベルリンの主要空港であったテンペルホーフに作られた難民収容施設にも行った。だが、そこが難民キャンプであると素直に認めようとする人には一人も会えなかった。第二次世界大戦以来、ヨーロッパの人々は、大陸でそのような悲劇が起こっていると考えたくないのだ。私はイドメニに渡った。マケドニア（現北マケドニア）とギリシャの国境にあるこの村には、一万人以上の難民がシリアやアフガニスタン、イラク、パキスタンから来て、立ち往生していた。ヨーロッパ内陸に向かう北への道が突然閉ざされ、家を失った無数の家族の希望や夢が破れたのだ。数カ月をかけて撮影し、インタビューをした結果、この悲惨な人道的危機のスケールと深刻さがはっきりと理解できるようになった。

そのあいだにも、海を渡ろうとして溺れた難民の報告は絶えなかった。二〇一五年には、エーゲ海で毎日二人の子供が溺死しており、そのうち人々はそんな話に疲れてしまった。ヨーロッパのほとんどの国々で、移住者は支援を受けられず、武力紛争の生存者への差別的な扱いは、彼らが逃れてきた戦争と同じくらい悪質だ。心が痛むのは、その道がどれほど危険で、対岸に厳しい苦難が待っていても、難民が移動を思いとどまりはしないという事実だ。彼らは洪水のように押し寄せ続ける。戦争で廃墟（はいきょ）となった祖国で命を危険にさらすよりは、偏見の中ででも、子供が生き延びるほうがましだから。

　私は再び父のことを思い出し、父のジレンマと選んだ道を考えた。逆境に置かれた人の望みは、次の世代が同じ困難に遭わないことだ。子供は追放された人の究極の希望であり、もし子供を亡くしてしまえば、脱出は無益なものになってしまう。父と私、そして私の息子は、そろって同じ道を歩き、生まれた地を去ることになった。帰属意識は人のアイデンティティの中心であり、それがあるから、人は精神的な逃げ場を見つけられる。中国のことわざにも「久居則安（ジウジューゾーアン）」（住めば都）というのがある。どこかに属しているという感覚がなければ、言語も失われ、精神が落ち着かず、ものごとに確信が得られず、同じくらい不安定な世界に直面することになる。

　レスボス島は、なぜ自分に欠けた部分ができたのかを気づかせてくれた。また父を悩ませた追放生活がわが子の性格にも、まるで影がつきまとうように影響しようとしているのが見えた。シリアの紛争が始まった二〇一一年から、一千万人に近い難民が家を追われ、思い出の根ざす場所を離れ、自分たちの言葉や感情とのつながりを失くしてしまった。個人の記憶や人々の記憶が持ちこたえられなければ、残された悲しみは底なしの黒い穴となる。

　忘れまいとすることで人生に新たな現実ができる。この抵抗が、私の使命となった。二〇一六年、私はベルリン・コンツェルトハウスのクラシックな様式の柱を数千のライフジャケットで覆うことにした。それからプラハ国立美術館の個展『Law of the Journey（旅の法則）』では、全長六十メートルのゴムボートをデザイン、二百六十体のゴム人形を詰め込んだ。二〇一七年にはドキュメンタリー

『ヒューマン・フロー』を編集しながら、ヨーロッパを転々と移動する難民の着ていた服を集めた。難民たちは家から服を持参し、終わりのない旅の中でしばらく暖となぐさめを得ると、その服を捨ててしまうことがよくある。難民が去ったあとのキャンプで私たちは残された子供靴や女性のスカーフ、男性の上着などを拾い、全部ベルリンのスタジオに送り、きれいに洗って目録を作った。このプロジェクトで、不自由のない生活を送っている人々に、我々がみな同じような姿かたちをしていることに気づいてもらいたかった。違うのは境遇と記憶、ものの見方だけなのだ。それを思えば、拒絶したり疎外したり、敵意を向けることをやめられるのではないだろうか。

移民に関係する作品は、過去のプロジェクトの形式と一貫している。アーティストと見られようと、活動家や単なる一市民と見られようと、私はいつも、さまざまな役割を統合しようとし、調査やドキュメンタリーやレコーディング、展覧会を通して、形状と言語（ランゲージ）の相互作用を創り出そうとしている。難民危機にフォーカスしたことで、私は中国の独裁政府への抵抗という枠を超え、さらに普遍的な人間性の観察をすることとなり、人権についての理解を表現する機会を得た。

アートの創作は非常に個人的なものだから、たいがいは国家の意図と真っ向から対立する。私の作品は通常、集団の意志と、そして国の意志と相反するものだ。誰もその時代の言語と文化の刷り込みから逃れられない。そしてアートはただ集団の考えの先駆者として機能する。ある集団に、あるいは国に、問題にいち早く気づき、ものごとへの意識を高める機会を与えようとするものだ。

自由を認識したために、私は生まれた国でおこなわれている独裁体制と反目し、政治亡命者になった。中国から去ることを選んで私は帰属意識と安定した基盤を失い、流れに漂う浮き草となった。しかし、わが国は今もほとんど代わり映えのしない状況にある。記憶を拒絶し、健康な社会を築いて筋の通った政治形態を作るという仕事を拒んでいるからだ。中国はよりパワフルに発達したが、そのモラルの腐敗はただ、不安と不確実を世界に広げているだけだ。

　今日、ますます多くの人々が、さまざまな理由で先祖代々の家を追われている。戦争、宗教的差別、政治的迫害、環境の劣悪化、飢餓、貧困など。私たちはいつかこんな苦しみを根絶できるのだろうか。他人の不幸を基礎に建てられた文明が永続できるだろうか。そして自分もいつか家から追われて異国の岸にたどり着き、そこでも差別に遭い、同情を請わざるを得ない身分になったりしないと確信できる人がいるだろうか。

　父と私、そして息子という三世代の運命が、会ったこともなく知ることもない無数の人々の運命と密接につながっている。だからこそ、自分の胸のうちを明かし、ほかの人と分け合い、自分の言葉を聞いてもらうのだ。自己表現は人間の存在の中枢だ。人の声がなければ、生活に温かみと色彩がなければ、思いやりあるまなざしがなければ、地球はただの感情のない岩が宙に浮かんでいるにすぎない。

艾未未
二〇二一年三月四日

謝辞

この本を書こうと思いたったのは、二〇一一年に逮捕、勾留(こうりゅう)されていたときだ。強制的に孤立させられていた期間に、父の艾青(アイ・チン)との関係を考える必要を感じた。父とは感情面で親密だったとはいえないが、私の選んだ道も、今いる場所も、父とのつながりが影響したことは疑いない。私は、父が経験した個人的な苦労や、さらに大きな政治的困難を味わった。また、同じように国家の敵という烙印(らくいん)を押された。だから、父と私のそれぞれの人生を書こうと思った。その回想を、私の逮捕時にまだ二歳になったばかりの息子の艾老(アイ・ラオ)と分け合いたかった。八十一日間の拘束後に釈放されたとき、真っ先にしたのは自分の物語を録音しはじめることだった。私が姿を消したときに何があったのか、最初から、まだ自分の頭の中の記憶が新しいうちに、詳しく記録するためだ。

まず最初に、ピーターとエイミー・バーンスタインにお礼を申し上げたい。私がペンギン・ランダムハウスとの契約書にサインしたのは、二人の快適なオフィスでのことだ。

拘束事件から十年近くがたち、このプロジェクトが完成したことは非常にうれしい。なにしろ本の中のできごとや歴史的事実を書くことにかけては、まったく準備不足のまま臨んだのだから。この方面では父の若いころの人生について、以下の作家諸氏に感謝したい。程光煒(チョン・グワンウェイ)、駱寒超(ルオ・ハンチャオ)、葉錦(イエ・ジン)、周紅興(ジョウ・ホンシン)。この方たちの文献中の材料や年表を頻繁に使わせていただいた。

スタジオのスタッフの献身的な協力もありがたかった。歴史は記録の曖昧(あいまい)さや誤謬(ごびゅう)により複雑になってくるものだ。そのため家族と国の歴史の両方で、さまざまな細かい事実をチェックしてもらった。とくに、この仕事の最初から最後まで、惜しみない努力を続けてくれた徐燁(シュー・イエ)をたたえたい。スタジオのスタッフではほかに、ジェニファー・ウンとサン・モーが事実確認と校正で助けてくれた。またキンバリー・サン、チン＝チン・ヤップ、李東旭（リー・ドンシュー）がイラストと写真の編集を補助してくれた。また、「Damocle Edizioni」社のマルガリータ・フォードロヴァとピエルパオロ・プレニョラートは英語版表紙の魅力的なフォントを見つけてくれた。

私を信頼し、原稿執筆を導いてくれた「Crown」の編集者たちには感謝しきれない。初稿の編集ではレイチェル・クレイマンから非常に有益なアドバイスをいただき、また推敲（すいこう）作業を始めるにあたりメーガン・ハウザーから、はっきりした方向性を示してもらった。第二の編集チーム、ジリアン・ブレークとリビー・バートンにも大幅な構成の変更を提案されるなど、たいへんお世話になった。二人の専門知識と的確な助言のおかげで、この本はぐんと読みやすく、今の最終的なかたちに落ち着いた。さまざまな提案と勇気をくれたデイヴィッド・ドレイクとモリー・スターンにもお礼を申し上げたい。

とりわけ感謝したいのが英訳者のアラン・バーだ。彼と共同作業ができたことは幸運だった。中国史と文化について深い知識を持つアランは私の中国語原稿を自然で率直な言葉に訳し、私の原稿の不足も補ってくれた。その翻訳は明確でかつ柔軟、英語読者への多大なる恩恵だ。

最後になるが、様々な資料のありかを教えてくれ、細部の確認をしてくれた母・高瑛（ガオ・イン）と姉の玲玲（リンリン）に、また私を励まし執筆のアドバイスもくれた弟の艾丹（アイ・ダン）にもありがとうと言いたい。そして、パートナーの王分（ワン・フェン）、息子の艾老に厚い感謝を捧（ささ）げる。この十年間、二人の助けと理解がなければ、この本を完成することは難しかっただろう。

艾未未
二〇二一年三月四日

訳者あとがき

艾未未といえば奇抜な発想、大規模なインスタレーションで知られる現代アートの世界的スターである。私の住むイギリスでも主要な美術館で大規模な展覧会が開かれ、本人の登場するイベントはいつも満員の人気者だ。

その彼が書いた自伝はほぼ三分の一が、高名な詩人であった父・艾青の伝記に費やされている。地方の地主の家に生まれた艾青はパリに美術留学して詩にめざめ、帰国後に共産主義革命の理想に賛同する作品を出版して注目された。しかし表現の自由を奪う方向に進む政治体制と合わなくなり、文化大革命の時期には辺境の「労働改造収容所」に追放され、名誉が回復されるまで約二十年間も発表の機会がなかった。息子の未未はニューヨークに留学してコンセプチュアル・アートに触れ、帰国後は検閲制度の裏をかく作品を制作、また当局との対立を覚悟した不屈の社会活動を続けている。現在は中国を離れてヨーロッパ在住。時代は状況は違っても、二人のたどった道はよく似ているのだ。

地元で出版記念のトークを聞きに行く機会があったのは幸運だった。艾未未は穏やかな紳士で、聴衆をよく観察している。ユーモアを交えたトークが面白い。聞き手の美術館長が、テート・モダンの大ホール床を埋め尽くした『ひまわりの種』について現代アートの視点で質問すると、「あなたはインテリだから難しく考えすぎ。アイデアに詰まったから数で勝負したんだよ」と煙（けむ）にまく。もちろん本当は本書でも触れられているとおり、もっと深い意味がある。

そうして笑わせながら、ふと真剣な顔になって、六十四歳（当時）の今でも、朝起きて最初に感じる感情が「怒り」なことがよくある、と語っていたのが印象的だ。

艾未未は怒っている。ただ芸術を愛した優しい父を迫害した独裁政権に怒り、四川大地震で大勢の子供が崩壊した学校の下敷きになり亡くなったのに犠牲者の数も名前も発表しない政府に怒る。彼は迫害された側の味方だ。弱い立場の者は人間でも猫でも、助けようと行動を起こす。現代の難民問題を扱ったドキュメンタリー映画『ヒューマン・フロー　大地漂流』の中で、難民のパスポートを自分のものと取り替えるしぐさをしていた。彼も祖国を離れている。誰でもいつ何時この立場になるかわからないと、身をもって知っているのだ。

それだけでなく、理由なき勾留中に自分を厳しく尋問する取り調べ官にも、二十四時間見張っている兵士たちにも、一個の人間として接している。彼らも「歯車」の一つであると、同情できるのだろう。

本書はアラン・バー翻訳『1000 Years of Joys and Sorrows: A Memoir』の全訳である。中国語の原稿は英語版を出すにあたり大幅に構成を変えて再編集されたため、日本語訳は英語版を底本とし、必要な部分は中国語を確認するという方法をとった。なお、繁体字版は台湾の時報出版から『千年悲歡』として電子出版された。

引用されている艾青の詩は、原文に当たりつつ英語から訳した。『艾青詩集─現代中国の詩人　ＡｉＱｉｎｇ』（秋吉久紀夫訳、土曜美術社出版販売）を参考にさせていただいた。中国現代文学研究者の渡辺新一中央大学名誉教授がお忙しい中チェックしてくださり、感謝に堪えない。

最後に、お世話になった方々にお礼を申し上げたい。オフィス宮崎の宮崎壽子さんと柳嶋覚子さん、ＫＡＤＯＫＡＷＡの郡司珠子さんをはじめ編集・調査チームの皆さん、訳文を細かく見ていただいただけでなく、中国語、史実や事実関係を丁寧に調べていただき、ありがとうございました。

佐々木紀子

p257 『鉄筋』 2012年　2008年5月12日の四川大地震で損壊した建物から回収した、曲がりくねった鉄筋のドローイング。地震の犠牲者8万人のうち、倒壊した学校の下敷きになった児童生徒が5000人以上いた。艾は学校のがれきから曲がった鉄筋を収集し、作品に使用した。

p262 『動物の輪／十二支の頭』 2011年　十二支動物頭部の彫刻のドローイング。

p286 『ひまわりの種』 2010年　ロンドンのテート・モダン美術館のタービン・ホールにインスタレーションとして1億個以上の陶器の種を敷き詰めた。その種を描いたドローイング。

p292 『河蟹（ホーシエ）』 2010年　艾の河蟹をモチーフにした磁器彫刻のドローイング。「河蟹」は中国語で「調和（ホーシエ）」と同音異義語になる。国家による弾圧を婉曲（えんきょく）に表現した。

p299 『Panda to Panda（パンダからパンダへ）』 2015年　みやげ物のドローイング。ぬいぐるみの詰め物は、エドワード・スノーデンによりリークされたアメリカ国家安全保障局の書類とマイクロSDメモリーカードをシュレッダーにかけたもの。

p347 『灰皿』 2011年　吸い殻でいっぱいの灰皿のドローイング。

p347 『大理石のベビーカー』 2014年　艾の息子のベビーカーを大理石で再現した彫刻のドローイング。

p358 『Remains 遺骨』 2015年　磁器で再現した人骨のドローイング。何千人もの知識人が労働改造収容所に送られ、多くが病や飢えで命を落とした。人骨は収容所のあった砂漠から集められたもの。

p366 『盗聴器』 2015年　艾のスタジオの壁コンセントに隠されていた盗聴器のドローイング。

p370 『オデッセイ』 2016年　難民の苦難の旅を描いた壁紙デザイン。

作品解説

p43 『如意』 2006 年　如意は中国で伝統的に用いられる笏、強運と不死を象徴する。艾の磁器彫刻『如意』は人間の臓器を模している。

p163 『上海のスケッチ』 1979 年　上海の都市景観のスケッチ。北京電影学院に入学した初年に艾は実習生として上海で学んだ。これが初めての上海滞在だった。

p163 『森』 1977 年　1979 年に中国で出版された艾青の詩集『艾青選集』の表紙に使われたスケッチ。

p171 『人体デッサン』 1982 年　艾がアメリカに渡った最初の年に、カリフォルニア大学バークレー校のクラスで描いたデッサン。

p188 『Hanging Man（ハンギング・マン）』 1985 年　フランス人アーティスト、マルセル・デュシャンへのオマージュ。針金ハンガーでデュシャンの横顔を描いた。

p201 『青花龍図大鉢の破片』 1996 年　壊れた骨董の磁器鉢のドローイング。

p205 『竹の指』 2015 年 『遠近法の研究』（1995 年〜現在）に関連するドローイング。

p211 『Bang（バン！）』 2013 年　木製スツールのインスタレーションのドローイング。2013 年ヴェネツィア・ビエンナーレでドイツ館に展示された。

p227 『Fragments（断片）』 2005 年　清王朝時代（1644 〜 1912 年）の寺院が解体された際に出た柱や梁を利用したインスタレーションのドローイング。

p237 『山海経』 2015 年　伝統的な凧作りの手法を用いた竹による立体作品のドローイング。山海経は中国の神話・地理書（前四世紀）。

p245 『テンプレート』 2007 年　明王朝（1368 〜 1644 年）と清王朝時代の建築が取り壊されたときに出た木製のドアや窓を 1001 枚使用した インスタレーション『テンプレート』は、カッセルの「ドクメンタ 12」で展示された。嵐で崩壊したが、艾は作品に新たなアイデンティティがやどったと宣言した。

著者について

艾未未は1957年、中華人民共和国の北京に生まれた。80年代初期からアメリカ合衆国に住み、93年に北京に戻った。2015年からはヨーロッパ在住。人権と言論の自由を主張するアーティストとして、世界で作品が展示され、ソーシャルメディアでも活躍する。代表的な展覧会は、カッセルの「ドクメンタ12」での『童話』(2007年)、ロンドン、テート・モダンの『ひまわりの種』(2010年)、ベルリン、マルティン・グロピウス・バウでの『Evidence(証拠)』(2014年)、ロンドン、ロイヤル・アカデミー・オブ・アーツの『艾未未』展(2015年)、エルサレムのイスラエル博物館での『Maybe, Maybe Not』(2017年)、イスタンブールのサークプ・サバンジュ美術館での『Ai Weiwei on Porcelain(ウェイウェイと磁器)』(2017年)、ニューヨークでの『Good Fences Make Good Neighbors(よい垣根はよい隣人をつくる)』(2017~2018年)、ブラジル、サンパウロのOCAでの『Raiz(ルーツ)』(2018年)、ロンドン、ピカデリーサーカスでの『CIRCA 20:20』(2020年)など。長編ドキュメンタリー映画に『ヒューマン・フロー 大地漂流』(2017年)や『コロネーション』(2020年)などがある。人権財団から創造的反体制に対する「ヴァーツラフ・ハヴェル賞」、アムネスティ・インターナショナルから「良心の大使賞」(2015年)、「高松宮殿下記念世界文化賞」(2022年)など、複数の受賞歴がある。

ART CREDITS

Cover design by Ai Weiwei

Late-1800s Venetian wooden type font, selected for the cover
by Margarita Fjodorova and Pierpaolo Pregnolato (Damocle Edizioni)

30p: Cup of the liner *André Lebon*
M. M.–CCI Aix Marseille Provence Collection,
photography copyright © Marie Caroll. Reprinted by
permission of Marseille Cultural Review.

46p: Courtesy of Jiang Feng.

All illustrations are original drawings by Ai Weiwei
unless otherwise noted.
All photographs in the inserts are courtesy of the author.

日本語版ブックデザイン　國枝達也
翻訳協力　オフィス宮崎　　牧陽一

訳　佐々木紀子（ささき　のりこ）
北海道出身。東京外国語大学ロシア語科卒業。科学・歴史系のノンフィクションから、ミステリ・サスペンス小説まで、幅広い分野の翻訳に携わる。訳書は『バレエ大図鑑』（共訳、河出書房新社）や『OVERVIEW 宇宙から見たちっぽけな地球のすごい景色』（ベンジャミン・グラント、サンマーク出版）、『瞳の奥に』（サラ・ピンバラ、扶桑社）など。イギリス在住。趣味はロンドンの美術館めぐりと、美術館で行われるアートのワークショップに参加すること。

千年の歓喜と悲哀　アイ・ウェイウェイ自伝

2022年12月1日　初版発行

著者／艾 未 未

訳者／佐々木紀子

発行者／山下直久

発行／株式会社KADOKAWA
〒102-8177　東京都千代田区富士見2-13-3
電話　0570-002-301(ナビダイヤル)

印刷所／大日本印刷株式会社

製本所／本間製本株式会社

●お問い合わせ
https://www.kadokawa.co.jp/（「お問い合わせ」へお進みください）
※内容によっては、お答えできない場合があります。
※サポートは日本国内のみとさせていただきます。
※Japanese text only

定価はカバーに表示してあります。

ISBN 978-4-04-111963-1　C0098